Berlin Noir

March Violets
1989

Berlin Noir
March Violets

Philip Kerr

베를린 누아르
—
3월의 제비꽃

필립 커 지음 ㅣ 박진세 옮김

어머니에게

차
례

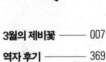

일러두기

———

본문의 모든 주는 옮긴이 주입니다.

•

독일 정당이었던 나치의 정식 명칭은 `국가사회주의 독일 노동자당` 입니다.
본문에는 편의상 나치 또는 나치스로 표기하였습니다.

1936년 베를린

첫 번째 남자: 3월의 제비꽃[1]들이 당신과 나 같은 베테랑 당원을 완벽히 따라잡았다는 걸 알고 있나?

두 번째 남자: 그래. 아마 히틀러도 나치가 시류에 오르길 조금만 기다렸더라면 더 빨리 총통이 됐을 거야.

《슈바르츠 코르프스》[2], 1935년 11월

---

1. 1933년, 정권을 장악한 나치스당과 히틀러는 3월 23일에 수권법을 통과시키며 일당독재 체제를 확립한다. 이를 기점으로 나치스 당원 수가 큰 폭으로 증가한다. '3월의 제비꽃'은 나치스의 정권 장악 후 새롭게 당원이 된 기회주의자들을 비꼬아 이르던 말이다.
2. 나치 친위대 SS의 기관지.

I

위대한 설득자의 음험한 꿈속에서는 이상한 일들이 일어난다…….

오늘 아침 나는 나치 돌격대원 두 명이 프리드리히 가와 예거 가가 만나는 모퉁이 건물 벽에서 붉은색 《데어 슈튀르머》 신문 게시대를 떼어 내는 모습을 보았다. 《데어 슈튀르머》는 독일 내 유대인 박해의 선봉장 율리우스 슈트라이허가 발행하는 반유대주의 신문이다. 긴 코의 괴물들[3]에게 안긴 풍만한 아리아인 하녀들의 모습을 그린 포르노그래피 수준의 선화線畫가 있는 이 신문 게시대의 시각적인 충격은, 피상적인 자극을 제공하여 저능한 독자들을 매료시키는 경향이 있다. 점잖은 사람들이라면 거들떠보지도 않을 테지만. 어쨌든 두 명의 나치 돌격대원은 《데어 슈튀르머》 게시대를 다른 게시대 몇몇과 함께 트럭 짐칸에 놓았다. 그 가운데 적어도 게시대 두 개의 유리 덮개가 깨져 있었기 때문에 그리 주의해서 작업하는 것 같지는 않았다.

---

3. 유대인을 뜻한다.

한 시간 후 나는 같은 두 사람이 시청 앞 전차 정류장에서 또 다른 《데어 슈튀르머》의 게시대를 제거하는 모습을 보았다. 이번에는 그들에게 다가가 뭘 하고 있는지 물었다.

"올림픽 때문에 이러는 겁니다." 한 사람이 말했다. "올림픽을 보러 베를린에 올 외국인 방문자들이 놀라지 않도록 이것들 모두를 떼어 내라는 명령을 받았습니다."

내 경험상 당국의 이런 예민한 처사는 이례적이다.

나는 내 차―낡은 검정 하노마크―로 집에 돌아가 마지막으로 한 벌 남은 좋은 양복으로 갈아입었다. 삼 년 전에 백이십 마르크를 주고 산 연회색 플란넬 양복은 이제 이 나라에서는 보기 드문 고급품이다. 버터, 커피, 비누처럼 요즘 나오는 모직은 대개 모조품인데 쓸 만해도 내구성이 떨어지고 겨울이 오면 추위를 막아 주지 못한다. 여름이라고 해서 더 나을 것도 없지만.

침실에 있는 거울로 내 모습을 점검하고 내가 가진 가장 좋은 모자를 집어 들었다. 챙이 넓은 진회색 펠트 모자로 검은색 배라시아[4] 밴드가 둘러져 있다. 상당히 흔한 모자다. 하지만 나는 게슈타포처럼 다른 사람들과 다르게 뒤보다 앞 챙을 더 눌러 쓴다. 이렇게 쓰면 당연히 내 눈을 가리는 데 효과가 있고, 사람들이 나를 알아보기가 더 힘들다. 이것은 베를린 경찰 크리포 스타일로, 나는 거기서 이렇게 쓰는 법을 배웠다.

---

4. 양모 또는 견을 섞어 짠 고급 옷감.

마지막으로 나는 재킷 주머니에 무라티 담배 한 갑을 넣고, 선물용으로 포장한 로젠탈 자기 한 점을 겨드랑이 밑에 끼운 다음 밖으로 나갔다.

결혼식은 포츠담 역 바로 남쪽, 데네비츠 광장에 있는 루터 교회에서 치러졌고, 그곳은 신부의 부모 집에서 매우 가까운 곳이었다. 아버지 레만 씨는 레르터 역의 기관사였다가 지금은 일주일에 네 차례 함부르크를 왕복하는 급행열차를 운전한다. 신부 다크마르는 내 비서였는데, 나는 그녀 없이 도대체 무슨 일을 해야 할지 몰랐다. 알고 싶지도 않았다. 나는 종종 다크마르와의 결혼을 생각했다. 그녀는 예쁘고 나를 잘 챙겼고, 나는 나만의 특이한 방식으로 그녀를 사랑했던 것 같다. 하지만 서른여덟인 나는 그녀에게 너무 나이가 많을 터였고, 아마 상당히 따분한 사람이었으리라. 나는 그다지 재미있는 타입이 아니고, 다크마르는 약간의 재미를 누릴 만한 여자였다.

그래서 다크마르는 지금 이 비행기 조종사와 결혼식을 올리고 있다. 표면상 그는 여자가 바랄 수 있는 모든 것을 갖춘 남자였다. 젊고 핸섬했고, 국가사회주의 비행군단의 청회색 유니폼을 입은 모습은 늠름한 아리안 남자의 전형처럼 보였다. 하지만 피로연장에서 그를 만났을 때 나는 실망했다. 대부분의 당원들처럼 요하네스 부어켈 역시 대단히 진지하고, 으스대는 타입이기 때문이다.

다크마르가 그를 내게 소개했다. 요하네스는 격식대로 나와 악수하기 전에 크게 척 소리를 내며 발뒤꿈치를 모으고 간결하게 머리를 숙였다.

"축하하네." 나는 그에게 말했다. "매우 운이 좋은 친구군. 내가 제복을 입은 자네처럼 멋진 모습이었다면 다크마르에게 청혼을 했을 거야."

나는 그의 제복을 보려고 더 가까이 다가갔다. 가슴 왼쪽에는 나치 돌격대원 휘장과 파일럿 배지가 달려 있다. 이 두 개의 장식 위에는 어디서나 눈에 띄는 무시무시한 배지가 있었다. 당원 배지. 그리고 왼팔에는 스바스티카[5] 완장을 둘렀다. "다크마르한테서 자네가 루프트한자의 조종사였고 지금은 임시로 항공성에 배치되었다고 들었지만, 잘 모르겠군……. 하는 일이 뭐라고 했지, 다크마르?"

"스포츠 비행사요."

"맞아, 그랬지. 스포츠 비행사. 음, 스포츠 비행사들까지 제복을 입는지 몰랐군."

물론 '스포츠 비행사'라는 호칭이 이 잘난 제3제국의 완곡한 표현 중 하나라는 것은 조사해 볼 필요도 없다. 그것은 전투기 조종사의 비밀 훈련과 관련이 있는 특별한 호칭이었다.

"멋져 보이지 않나요?" 다크마르가 말했다.

"그리고 자기는 아름다워." 신랑이 충실하게 속삭였다.

"이런 걸 물어서 미안하지만, 요하네스. 독일 공군이 이제 공식적으로 승인되었나?"[6] 내가 말했다.

---

5. 나치스당의 어금꺾쇠 십자 표시.
6. 1919년 체결된 베르사유 조약으로 1차 세계대전 패전국 독일은 공군의 보유가 금지됐다.

"비행군단. 그걸 비행군단이라고 부르죠." 그게 그의 대답 전부였다. "귄터 씨, 당신은 사립탐정이시죠? 그거 재밌겠군요."

"사설 조사원이지." 나는 그의 말을 고쳐 줬다. "재밌을 때도 있네."

"어떤 종류의 일을 조사하십니까?"

"이혼 건을 뺀 거의 모든 일을 하네. 아내나 남편이 바람을 피우거나 자신이 바람을 피울 때면 사람들은 웃기는 행동을 하지. 전에 어떤 여자에게서 자신이 남편을 떠날 계획이라는 걸 남편에게 말해 달라는 의뢰를 받은 적 있지. 그녀는 남편에게 폭행을 당할까 봐 두려워했네. 그래서 내가 그에게 그 말을 전했고, 자네도 예상하겠지만 그 개자식이 날 폭행했지. 나는 목에 부목을 대고 성 게르트라우덴 병원에 삼 주 동안 입원해 있었네. 그 일로 부부 관계 일에서는 손 뗐네. 요즘은 보험 관련 조사에서 결혼 선물 경비, 실종자 찾기까지 모든 일을 하지. 실종자 수색은 경찰이 이미 아는 사건이나 모르는 사건까지 맡고 있네. 그래, 국가사회주의가 권력을 쥔 이래 그 분야가 내 사업 분야 중 가장 호황이지." 나는 가능한 한 붙임성 있게 미소를 짓고 도발적으로 눈썹을 씰룩였다. "우린 모두 국가사회주의 덕에 잘 풀리고 있지 않나? 3월의 제비꽃들 덕에 말이야."

"베른하르트 말 흘려들어." 다크마르가 말했다. "그의 유머 감각은 독특하니까." 나는 더 많은 이야기를 할 참이었지만 밴드가 음악을 연주하기 시작했고, 다크마르는 현명하게도 사람들이 따뜻하게 손뼉을 쳐 주는 댄스 플로어로 부어켈을 이끌었다.

나는 거기서 제공되는 샴페인에 넌더리를 내다가 진짜 마실 것을 찾기 위해 바로 향했다. 먼저 복[7]을 주문하고 내 취향인, 감자를 원료로 한 무색투명한 클라레[8]를 주문했고, 꽤 빠르게 들이켠 다음 같은 것을 다시 주문했다.

"결혼이란 갈증 나는 일이지." 옆자리의 키 작은 남자가 말했다. 다크마르의 아버지였다. 그는 바에서 고개를 돌려 딸을 자랑스럽게 바라보았다. "저 애는 한 폭의 그림 같지 않소, 귄터 씨?"

"따님 없이 제가 뭘 할 수 있을지 모르겠군요. 어쩌면 레만 씨, 당신이라면 따님이 마음을 바꾸어 내 옆에서 계속 머물도록 설득해 주실 수 있을 겁니다. 분명히 저 둘한테는 돈이 필요할 테니까요. 젊은 커플들은 언제나 돈이 필요하죠. 결혼하고 나면."

레만은 머리를 저었다. "유감이지만 요하네스와 그의 국가사회주의 정부는 여자에게 자격이 있는 노동은 한 가지뿐이라고 생각하오. 구 개월이라는 시간이 지난 후에 저 애가 가질 만한 종류의 것이지." 그는 파이프에 불을 붙이고 철학자처럼 뻐끔거렸다. "어쨌든," 그가 말했다. "둘은 제국 결혼 융자를 신청할 테고, 그게 저 애가 일하는 걸 막을 거요. 그렇지 않겠소?"

"그래요, 당신 말이 맞겠죠." 나는 그렇게 말하고 클라레 잔을 내려놓았다. 그의 얼굴에 내가 술꾼인 줄 몰랐다고 쓰여 있는 것을 보고 내가 말했다. "오해하시면 안 됩니다, 레만 씨. 나는 이걸 구강 청결제 대용으로 마실 뿐입니다. 뱉어 버리기엔 너무 게으를 뿐이지요." 그는 빙그레 웃더니 내 등을 철썩 때리고 클라레를 큰 잔으로 두 잔 더 주문했다. 우리는 술을 마셨고, 나는 그에게 행복한 커플이 어디로 신

---

7. 독한 독일 맥주.
8. 독주.

혼여행을 가는지 물었다.

"라인 강가로. 비스바덴. 아내와 나는 쾨니히슈타인으로 갔었지. 사랑스러운 곳이오. 하지만 요하네스는 곧 돌아와서 제국 노동 사업이 주최하는 KdF[9] 여행에 참가한다는군."

"오? 어디로 말입니까?"

"지중해."

"그걸 믿으십니까?"

노인이 미간을 찌푸렸다. "아니오." 그가 단호하게 말했다. "다크마르에게 얘기한 적은 없지만 그는 스페인으로 떠날 것 같소……."

"……전쟁을 하러 말이죠."

"전쟁, 맞소. 무솔리니가 프랑코를 돕고 있는데, 히틀러가 그 재미를 놓치려고 하지 않을 것 아니겠소? 그는 또 다른 피의 전쟁 속으로 우리를 몰아넣기 전까진 만족하지 않을 거요."

그 후 우리는 술을 조금 더 마셨고, 나중에 정신을 차려 보니 나는 그룬펠트 백화점의 스타킹 구매담당자라는 귀엽고 아담한 여자와 춤을 추고 있었다. 그녀의 이름은 카롤라였고, 나는 같이 나가자고 그녀를 꼬드긴 뒤 다크마르와 부어켈에게 축하 인사를 전하러 갔다. 부어켈은 당돌하게도 내 군 경력을 물었다.

"다크마르가 당신이 터키 전선에 있었다더군요." 스페인으로 가

---

9. Kraft durch Freude. 즐거움을 통해 힘을 얻는다는 뜻으로 나치가 주도한 범국민적 여가 활용 조직. 독일 국민의 계급적 일체성을 강조하고 나치스의 이념을 전파하려는 목적으로 설립되었다.

는 게 약간 걱정스러웠던 것일까? "그리고 철십자 훈장을 받으셨다고요."

나는 어깨를 으쓱했다. "이등 훈장일 뿐일세." 그렇군. 이 조종사는 명예에 굶주려 있군.

"그렇다 하더라도, 철십자 훈장입니다. 총통의 철십자 훈장이 이등 훈장이었습니다."

"글쎄, 총통에 대해서는 모르겠지만 내가 기억하기로, 전선에서 복무한 성실한 군인이었다면―비교적 성실했다면 말이야―전쟁 끝 무렵에 이등 훈장을 받는 건 꽤 쉬웠지. 자네도 알다시피 일등 메달 대부분은 무덤에 묻힌 사람들에게 수여되네. 내 철십자 훈장은 죽지 않은 덕에 받은 거지." 말이 많아지고 있었다. "누가 알겠나. 일이 잘 풀리면 자네도 하나 받을 수 있을지 모르지. 그렇게 멋진 제복에는 멋지게 보일 걸세."

부어켈의 여윈 젊은 얼굴이 굳어졌다. 그가 몸을 숙여 내 가슴께에서 냄새를 맡았다.

"많이 드셨군요."

"시_Si_.**10** 나는 휘청거리며 몸을 돌렸다. "아디오스, 옴브레_Adios, hombre._"**11**

---

10. 스페인어로 '그렇다'는 뜻.
11. '안녕, 친구'라는 뜻의 스페인어.

2

마침내 내가 대단찮은 동네, 빌머스도르프의 트라우테나우 가에 있는 내 아파트로 운전해 왔을 때는 새벽 한시가 넘은 늦은 시각이었다. 빌머스도르프는 내가 자란 베를린의 동네 중 하나로, 그래도 결혼식이 있었던 곳보다는 훨씬 나은 지역이다. 트라우테나우 가는 한가운데에 멋진 분수가 있는 니콜스부르거 광장을 지나 귄첼 가에서 북동쪽으로 뻗어 나간다. 나는 프라거 광장 끝에서 불편하지 않게 살았다.

다크마르 앞에서 부어켈을 놀린 것, 티어가르텐[12] 금붕어 연못가에서 스타킹 구매담당자 카롤라와 난잡하게 논 것을 부끄러워하며, 나는 차 안에서 담배를 피웠다. 예상보다 더 다크마르의 결혼에 상처를 받았다는 것을 인정해야 했다. 그에 대해 곱씹어 봤자 아무것도 달라질 게 없다는 것을 알고 있었다. 그녀를 잊지는 못하겠지만 그녀에 대한 생각을 떨쳐 버릴 방법은 얼마든지 있다.

차에서 내린 다음에야 거리 저쪽 이십 미터쯤 떨어진 곳에 검푸른

---

12. 베를린에 있는 공원.

색의 메르세데스 컨버터블이 주차되어 있는 것을 알았다. 두 남자가 차에 기댄 채 누군가를 기다리고 있었다. 한 남자가 피우던 담배를 집 어던지고 나에게 서둘러 다가오자 나는 마음을 다잡았다. 그가 더 가까이 다가왔을 때, 게슈타포라기에는 너무 말쑥하다는 것을 알 수 있었다. 또 다른 사람은 운전기사 제복을 입었는데 공연장의 차력사 같은 체구로, 표범 무늬 타이츠를 입으면 더 편해 보일 것 같은 인상이었다. 그의 그런 외관이 더 젊고 말쑥한 사내에게 명백한 자신감을 주는 것 같았다.

"귄터 씨? 당신이 베른하르트 귄터 씨입니까?" 말쑥한 쪽이 내 앞에서 걸음을 멈췄다. 나는 눈 한 번 깜박거리지 않고 거친 눈초리로 그를 쏘아보았다. 나는 새벽 한시에 내 집 앞에서 나를 부르는 사람에게 관심이 없다.

"나는 그의 형이야. 걔는 지금 이 도시에 없어." 사내가 활짝 웃었다. 그는 걸려들지 않았다.

"사립 탐정 귄터 씨죠? 제 고용주가 당신과 얘기를 나누고 싶어 하십니다." 그가 거대한 메르세데스를 가리켰다. "차 안에서 기다리고 계시죠. 건물 관리인에게 물었더니 당신이 저녁 늦게나 올 거라고 하더군요. 그게 세 시간 전이니, 우리가 한참 동안이나 기다렸다는 걸 아실 수 있을 겁니다. 아주 급한 건입니다."

나는 손목을 들어 손목시계를 눈에 갖다 댔다.

"이봐, 새벽 한시 사십분이야. 자네가 파는 게 뭐든 관심 없어. 난 지쳤고, 취했고, 침대에 들고 싶을 뿐이야. 사무실이 알렉산더 광장에 있으니까, 부탁이니 내일 보자고."

사근사근한 동안童顔의 젊은이는 내 말에 개의치 않고 앞길을 막았다. "내일까지 기다릴 수 없습니다." 그렇게 말한 다음 그는 애교 있게 웃었다. "제발 그분과 잠깐이라도 이야기를 나눠 주십시오. 부탁입니다."

"누구와 얘기하라고?" 나는 차를 건너다보며 딱딱거렸다.

"그분 명함입니다." 그가 명함을 건넸고, 나는 멍청하게도 당첨된 복권이기라도 한 양 그 명함을 응시했다. 그가 몸을 기울여 나를 위해 거꾸로 놓인 명함을 읽었다. "'운터 덴 린덴 67번지, 독일인 변호사 프리츠 셈 박사.' 좋은 동네죠."

"확실히 그렇군. 그런데 그렇게 멋진 회사의 변호사가 왜 이 시간에 밖에 나와 있지? 내가 동화를 믿는다고 생각하나 보군." 하지만 어쨌든 나는 그를 따라 차로 향했다. 운전기사가 차 문을 열었다. 차의 승차대에 한쪽 발을 올린 채 나는 안을 들여다보았다. 차 안의 그림자 속에서 몸을 숙인 남자는 오드콜로뉴 향을 풍기고 있었다. 그가 입을 열자 변기 위에서 끙끙거리는 사람 같은, 차갑고 무뚝뚝한 목소리가 들렸다.

"당신이 귄터 탐정이오?"

"그래요. 그리고 당신은 아마……," 나는 그의 명함을 읽는 척했다. "독일인 변호사 프리츠 셈 박사시군요." '독일인'을 일부러 빈정대는 듯한 어조로 발음했다. 나는 명함이나 간판 등에 쓰인, 인종적 우월감을 암시하는 그 표현을 싫어했다. 지금은 더 싫었다. 적어도 변호사와 관계있는 한. 어쨌든 유대인들의 변호사 일이 금지된 이래 그 표현은 더욱 쓸모가 없었다. 나는 더 이상 나를 '독일인 사설 조사원'이라고 지칭하지 않았다. '루터교도 사설 조사원'이나 '반사회적 사설 조사원'이나 '홀아비 사설 조사원'이라고 부를지언정. 한때는 그 모든 게 나였다고 할지라도(요즘은 교회에 가는 일도 드물었다). 내 의뢰인 대다수가 유대인이라는 것은 사실이다. 그들의 사업은 매우 수익성이 높고(그들은 지불을 미루는 일이 없다), 언제나 같은 문제를 의뢰한다. 사라진 사람을 찾는 일. 그 결과 또한 거의 흡사하다. 게슈타포나 나치 돌격대원에 의해 란트베어 운하에 유기된 시체로 발견되거나 보트를 타고 나가 반제 호수에서 쓸쓸히 자살하거나 경찰 리스트에 올라 KZ[13]나 강제수용소로 보내지거나. 그래서 이 변호사, 그러니까 이 독일인 변호사가 보자마자 싫었다.

"이봐요, 선생. 내가 당신 똘마니에게 조금 전에 말한 것처럼 나는 내 연금을 걱정하는 은행 지점장도 못 알아볼 만큼 취한 데다 지쳤습니다." 셈이 재킷 주머니로 손을 뻗었을 때 나는 꼼짝도 할 수 없었다. 아마 새파랗게 질려 있었을 터였다. 그가 꺼낸 것은 지갑이었다.

"당신을 조사해 봤더니 믿을 수 있는 서비스를 제공한다더군. 지금 날 위해 몇 시간 일해 주면 이백 라이히스마르크[14]를 주겠소. 당신이 받는 일주일 치 돈이지." 그는 무릎 위에 지갑을 놓고 바짓가랑이에 푸른색 지폐 두 장을 올려놓았다. 그는 팔이 하나뿐이었기 때문에 그렇게 하기가 쉽지 않았을 터였다. "일이 끝나면 울리히가 당신을 집까지 태워 줄 거요."

13. 정치범 수용소.
14. 1924년에서 1948년까지 독일에서 사용한 화폐.

난 그 지폐를 집었다. "젠장. 침대에 들려던 참이었는데. 그거야 언제라도 할 수 있지." 나는 머리를 들이밀고 차에 올랐다. "울리히, 가자고."

문이 쾅 닫히며 울리히가 운전석에 올랐고, 동안의 남자가 조수석에 앉았다. 우리는 서쪽으로 향했다.

"어디로 가는 겁니까?" 내가 물었다.

"곧 알게 될 거요, 귄터 씨." 솀 박사가 말했다. "술을 마셔도 좋고, 담배를 피워도 좋소." 그가 타이타닉에서 인양한 것 같은 칵테일 캐비닛을 열고 담배 상자를 꺼냈다. "이것들은 미제美製요."

나는 담배는 좋다고 했지만 술은 싫다고 했다. 솀 박사처럼 이백 마르크를 줄 준비가 되어 있는 사람 앞에서는 맑은 정신을 유지할 필요가 있었다.

"불을 좀 붙여 주지 않겠소?" 솀이 입에 담배를 물며 말했다. "성냥은 켤 수가 없어서 말이오. 루덴도르프 장군이 이끈 리에주 요새 공략 때 팔을 잃었지. 참전한 적 있소?" 목소리는 까다롭고 정중했다. 부드럽고 느리며 잔인함이 느껴졌다. 이런 유의 목소리라면 간단히 자백을 이끌어 낼 것이라는 생각이 들었다. 게슈타포를 위해 일했더라면 크게 환영받았을 목소리였다. 나는 그와 내 담배에 불을 붙이고 메르세데스의 큼직한 시트에 몸을 묻었다.

"네, 터키에 있었습니다." 세상에. 갑자기 사람들이 내 참전 경험에 관심을 갖다니. 전우회에 가입이라도 해야 하나. 나는 창밖을 내다보고 차가 하벨 강 근처, 도시 서쪽 수풀 지대인 그뤼네발트로 향하는 것을 알았다.

3월의 제비꽃
-
21

"장교로?"

"하사관이었습니다." 그의 미소가 소리 내어 웃는 웃음처럼 느껴졌다.

"나는 소령이었지." 그는 그렇게 말하며 나에 대한 자신의 위치를 확고히 했다. "그 전투 후에 경찰이 되었소?"

"바로는 아니었죠. 잠시 공무원으로 일했지만 판에 박힌 일상을 견딜 수 없었습니다. 1923년에 경찰에 투신했죠."

"그리고 언제 그만두었소?"

"저기, 선생. 내가 차에 탔을 때 진실만을 말하겠다는 서약을 했던가요?"

"미안하오. 난 단지 당신이 자발적으로 그만두었는지 아니면……,"

"아니면 잘렸는지 말입니까? 나에 대해 궁금한 게 많으시군요, 셈."

"내가?" 그가 천진스레 말했다.

"하지만 질문에 답해 드리죠. 내가 그만두었습니다. 아마 오래 버텼다면 다른 사람들처럼 잘렸을 겁니다. 나는 국가사회주의자도 아니고 염병할 볼셰비키도 아닙니다. 나는 나치스가 싫어하는 만큼이나 공산주의를 싫어합니다. 아니면 적어도 그렇다고 생각하죠. 오늘날 크리포[15]든 지포[16]든 그걸 뭐라고 부르든 경찰 조직은 대단치 않습니다. 누구든 그들에게 맞지 않다고 생각되면 불평분자로 찍힐 겁니다."

---

15. 형사 경찰.
16. 형사 경찰인 크리포와 비밀 국가 경찰인 게슈타포를 통합한 나치 독일의 경찰 조직.

"그래서 크리포의 형사수사관 자리를 그만두고," 그는 잠시 말을 멈췄다가 짐짓 놀란 투로 덧붙였다. "아들론 호텔의 경비원이 됐던 거군."

"대단하군요." 나는 비꼬았다. "이미 모든 답을 알고 있으면서 물으시다니."

"내 의뢰인은 자신을 위해 일하는 사람에 대해 알고 싶어 하오." 그가 잘난 체하듯 말했다.

"난 아직 의뢰를 맡겠다고 하지 않았습니다. 거절할지도 모릅니다. 당신의 얼굴이 어떻게 변하는지 보기 위해서라도."

"그럴지도. 당신이 멍청하다면 말이오. 베를린에는 당신 같은 탐정이 수두룩하오." 그는 내 직업에 약간의 혐오감을 나타내며 말했다.

"그럼 왜 나를 골랐습니까?"

"당신은 전에 내 의뢰인을 위해 일했소. 간접적으로. 몇 년 전 내 의뢰인이 주주로 있는 게르마니아 생명보험회사에서 보험 관련 조사를 하셨더군. 크리포가 헤매고 있는 동안 당신은 도둑맞은 채권 일부를 찾는 데 성공했소."

"기억나는군요." 기억나는 게 당연했다. 그 건은 아들론 호텔을 그만두고 탐정 사무소를 차린 후 맡은 초기 사건들 가운데 하나였다. "운이 좋았죠."

"운을 과소평가하지 마시오." 셈이 너스레를 떨었다. 물론이다. 총통을 보라.

그때쯤 리벤트로프[17]같이 영향력 있는 거물과 최고 부유층 사람들의 저택이 있는 달렘의 그뤼네발트 숲 끝자락에 닿았다. 높은 벽으로 둘러싸인 연철 문 앞에 차가 섰고, 동안의 사내가 차에서 뛰어내려 그 문을 열기 위해 안간힘을 써야 했다. 울리히가 차를 문 안쪽으로 몰았다.

"그대로 가게." 셈이 명령했다. "그를 기다릴 시간 없어. 많이 늦었으니까." 차는 자갈이 깔린 넓은 뜰에 도착하기 전까지 오 분간 가로수 길을 따라 나아갔다. 그곳에 삼면으로 이루어진 기다란 본관 건물과 두 채의 건물이 부속한 저택이 있었다. 울리히는 작은 분수 옆에 차를 세우고 차 문을 열기 위해 차에서 뛰어내렸다. 우리는 차 밖으로 나왔다.

한 사내가 악마처럼 생긴 도베르만 한 쌍을 데리고 두꺼운 목재 기둥들이 받치고 있는 지붕 아래의 뜰을 순찰하고 있었다. 현관 등을 제외하고는 불빛이 별로 없었지만, 간신히 자갈과 모르타르가 섞인 하얀색 벽과 경사가 급한 이중 지붕—품위를 잃지 않을 만큼 큰—은 알아볼 수 있었다. 나로서는 감히 상상도 할 수 없는, 호텔 크기의 지붕이었다. 저택 뒤 숲 어딘가에서 공작새가 도움을 청하는 소리를 질렀다.

문 가까이 가서야 나는 처음으로 박사의 모습을 제대로 보았다. 꽤 핸섬한 남자라고 할 만했다. 적어도 쉰은 되어 보였기 때문에 위엄이 느껴진다고나 할까. 차 뒷좌석에 앉아 있었을 때 미루어 생각했던 것보다 키가 더 컸고, 결벽증이 있어 보일 만큼 깔끔한 차림새였지만 전체적으로 유행에는 무관심해 보였다. 빵도 자를 것 같은 빳빳한 칼라

17. 독일 제3제국의 외교관.

에 엷은 세로 줄무늬가 들어간 연회색 양복, 크림색 조끼와 각반 차림이었다. 유일하게 남은 손은 회색 염소 가죽 장갑을 끼고, 단정하게 친 희끗희끗한 각진 머리에는, 성 주위를 둘러싼 해자처럼 챙이 넓은 모자를 쓰고 있었다.

그는 나를 큼지막한 마호가니 문 쪽으로 안내했다. 문을 양옆으로 활짝 연 잿빛 얼굴의 집사는 우리가 문지방을 넘어 널찍한 홀로 발걸음을 옮길 때 한쪽에 비켜 서 있었다. 안에 들어섰다는 것만으로도 횡재한 느낌이 드는 홀이었다. 번쩍거리는 흰색 난간이 있는, 두 줄로 난 계단이 위층으로 이어져 있었고, 천장에 매달린 샹들리에는 교회 종보다 크고 스트리퍼의 귀걸이보다 현란했다. 나는 내 보수를 올리기로 마음먹었다.

아랍인 집사가 근엄하게 머리를 숙이고 내 모자를 달라고 말했다.

"괜찮으시다면 그냥 들고 있겠습니다." 나는 손가락으로 챙을 만지며 말했다. "은 식기에 손대지 않는 데 도움이 될 겁니다."

"편하신 대로요, 선생님."

셈은 타고난 영주인 양 집사에게 자신의 모자를 건넸다. 아마 그도 그럴지 모르겠지만 나는 늘 변호사가 탐욕과 비도덕적인 수단으로 부와 지위를 얻는다고 생각하곤 한다. 그는 손가락 관절을 뒤틀어 솜씨 좋게 장갑을 벗어 모자 안에 넣었다. 그런 다음 넥타이를 똑바르게 매만지고 집사에게 우리가 왔다는 걸 알리게 했다.

우리는 서재에서 기다렸다. 서재는 비스마르크 전함이나 힌덴부르크 비행선을 기준으로 한다면 큰 편이 아니었기 때문에 독일 의회 크기의 책상과 서재 문 사이 공간에 자동차 여섯 대 이상은 채울 수 없을 터였다. 초기 로엔그린 양식의 큼직한 기둥, 통나무가 조용히 탁탁 거리며 타는 화강암 벽난로, 벽에 걸린 무기들로 꾸며져 있었다. 서재에는 미터 단위로 산 듯한 많은 양의 책이 보였다. 그중에는 내가 알만한 법률가나 철학자, 시인들의 책이 잔뜩 있었다. 거리나 카페나 술집의 이름으로 아는 정도이지만.

나는 서재를 돌아보기로 했다. "제가 오 분 안에 돌아오지 않으면 수색대를 보내십시오."

셈은 한숨을 쉬고 벽난로 오른쪽에 놓인 두 개의 가죽 소파 가운데 하나에 앉았다. 그러더니 서가에서 잡지를 꺼내 들고 읽는 척했다. "이렇게 작은 시골집에 폐쇄공포증이 있는 건 아니겠지요?" 셈이 목사의 숨결에서 진 냄새를 맡은 노처녀 이모처럼 성마르게 한숨을 쉬었다.

"앉으시오, 귄터 씨."

나는 그의 말을 무시했다. 잠이 들지 않도록 바지 주머니의 이백 마르크를 만지작거리며 책상 주위를 거닐다 녹색 가죽으로 된 책상 위를 훑어보았다. 책상 위에는 읽다 만 《베를리너 타게블라트》[18], 반달 안경, 펜, 잇자국이 난 시가 꽁초가 담긴 무거운 황동 재떨이와 그 옆에 꽁초와 같은 상표의 블랙 위즈덤 시가 상자, 편지 무더기, 은으로 테두리를 두른 액자 몇 개가 있었다. 셈을 힐끗 보니 졸린 눈으로 잡지를 보는 척하고 있기에 액자 하나를 집어 들었다. 사진 속의 여자는 내가 딱 좋아하는 스타일의 검은 머리에 풍만한 여인이었지만, 그녀

---

18. 독일의 대표적 자유주의 일간지로 나치스에 의해 폐간되었다.

가 식후 대화 상대로 나를 지목하지는 않을 것이라고 장담할 수 있었다. 졸업식 가운을 입은 그녀가 그렇게 말하고 있었다.

"아름답지 않소?" 서재 문 쪽에서 들려온 목소리에 셈이 소파에서 일어났다. 베를린 억양이 살짝 섞인 단조로운 목소리였다. 목소리의 주인공 쪽으로 고개를 돌리자 왜소한 남자가 눈에 들어왔다. 발그레하게 상기된 그의 얼굴에는 내가 거의 알아채지 못할 뻔한, 무언가 매우 상심한 표정이 있었다. 셈이 허둥지둥 굽실거리는 동안 나는 사진 속 여자에 대해 칭찬하는 말을 몇 마디 웅얼거렸다.

"직스 씨," 셈이 술탄의 첩은 저리가라 할 만큼 아첨하듯 말했다. "베른하르트 귄터 씨를 소개해 드리겠습니다." 내게로 몸을 돌린 그가 내 우울한 은행 잔고에 걸맞은 낮은 목소리로 말했다. "이분은 헤르만 직스 박사님이오." 고상한 계층의 사람들은 어찌 된 영문인지 모두 박사라는 사실이 이상했다. 악수를 나눴을 때 새 의뢰인은 내 얼굴을 주시하며 불편할 만큼 오랫동안 내 손을 잡고 있었다. 그런 악수를 나누는 의뢰인들은 많았다. 그들은 그게 남자의 악수라고 여기며, 구린 데가 있고 부정직해 보이는 사람에게는 자신들의 난처하고 작은 문제들을 드러내지 않는다. 운 좋게도 나는 견실하고 신뢰가 가는 인상이었다. 그건 그렇고 새 의뢰인의 돌출한 파란 눈은 컸고, 마치 머스터드 가스[19]의 구름을 막 뚫고 나온 듯 이상하게 물기 어린 빛이 있었다. 불현듯 이 남자가 울고 있었다는 데 생각이 미치자 약간 충격을 받았다.

19. 화학전에 쓰이는 독가스.

직스는 내 손을 놓고 내가 보고 있던 액자를 집어 들었다. 그는 잠시 그 사진을 보더니 한숨을 내쉬었다.

"이 애는 내 딸이었소." 그가 조바심을 내며 말했다. 나는 참을성 있게 고개를 끄덕였다. 그는 고개를 숙여 책상 위에 액자를 내려놓고 수도승 같은 헤어스타일의 회색 머리를 쓸어 올렸다.

"과거형으로 말한 것은 그 애가 죽었기 때문이오."

"유감입니다." 내가 무거운 목소리로 말했다.

"그럴 거 없소. 그 애가 살아 있었더라면 당신이 많은 돈을 벌 기회를 잡고 여기에 있지 않을 테니까." 나는 듣고 있었다. 그는 독일 말로 이야기하고 있었다. "그러니까, 그 애는 살해당했소." 직스는 극적인 효과를 위해 잠시 말을 멈췄다. 의뢰인들은 이런 짓을 많이 하지만 이번 것은 좋았다.

"살해당했다." 나는 묵묵히 그 말을 반복했다.

"살해당했소." 직스는 코끼리처럼 늘어진 큰 귀를 잡아당긴 후, 쭈글쭈글한 손을 헐렁한 남색 바지 주머니에 찔러 넣었다. 그의 셔츠 소매가 닳고 더러워져 있는 것을 눈치채지 않을 수 없었다. 나는 강철 사업으로 돈을 번 이 백만장자(헤르만 직스가 루르 지방 최고 기업가 중 한 사람이라는 이야기를 들었다)를 전에 만난 적은 없었지만 그렇다고 하더라도 이상한 인상을 받았다. 그는 발끝을 꼼지락거렸고, 나는 그의 신발을 힐끗 내려다보았다. 의뢰인의 신발은 많은 것을 말해 준다. 내가 셜록 홈즈에게 배운 것은 그것 한 가지뿐이다. 직스의 신발은 겨울 자선 운동[20]—낡은 옷가지를 국가사회주의자의 복리 후생 조직에 보내면 된다—의 준비를 마쳤다. 그렇긴 해도 어쨌든 독일제 신발은 썩 좋지 않다. 모조 가죽은 판지 같다. 고기, 커피, 버터, 옷가지도 다를 게 없다. 다시 직스에게 돌아와, 나는 그가 옷을 입고 잔다는 것이 비탄에 젖어 있다는 표시는 아닐 거라고 생각했다. 그렇다. 나는 그가 신문에서 종종 볼 수 있는 괴짜 백만장자들 중 하나라는 생각을 굳혔다. 그들은 아무 구호 물품도 보내지 않았다. 일단 그들이 부자가 되는 방법이 그것이다.

"그 애는 총에 맞아 죽었소, 무참하게." 직스가 비통하게 말했다. 우리가 긴 밤을 보낼 거라는 걸 알았다. 나는 담배를 꺼냈다.

"담배 피워도 되겠습니까?" 내가 물었다. 그는 그제야 정신이 든 것 같았다.

"용서하시오, 귄터 씨." 그가 한숨을 쉬었다. "내가 매너가 없었군. 마실 거라든가 뭐라도 드시겠소?" '뭐라도'가 반갑게 들렸다. 푹신한 사주식 침대라는 말처럼. 아마도. 하지만 나는 대신 모카커피를 부탁했다. "프리츠, 당신은?"

셈이 큰 소파 위에서 몸을 움찔했다. "감사합니다. 물 한 잔이면 됩니다." 그가 비굴하게 말했다. 직스는 벨과 연결된 줄을 잡아당긴 다음 책상 위 시가 상자에서 두껍고 검은 시가를 골랐다. 그런 후 나를 자리로 안내했고, 나는 셈 맞은편 또 다른 소파에 무너지듯 앉았다. 직스는 작은 양초를 가져다 벽난로 불을 양초에 옮겨 붙였다. 그런 다음 시가에 불을 붙이고 회색 양복을 입은 셈 옆자리에 앉았다. 그의 뒤에서 서재 문이 열리고 서른다섯쯤 되어 보이는 젊은 남자가 안으

---

20. 1933년에서 1945년까지 독일에서 행해진 자선 구호 운동.

로 들어왔다. 거의 흑인 코라고 할 만큼 널찍한 코끝에 걸린 학구적으로 보이는 무테안경이 그의 탄탄한 체격과 어울리지 않았다. 그는 안경을 잡아채듯 벗고 나를 거북하게 응시하더니 자신의 고용주를 보았다.

"이 자리에 제가 있길 바라십니까, 직스 씨?" 그의 말에서 희미하게 프랑크푸르트 억양이 느껴졌다.

"아니, 괜찮네, 할마." 직스가 말했다. "가서 푹 쉬게. 잠은 좋은 친구지. 그 전에 파라즈에게 이쪽으로 모카커피 한 잔, 물 한 잔 그리고 내가 마시는 걸 가져오라고 하게."

"음, 바로 전하겠습니다, 직스 씨." 그가 다시 나를 쳐다보았고, 나는 그의 짜증의 원천이 내 존재인지 알 수 없었기 때문에 기회가 되면 그에게 말을 걸어 보기로 마음먹었다.

"한 가지 더 있네." 직스가 그렇게 말하며 소파에서 몸을 돌렸다. "자네가 내일 제일 먼저 할 일은 장례식 준비를 검토하라고 내게 일깨워 주는 걸세. 내가 나가 있는 동안 자네가 잘 맡아 해 주길 바라네."

"물론이죠, 직스 씨." 그는 그 말을 끝으로 우리에게 인사하고 나갔다.

"그럼 이제, 귄터 씨," 직스가 문을 닫은 후 말했다. 입가에 블랙 위즈덤 시가를 물고 말했기 때문에 그는 장터에서 큰 소리로 떠드는 장사치처럼 보였고, 그의 말소리는 캔디를 문 아이의 말처럼 들렸다. "이 시간에 당신을 이리로 데려온 걸 사과해야겠군. 어쨌든 나는 바쁜 사람이오. 무엇보다 구설에 올라서는 안 되는 사람이라는 것도 이해해 줘야겠소."

"그렇게 말씀하실 필요 없이, 직스 씨, 당신이 누군지 알고 있습니다."

"당연히 들은 적이 있겠지. 내 위치라면 각종 조직과 많은 구호 단체의 후원자가 돼야 하오. 내가 말하는 것들을 알겠지. 부에는 의무가 따른다."

옥외 화장실을 쓰는 가난뱅이들에게도 의무가 따른다. 무슨 말이 나올 것인지 예상하면서 속으로 하품을 했지만 나는 이렇게 말했다. "물론 이해합니다." 이 같은 애정 어린 이해에 그는 잠시 멈칫했다. 전에 수없이 들었던 진부한 말들을 그가 잇기 전에. '신중의 필요성', '내 개인적인 일에 당국이 개입하길 바라지 않는다', '비밀 엄수' 등등. 내 일이란 게 이런 것이다. 의뢰인들은 언제나 자신들의 사건을 어떻게 풀어 가야 할지 말한다. 마치 나를 못 믿겠다는 듯이, 자신들의 사건을 맡기 위해서는 내 수준을 향상시켜야 한다는 듯이.

"그렇게 은밀하지 않은 조사원으로 더 잘 살 수 있었다면 오래전에 그렇게 했을 겁니다." 내가 말했다. "하지만 이 바닥에서 가벼운 입은 사업에 좋지 않죠. 말은 돌게 마련이고, 내 밥줄인 안정된 보험회사와 법률회사 한두 곳의 단골 의뢰인들은 다른 데로 옮겨 가겠죠. 직스 씨, 당신이 나에 대해 조사했다는 걸 압니다. 그러니 본론으로 들어가는 게 어떻겠습니까?" 부자의 흥미로운 점은 무례한 말을 듣기 좋아한다는 것이다. 그들은 그것을 솔직함과 혼동한다. 직스는 인정한다는 듯 고개를 끄덕였다.

이때, 집사가 땀 냄새와 뭔가 알싸한 향을 희미하게 풍기며, 왁스칠한 마루 위를 구르는 고무바퀴처럼 조용히 서재 안으로 들어와 하루에 여섯 번은 귀마개를 교체하는 사람처럼 멍한 시선으로 커피와 물, 주인을 위한 브랜디 시중을 들었다. 나는 커피를 홀짝이며, 직스에게 구십 먹은 우리 할머니가 운전사와 사랑의 도피를 한 이야기를 한다 하더라도 집사는 머리카락 한 올 흔들림 없이 음료 시중을 들 거라는 상상을 했다. 그가 서재를 나섰을 때조차 나는 거의 눈치채지 못했다.

"당신이 보고 있던 그 사진은 불과 몇 년 전 딸의 졸업식 때 찍은 거요. 그 후 그 애는 베를린 달렘에 있는 아른트 중학교의 교사가 되었소." 나는 펜을 찾은 다음 다크마르의 결혼 청첩장 뒷면에 메모를 할 준비를 했다. "아니." 직스가 말했다. "부탁이니 메모는 하지 마시오. 듣기만 하시오. 이 자리가 끝나면 솀 씨가 당신에게 완벽한 자료를 제공할 거요.

실제로 그 애는 꽤 좋은 선생이었소. 비록 솔직한 내 심정은 그 애가 다른 일을 했길 바랐지만. 그레테―그렇군, 내가 당신에게 그 애의 이름을 말한다는 걸 깜빡했군―, 그레테의 목소리는 누구보다 아름다웠고, 나는 그 애가 성악가가 됐으면 했소. 하지만 1930년에 그 애는 베를린 법원 소속의 젊은 변호사와 결혼했소. 그의 이름은 파울 파르였지."

"였다고요?" 내가 물었다. 끼어든 내 말에 그가 다시 한 번 땅이 꺼지게 한숨을 쉬었다.

"그렇소. 그 말을 했어야 했군. 유감스럽지만 그도 죽었소."

"그러면 살인이 두 건이군요."

"그렇소." 그가 어색하게 말했다. "두 건의 살인." 그가 지갑에서 스냅사진을 꺼냈다. "두 사람의 결혼 사진이오."

아들론 호텔에서 열린 최고위층 결혼 피로연이라는 것만 빼면 사진에서 얻을 수 있는 것은 많지 않았다. 아들론 괴테 가든의 코끼리 조각이 있는 독특한 탑 모양의 분수를 알아볼 수 있었다. 이번엔 진짜 하품을 억눌렀다. 특별하게 잘 찍은 사진은 아니었고, 나는 이미 하루 반나절 동안 결혼식에 참석했었다. 나는 사진을 돌려주었다.

"멋진 커플이군요." 또 한 개비의 무라티에 불을 붙이며 내가 말했다. 직스의 검은 시가는 연기도 피우지 않은 채 황동 재떨이에 놓여 있었다.

"그레테는 1934년까지 아이들을 가르쳤고, 많은 여자가 그랬던 것처럼 직업을 잃었소. 정부 고용 정책의 일하는 여성에 대한 차별의 피해자였지. 그동안 파울은 내무성에서 일자리를 구했소. 그 뒤 얼마 지나지 않아 내 첫 아내 리자가 죽었고, 그레테는 매우 우울해했지. 그애는 술을 마시기 시작했고 귀가가 늦었소. 하지만 몇 주 전에는 다시 예전의 자신으로 돌아온 것 같았소." 직스는 자신의 브랜디를 침울하게 바라보더니 단숨에 들이켰다. "어쨌든 사흘 전날 밤 파울과 그레테는 동東리히터펠데에 있는 집에서 화재로 죽었소. 하지만 불이 나기 전에 그들은 몇 발의 총알을 맞았고, 금고가 털렸지."

"금고 안에는 뭐가 있었습니까?"

"출동한 크리포에게 그 안에 뭐가 들어 있었는지 모르겠다고 말했소."

나는 그의 의중을 읽고 말했다. "사실이 아니겠죠?"

"금고 안에 있던 것들 대부분은 모르오. 한 가지는 알았지만 그들에게 알리지는 않았소."

"왜 그러셨습니까, 직스 씨?"

"그들이 모르는 게 나을 것 같았기 때문이오."

"그럼 저에게는 알려 주실 겁니까?"

"당신이 경찰보다 먼저 살인자를 쫓을 수 있도록 문제의 물건이 뭔지 알려 주겠소."

"그다음엔?" 나는 내 양심과 싸우고 싶지 않았기 때문에 그가 개인적인 처형을 계획하지 않길 바랐다. 특히 많은 보수가 수반된 경우에는.

"당국의 수중에 그 살인자가 들어가기 전에 당신은 내 재산을 찾아야 하오. 무슨 일이 있어도 물건들이 그들의 손에 들어가면 안 되오."

"우리가 얘기하는 게 정확히 뭡니까?"

직스는 손을 포개고 생각에 빠져 있다가 다시 손을 푼 다음 접대부가 어깨에 걸치는 숄처럼 두 팔로 자신을 감쌌다. 그가 미심쩍은 표정으로 나를 쳐다보았다.

"물론 비밀을 지키겠습니다." 내가 으르렁거리듯 말했다.

"보석들이오. 귄터 씨, 딸아이는 유언장을 남기지 않고 죽었고, 유언장이 없으면 그 애의 모든 재산은 남편의 소유가 되오. 파울은 유언장을 작성해 두었소. 모든 재산을 독일 제국에 남긴다는." 그가 고개를 저었다. "이처럼 어이없는 일이 믿기시오, 귄터 씨? 그는 모든 걸 남겼소. 모든 걸. 믿기지 않는 일이지."

"그럼 그는 애국자였군요."

직스는 내 말에 담긴 비아냥거림을 인지하지 못했다. 그는 콧방귀를 뀌었다. "친애하는 귄터 씨, 그는 국가사회주의자였소. 그들은 자신들이 조국애의 선봉장이라고 생각하지." 그는 음울한 미소를 지었다. "나는 조국을 사랑하오. 그리고 나보다 많은 걸 내놓은 사람은 없소. 다만 제3제국을 강대하게 만들기 위해 내 돈을 쏟아부어야 한다는 생각을 참을 수 없을 뿐이오. 이해하겠소?"

"그런 것 같군요."

"그뿐만 아니라 그 보석은 그 애 엄마의 것이었소. 당신에게 할 말은 많지만 일단 보석들 본연의 가치를 제외하고라도 감상적인 면도 포함되어 있소."

"얼마만 한 가치입니까?"

셈이 그 이야기를 하기 위해 자세를 바로 했다. "제가 도움을 좀 드릴 수 있을 것 같군요, 직스 씨." 그가 발치에 놓인 서류 가방을 뒤져 담황색 파일을 꺼낸 다음 두 소파 사이 러그 위에 놓으며 말했다. "제게 사진 몇 장과 보험회사에서 판단한 최근의 가치에 관한 자료가 있습니다." 그가 종이 한 장을 집어 들고 매월 신문 대금을 읊기라도 하듯 감정이 없는 목소리로 맨 밑에 쓰인 숫자를 읽었다. "칠십오만 라이히스마르크." 나도 모르게 휘파람이 나왔다. 셈이 그 소리에 움찔하더니 나에게 사진 몇 장을 건넸다. 내가 이보다 더 큰 돌을 본 것은 피라미드 사진에서 뿐이었다. 이어서 직스가 그 보석의 내력에 대해 말했다. "1925년 세계 보석 시장은 러시아 망명자가 판 보석들과 러시아 과격분자들이 러시아 황제 조카사위인 유소포프 대공의 궁에서 발굴해 내놓은 보석들로 넘쳐 났소. 난 그해 스위스에서 몇 점을 손에 넣었소. 브로치, 팔찌와 가장 값비싼 스무 개의 다이아몬드가 박힌 목걸이였소. 카르티에 제품으로 백 캐럿이 넘는 거지. 말할 필요도 없이, 귄터 씨, 그런 보석을 처분하기는 쉽지 않을 거요."

"물론 그렇겠죠." 냉소적으로 보일지 몰라도 그 보석들의 감상적 가치는 이제 그 금전적 가치에 비해 아주 대수롭지 않게 보였다. "금고에 대해 말해 주십시오."

"내가 사 줬소. 집을 사 준 것처럼. 파울은 돈이 많지 않았소. 그레테의 엄마가 죽었을 때 그 애에게 그 보석들을 주었고, 그 김에 금고를 설치해 주었소. 은행 금고에 넣어 두지 않을 때 넣어 두라고 말이오."

"따님이 최근에 그 보석들을 착용했습니까?"

"그렇소. 살해되기 전 며칠 밤을 아내와 나와 함께 무도회장에 갔었소."

"금고는 어떤 것입니까?"

"슈토킹거 제품으로 벽에 고정하는 금고요. 번호 자물쇠이고."

"그 번호를 아는 사람은 누구입니까?"

"당연히 딸과 파울이지. 그들은 서로에게 비밀이 없었고, 파울은 거기에 자신의 서류를 보관한 걸로 알고 있소."

"그 밖에는요?"

"없소. 나도 모르오."

"그 금고가 어떻게 열렸는지 아십니까? 폭발물을 썼다든가?"

"내가 알기론 폭발물은 사용되지 않았소."

"그렇다면 호두까기로군요."

"그걸로 어떻게?"

"전문 금고털이를 일컫는 말이죠. 그러니까, 번호를 딸 만큼 유능한 놈일 겁니다." 직스가 소파에서 몸을 앞으로 내밀었다.

"혹시, 도둑놈이 그레테나 파울에게 금고를 열게 한 다음 침대로 몰아넣고 거기서 둘을 쏜 게 아닐까. 그리고 자취를 감추려고 집에 불을 질렀겠지. 경찰의 추적을 떨쳐 버리려고."

"네, 가능한 일입니다." 나는 인정했다. 나는 다박나룻투성이 얼굴에서 전혀 수염이 나지 않는 완벽하게 동그란 모양의 매끈한 부분을 문질렀다. 그 부위는 터키에 있었을 때 모기에 물린 곳으로, 그 후 나는 그 부위를 면도해 본 적이 없었다. 나는 아주 가끔 편치 않은 상황이 생기면 나도 모르게 그곳을 문질렀다. 그리고 나를 편치 않게 하는 확실한 한 가지가 있다면, 그것은 의뢰인이 탐정 놀이를 하는 것이다. 나는 그가 추정한 일이 일어났을 수도 있다는 것을 배제하지 않았지만 이번엔 내가 전문가 행세를 할 차례였다. "가능하지만 복잡합니다. 당신의 개인적 의사당 방화 사건[21]보다 화재 경보를 울리는 데 더 나은 방법은 생각나지 않는군요. 판 데어 뤼베를 흉내 내서 집에 불을 지른다는 건 전문 절도범이 할 법한 일로 들리지 않는 데다 살인도 마찬가지죠." 그 추정에는 구멍이 많았다. 나는 그게 절도범의 짓이었는지 확신이 가지 않았다. 그뿐만 아니라 내 경험상 절도범이 살인까지 저지르는 일은 드물었다. 나는 단지 기분 전환 삼아 내 목소리를 듣고 싶었을 뿐이다.

---

21. 나치 독일 정권의 수립 과정에서 발생한 핵심 사건으로 범인은 네덜란드 출신 공산주의자 판 데어 뤼베. 공산주의를 배제하고 정권을 잡기 위한 나치의 자작극으로 보고 있다.

"그녀가 금고 안에 보석을 보관하고 있다는 걸 아는 사람이 있습니까?" 내가 물었다.

"내가 알지." 직스가 말했다. "그레테는 아무에게도 말하지 않았을 거요. 파울은 어땠는지 모르오."

"두 사람 모두에게 적이 있었습니까?"

"파울은 모르겠소. 하지만 그레테는 이 세상에 그 어떤 적도 없었다고 확신할 수 있소." 아빠의 귀여운 딸이 늘 자기 전에 이를 닦고 기도를 드린다는 얘기는 받아들일 수 있는 데 반해, 사위에 대한 직스의 모호한 태도를 무시하기는 어려웠다. 그가 파울을 미심쩍어하는 태도를 보인 게 이것으로 두 번째였다.

"당신은 어떻습니까? 당신처럼 부유하고 권력이 있는 사람이라면 적이 있을 텐데요." 내 말에 그가 끄덕였다. "따님을 통해 당신에게 보복하고 싶어 할 만큼 당신을 싫어하는 사람이 있습니까?"

그는 블랙 위즈덤에 다시 불을 붙이고 몇 모금 피운 다음 손끝에 쥔 담배를 자신에게서 멀리했다. "부자에게 적은 불가피하고 필연적인 결과요, 귄터 씨. 하지만 깡패가 아닌 사업상 라이벌들을 말하는 거요. 난 그들 중 누구도 이처럼 냉혹한 짓을 할 수 있을 거라고 생각하지 않소." 직스는 자리에서 일어나 불을 쑤석거리러 벽난로로 갔다. 큼직한 황동 부지깽이로 쇠살대 밖으로 넘어지려고 하는 통나무를 능숙하게 밀어 넣었다. 직스가 방심한 틈을 타 나는 사위에 대한 이야기를 던졌다.

"당신과 따님의 남편은 잘 지냈습니까?"

그는 여전히 손에 부지깽이를 들고 몸을 돌려 나를 보았다. 얼굴이 약간 상기되어 있었다. 그 얼굴로 내가 필요한 모든 답을 얻었지만 그는 여전히 내 눈에 모래를 뿌리려고 애썼다. "왜 그런 걸 묻소?" 그가 따졌다.

"이봐요, 귄터 씨." 셈이 그런 눈치 없는 질문에 놀랐다는 듯이 말했다.

"우리는 의견 차이가 좀 있었소." 직스가 말했다. "누구라도 가끔은 사위와 의견이 안 맞을 때가 있지 않소?" 그는 부지깽이를 내려놓았다. 나는 잠시 침묵했다. 결국 그가 먼저 입을 열었다. "이제 그럼, 당신의 조사 범위에 관해 이야기합시다. 명확히 보석을 찾는 것에만 당신의 조사를 국한하는 게 낫겠소. 나는 당신이 내 가족사를 기웃거리는 것에는 관심 없소. 수수료를 지불하겠소. 당신 수수료가 얼마든……."

"경비는 별도, 하루에 칠십 마르크입니다." 나는 셈이 조사하지 않았길 바라며 거짓말을 했다.

"거기에다 게르마니아 생명보험과 게르마니아 보험회사들이 당신에게 해당 보석 금액의 5퍼센트에 해당하는 사례금을 줄 거요. 이 정도면 되겠소, 귄터 씨?" 속으로 계산해 보니 삼만칠천오백 마르크쯤 되었다. 그 정도 돈이면 충분했다. 나는 그가 단언한 기본 규칙에 관심이 없었음에도 불구하고 나도 모르게 고개를 끄덕였다. 사만 마르크에 육박한다면 그 규칙에 따라야 하는 것이다.

"하지만 경고하는데, 나는 참을성이 많은 사람이 아니오." 직스가 말했다. "나는 결과를 원하고, 그것도 빨리 원하오. 당장 필요한 비용은 수표를 써 놨소." 그가 꼭두각시에게 고개를 끄덕이자 그가 내게 수표를 건넸다. 프리바트 코메르츠에서 발행한 수표로, 만 마르크였다. 셈은 다시 서류 가방을 뒤져서 나에게 게르마니아 생명보험회사의 편지지에 쓴 편지를 건넸다.

"이 편지에는 당신이 우리 회사에서 재산 계류와 화재 조사 건을 의뢰받았다고 명시되어 있소. 그 집은 우리 회사의 보험에 들어 있었소. 문제가 있다면 나에게 연락하시오. 무슨 일이 있어도 직스 씨를 귀찮게 해서는 안 되고 그분의 이름을 들먹여서도 안 되오. 이건 당신이 필요하리라 생각되는 배후 정보가 담긴 파일이오."

"철저히 준비하신 모양이군요." 내가 빈정대듯 말했다.

직스가 자리에서 일어나자 셈이 그 뒤를 따랐고, 내가 뻣뻣하게 일어났다. "조사는 언제 착수할 거요?" 직스가 물었다.

"아침에 시작하죠."

"좋소." 직스는 내 어깨 위에 손을 올렸다. "울리히가 당신을 집까지 태워 줄 거요." 그런 다음 자신의 책상으로 걸어가 어떤 서류를 살펴보기 위해 의자에 자리를 잡았다. 그는 나를 본체만체했다.

울리히를 찾으러 간 집사를 기다리며 다시 수수한 홀에 서 있었을 때 밖에서 또 다른 차가 다가오는 소리를 들었다. 리무진이라기엔 너무 소리가 커서 스포츠카일 거라고 추측했다. 문이 쾅 소리를 냈고, 자갈 위를 걷는 소리가 나더니 현관문 자물쇠에 열쇠가 꽂히는 소리가 들렸다. 나는 문을 통해 들어온 여자가 UFA 영화사의 스타 일제 루델이라는 것을 바로 알아보았다. 그녀는 푸른색의 광택이 나는 오간자[22] 드레스 위에 검은담비 모피 코트를 입고 있었다. 내가 뒤로 물러서서 빤히 바라보자, 그녀는 어리둥절한 표정을 지었다. 그 여자는 빤히 바라볼 만한 가치가 있었다. 그녀는 내가 꿈꿔 왔던, 그것도 자주 꾸는 꿈에서 나오는 육체의 소유자였다. 내가 상상할 수 없는 것은 많지 않았다. 가사일이나 남자의 앞길을 막는 것 같은 일상적인 것들을 제외하고는.

"좋은 아침입니다." 내가 말했지만, 집사가 나에 대한 그녀의 주의를 돌리기 위해 도둑고양이 같은 발걸음으로 다가와 그녀가 코트를 벗는 것을 도왔다.

"파라즈, 남편은 어딨죠?"

"직스 씨는 서재에 계십니다, 마담." 이 대화에 내 푸른 눈이 튀어나오고, 턱이 풀리는 게 느껴졌다. 서재에 앉아 있는 키 작은 요정과 결혼한 게 분명한 이 여신을 보고 있자니 돈에 대한 믿음에 힘이 더해졌다. 나는 내 뒤 서재 문으로 걸어가는 그녀를 바라보았다. 직스 부인—나는 그 사실을 극복하기 힘들었다—은 큰 키에 금발이었고, 남편의 스위스 은행 계좌만큼이나 건강해 보였다. 내 보잘것없는 골상학 지식에 따르면, 그녀의 샐쭉한 입술은 그녀가 자신이 원하는 방식대로 하는 데 익숙하다는 것을 말해 주었다. 돈으로. 그녀의 완벽한 귀에 걸린 멋진 귀걸이는 눈을 부시게 했고, 그녀 주위의 공기는 오드콜로뉴 4711 향으로 가득 찼다. 나를 무시하기로 작정한 건가 하고 생각했을 때 그녀는 내 쪽을 힐끗 보더니 쌀쌀맞게 말했다. "좋은 밤이에요, 당신이 누구든." 내가 같은 인사를 할 기회를 얻기 전에 서재가 이내 그녀를 집어삼켰다. 나는 입 밖으로 나오려던 혀를 다시 입 안으로

---

22. 빳빳하고 얇으며 안이 비치는 직물.

밀어 넣었다. 시계를 보았다. 세시 삼십분이었다. 울리히가 모습을
드러냈다.

"그가 늦게까지 자지 않는 이유를 알겠군." 나는 그렇게 말하며 그
를 따라 문밖으로 나갔다.

3

밝아 오는 아침은 물기를 머금은 잿빛이었다. 잠에서 깨니 입 안에 창녀의 속옷이라도 들어 있는 것 같아 커피를 한 잔 마시고 훑어본 《베를리너 보르젠차이퉁》은, 헤스[23]의 연설만큼이나 알아들을 수 없는 데다 만연체라서 평소보다 더욱 이해하기가 어려웠다.

면도를 하고 옷을 갈아입은 다음 세탁물 보따리를 든 나는 한 시간 후쯤 동베를린의 교통 요지인 알렉산더 광장에 있었다. 노이어 쾨니히 가를 지나면 나타나는 광장은 두 채의 거대한 사무실 건물과 면해 있다. 오른쪽 건물 이름이 베롤리나 하우스, 왼쪽이 알렉산더 하우스로 알렉산더 하우스 사층에 내 사무실이 있었다. 사무실에 올라가기 전에 나는 일층에 있는 세탁소에 세탁물을 맡겼다.

승강기를 기다리면서 바로 옆에 있는 작은 알림판을 무시하기는 힘들었다. 알림판에는 홀로 아이를 키우는 어머니를 위한 기금 모금과 당에 가입하라는 권고, 반유대주의 영화 및 총통 예찬 영화를 보라는 내용이 핀으로 고정되어 있었다. 이 알림판은 구린 데가 있는 장

---

23. 루돌프 헤스(1894~1987). 나치 독일 시절 유명한 정치인.

의사같이 생긴 키 작은 빌딩 관리인 그루버가 관리했다. 그는 경찰권 (정규 제복 경찰 오르포[24]의 허가로)이 있는 방공防空 감시자이자 게슈타포 ㄲ나풀이다. 오래전 나는 그루버의 눈 밖에 나야 좋을 것 없다고 판단하고 알렉산더 하우스의 다른 사용자들처럼 그에게 일주일에 삼 마르크를 주었다. 그게 그의 새로운 돈벌이 책략이든 독일 노동 전선 DAF가 생각해 낸 책략이든 간에 내가 낼 기부금에 해당하는 돈을 상계하는 것이라고 생각했다. 그의 후추 뿌린 고등어 같은 얼굴이 복도를 내다볼 수 있을 만큼 빠끔히 문이 열렸을 때, 나는 느려 터진 승강기를 저주했다.

"아, 귄터 씨, 당신이군." 그가 사무실에서 나오며 말했다. 그루버는 티눈이 있는 게 같은 걸음으로 나에게 조금씩 다가왔다.

"안녕하세요, 그루버 씨." 내가 그의 얼굴을 피하며 말했다. 그의 얼굴에는 항상 노스페라투[25]를 연기한 막스 슈렉을 떠올리게 하는 뭔가가 있었다. 뼈만 남은 손을 비비는 설치류 같은 움직임이 그 효과를 증폭시켰다.

"당신을 찾아온 젊은 여자가 있었소. 사무실로 올려 보냈지. 그게 여자에게 편할 것 같아서 말이오, 귄터 씨."

"네……."

"아직 거기에 있다면 말이오. 적어도 삼십 분은 됐소. 레만 양이 더

---

24. 나치 독일 시절 제복 경찰.
25. 1922년 독일 표현주의의 거장 프리드리히 빌헬름 무르나우 감독이 연출한, 『드라큘라』를 원작으로 한 무성영화에 나오는 흡혈귀.

이상 일하지 않는다는 걸 알아서 당신이 언제 올지 모른다고 말했소. 당신은 사무실에 있는 시간이 일정치 않으니까." 다행스럽게도 승강기가 내려와 나는 문을 열고 안에 발을 들였다.

"감사합니다, 그루버 씨." 나는 그렇게 말하고 문을 닫았다.

"하일 히틀러." 그가 말했다. 승강기가 수직 통로를 올라가기 시작했다. 내가 외쳤다. "하일 히틀러." 그루버 같은 작자들에게 히틀러 경례를 잊어서는 안 된다. 쓸데없이 문제를 일으킬 필요는 없으니까. 하지만 언젠가 저 족제비의 다리몽둥이를 부러뜨릴 생각이다. 순수한 기쁨을 위해서.

'독일인' 치과, '독일인' 보험 중개소, '독일인' 직업소개소와 사층을 나눠 쓰고 있는데, 그 직업소개소에서 나에게 임시 비서직을 알선중이었고, 나는 지금 내 사무실 대기실에 앉아 있는 여자가 그 사람일 거라고 생각했다. 승강기에서 내리며 나는 그녀가 추녀가 아니길 바랐다. 절세미인을 얻을 생각은 아니었지만 코브라 같은 여자도 받아들이지 않겠다고 마음을 먹었다. 문을 열었다.

"귄터 씨?" 여자가 자리에서 일어섰고, 나는 그녀를 훑어보았다. 뭐, 그루버가 말한 만큼 젊지는 않았지만(마흔다섯쯤 될 거라고 추측했다) 나쁘지 않다고 생각했다. 따뜻하고 수더분해 보였고(엉덩이가 엄청 컸다) 나는 마른 사람보다 이런 사람을 좋아하는 편이다. 포니테일로 묶은 그녀의 머리털은 붉은색으로, 정수리와 옆머리에 잿빛이 섞여 있었다. 수수한 회색 옷에 높은 칼라의 흰 블라우스 차림이었고, 머리를 모두 감싸는, 챙이 넓은 브르타뉴식 검은 모자를 들고 있었다.

"안녕하세요." 나는 가냘픈 수고양이 같은 목소리를 최대한 붙임성 있게 냈다. 숙취 때문이었다. "임시 비서직 때문에 오셨군요." 어쨌든 비서를 찾게 돼서 다행이었고, 이 정도면 괜찮아 보였다.

"프라우[26] 프로체예요." 그녀가 그렇게 말하며 내 손을 잡았다. "남편은 죽었어요."

"안됐군요." 내 방의 자물쇠를 열며 내가 말했다. "바이에른 어디 출신이시죠?" 오해의 여지가 없는, 그쪽 악센트였다.

"레겐스부르크요."

"좋은 도시죠."

"거기서 묻힌 보물이라도 발견하셨나 봐요." 위트도 있는 것 같았다. 괜찮다고 생각했다. 나와 일하려면 유머 감각이 필요하다.

나는 그녀에게 내 일에 관해 모두 말했다. 프로체 부인은 전부 흥미진진하게 들린다고 말했다. 나는 그녀가 앉을 사무실 옆의 비좁은 칸막이 방으로 안내했다.

"대기실 문을 열어 놓으면 그렇게 나쁘지 않을 겁니다." 내가 말했다. 이내 나는 그녀에게 복도에 있는 화장실을 보여 줬고, 거기에 걸린 더러운 타월과 비누 쪼가리에 대해 사과했다. "한 달에 칠십오 마르크나 내는데 이 모양이죠." 내가 말했다. "젠장, 빌어먹을 건물 주인에게 항의해야겠습니다." 하지만 그렇게 말하면서도 내가 절대 그러지 않으리라는 것을 알고 있었다.

사무실로 돌아와 다이어리를 펼치니 오늘은 일정이 하이네 부인과의 열한시 약속뿐이었다.

---

26. 기혼 여성에게 붙이는 호칭.

"이십 분 후에 어느 여자분이 오기로 약속돼 있습니다. 내가 실종된 아들을 찾았는지 알고 싶어 하는 분이죠. 아들이 유대인 U보트입니다."

"뭐라고요?"

"숨어 있는 유대인이오."

"숨어야 할 만한 일을 저질렀나요?" 그녀가 물었다.

"그가 유대인이라는 사실을 제외하고서요?" 내가 말했다. 이미 나는 그녀가 레겐스부르크에서조차 조용한 삶을 살았으리라 확신했고, 그런 프로체 부인에게 조국의 악취 나는 꼴불견을 드러내야 한다는 사실이 부끄럽게 느껴졌다. 그러나 그녀는 성인이었고, 나에게는 그에 관해 걱정할 시간이 없었다.

"그는 폭력배에게 맞고 있던 노인을 도왔을 뿐입니다. 그가 폭력배 중 하나를 죽였죠."

"노인을 돕고 있었다면 그건 분명⋯⋯,"

"아, 그런데 노인이 유대인이었죠. 게다가 폭력배들은 나치 돌격대 소속이었습니다. 그걸로 모든 상황이 바뀐 게 이상하지 않습니까? 그의 어머니가 아들이 여전히 자유의 몸으로 살아 있는지 알아봐 달라고 부탁했죠. 당신도 알다시피, 체포되면 참수형을 당하거나 강제수용소로 보내지고, 당국은 가족들에게 알리지 않습니다. 요즘 유대인 가족에게서 많은 실종자가 나오죠. 그들을 찾는 게 내 사업의 큰 부분입니다." 프로체 부인은 걱정스러운 표정을 지었다.

"유대인을 돕는다고요?"

"걱정 마세요. 완전히 합법적인 일이니까요. 그리고 그들은 누구보다 돈이 많습니다."

"그렇겠죠."

"저기, 프로체 부인. 유대인이나 집시나 인디언은 내게 모두 똑같습니다. 내가 그들을 좋아할 이유는 없지만 그들을 싫어할 이유 또한 없죠. 유대인이 저 문을 통해 들어오면 여느 사람과 똑같은 대우를 받습니다. 황제의 조카가 들어온다고 해도 마찬가지입니다. 하지만 그게 내가 그들의 안녕을 위해 헌신한다는 뜻은 아닙니다. 사업은 사업일 뿐이죠."

"물론이죠." 프로체 부인이 약간 얼굴을 붉히며 말했다. "제가 유대인에 대해 반감이 있다고 생각하시지 않으면 좋겠어요."

"물론 그렇게 생각하지 않습니다." 내가 말했다. 하지만 물론 그런 말은 누구나 한다. 히틀러조차.

"맙소사." U보트의 어머니가 사무실을 떠났을 때 나는 혼자 중얼거렸다. "완전히 만족한 고객의 얼굴이군." 그 생각에 몹시 우울해져서 잠시 외출하기로 했다.

나는 로에저 운트 볼프에서 무라티 한 갑을 산 다음 직스의 수표를 현금으로 바꾸었다. 그 돈의 반을 은행 계좌에 넣었다. 그리고 직스 같은 달콤한 부자 의뢰인을 잡은 행운을 기념해 베르트하임 백화점에서 큰맘 먹고 비싼 실크 가운을 샀다.

이윽고 나는 남서쪽으로 걸었다. 자노비츠 다리를 향해 이제 막 기차가 떠난 역을 지나쳐 차를 두고 온 쾨니히 가로 향했다.

동리히터펠데는 고위직 공무원과 고위직 군인들이 매우 선호하는 남서 베를린 지역의 상류층 거주 구역이다. 그곳의 집 값은 젊은 커플들이 거주할 수 있는 가격대가 아니었고, 웬만한 젊은 커플들에게는 헤르만 직스 같은 백만장자 아버지가 없는 법이다.

페르디난트 가는 철길에서 남쪽을 향해 있었다. 지붕 대부분과 창문이 모두 사라진 16번지 건물 앞에 오르포 소속 제복 경찰이 보인다. 방갈로의 검게 탄 목재와 벽돌이 어떤 상황이었는지 웅변해 주었다. 나는 하노마크를 주차하고 정원 문으로 걸어가 스무 살쯤 되어 보이는 여드름 난 젊은 경찰에게 신분증을 보여 주었다. 그는 신분증을 우직하고 주의 깊게 바라보더니 장황하게 말을 꺼냈다. "탐정이라고요?"

"그래요. 화재를 조사중인 보험회사에 고용된 사람입니다." 나는 담배에 불을 붙이고 성냥이 손가락을 향해 타들어 가는 모습을 도발적으로 지켜보았다. 그는 끄덕였지만 얼굴에 당황한 빛이 역력했다. 갑자기 내가 누구인지 확실히 알아본 것 같았다.

"알렉산더에서 크리포로 근무하시지 않았습니까?" 나는 공장 굴뚝처럼 콧구멍에서 연기를 피어 올리며 고개를 끄덕였다. "맞아요. 이름을 알 것 같은데. 베른하르트 귄터. 당신이 그 교살범 고르만을 잡았죠? 신문에서 읽은 기억이 납니다. 그걸로 유명해지셨죠." 나는 겸손의 표시로 어깨를 으쓱했다. 하지만 맞는 말이었다. 고르만을 잡았을 때 잠시 나는 유명했었다. 나는 그 당시 민완형사였다.

그가 샤코[27]를 벗자 사각형 머리 꼭대기에 난 자국이 보였다. "음,

---

27. 앞에 깃털 장식이 달린 모자.

그러니까," 그는 그렇게 말을 꺼내고 덧붙였다. "저는 크리포에 들어 갈 생각입니다. 그러니까, 거기서 나를 받아 준다면요."

"자네는 충분히 똑똑해 보이는군. 잘하겠어."

"감사합니다. 저, 무슨 조언이라도?"

"호페가르텐 경마장 세시 경기에 샤를호른에게 걸게." 나는 어깨를 으쓱했다. "내가 어떤 조언을 하겠나. 이름이 뭐지, 젊은 친구?"

"에크하르트입니다. 빌헬름 에크하르트요."

"그럼, 빌헬름, 화재에 대해 말해 보게. 우선 이 사건의 검시관이 누구지?"

"알렉스에서 온 사람입니다. 옳만인지 일만이라는 사람 같습니다."

"뾰족한 턱수염에 무테안경을 쓴 늙은 남자 말인가?" 그가 끄덕였다. "일만이군. 그가 여기에 언제 왔지?"

"그저께요. 요스트 경감과요."

"자기 신발을 더럽히다니 그답지 않은걸. 그 펑퍼짐한 엉덩이를 들어 올렸다면 단순히 백만장자의 딸이 살해된 것 이상의 뭔가가 있을 텐데." 나는 처참한 몰골을 하고 있는 집의 반대 방향으로 담배를 던졌다. 그쪽 방향에는 구미가 당길 만한 어떤 것도 보이지 않았다.

"방화라고 들었네. 사실인가, 빌헬름?"

"공기 냄새를 맡아 보십시오."

나는 깊이 숨을 들이마시고 머리를 저었다.

"휘발유 냄새가 나지 않습니까?"

"아니, 베를린에서는 언제나 이런 냄새가 나지."

"제가 여기 오래 서 있어서 그런가 봅니다. 정원에서 휘발유 통을 찾아서 그럴 거라고 생각했거든요."

"이보게, 빌헬름, 빨리 한 바퀴 둘러봐도 괜찮겠나? 서류를 작성해야 해서 말이야. 어쨌든 조만간 나에게 보라고 할 테니."

"그렇게 하십시오, 귄터 씨." 빌헬름은 정문을 열며 말했다. "볼만한 게 많지 않습니다. 물건들을 몇 자루씩 가져갔으니까요. 흥미를 가지실 만한 게 있을지 모르겠습니다. 저는 제가 여기 왜 서 있는지조차 모르겠습니다."

"범인이 범죄 현장을 둘러보러 올지도 모르지." 내가 흥미를 부추기듯 말했다.

"맙소사, 정말 그럴 거라고 생각하십니까?" 젊은이가 심호흡을 했다.

나는 입을 삐죽거렸다. "누가 알겠나?" 그렇게 말했지만 그런 경우는 들어 본 적도 없었다. "어쨌든 둘러보고 오지. 고맙네."

"별말씀을요."

그가 옳았다. 볼만한 게 많지 않았다. 성냥을 가진 남자는 적절하게 일을 끝냈다. 정문에서 보니 발 디딜 틈도 없을 만큼 잔해투성이였다. 주위를 둘러보다 또 다른 방의 창문을 발견했고, 그 방은 발을 디딜 만해 보였다. 금고만이라도 볼 수 있길 바라며 방 안으로 발을 디뎠다. 꼭 들어갈 필요는 없었다. 머릿속에서 이미지를 그릴 수 있길 바랄 뿐이었다. 나에게 맞는 방식이다. 만화책을 보는 것처럼 머릿속에 정리가 된다. 따라서 경찰이 이미 금고를 들어내 벽에 구멍이 입을 벌리고 있는 모습을 보고도 그리 실망하지 않았다. 일만에게 물어보면 되니까.

정문으로 돌아오자 빌헬름이 눈물로 얼룩진 얼굴의 예순쯤 되어 보이는 노부인을 달래고 있었다.

"파출부 아주머닙니다." 그가 설명했다. "지금 막 왔습니다. 보아 하니 휴가중이어서 화재 소식을 듣지 못한 것 같습니다. 약간 충격을 받은 모양입니다." 빌헬름이 그녀에게 사는 곳을 물었다.

"노이엔부르거 가요." 노부인은 코를 훌쩍였다. "이제 괜찮아요. 고마워요, 젊은 양반." 그녀는 코트 주머니에서 작은 레이스가 달린 손수건을 꺼냈는데, 권투 선수 막스 슈멜링의 손에 들린 장식 덮개만큼이나, 그녀의 큼지막하고 소작농 같은 손에 들릴 물건일 성싶지 않아 보였고, 소임을 다하기에 아주 부족해 보였다. 그녀는 격렬하다고 할 만큼 세게, 절인 호두처럼 생긴 코를 쥐고 풀었는데 모자가 날아갈까 봐 모자를 누르고 싶어질 정도였다. 그런 다음 그녀는 질척해진 수건으로 크고 넓적한 얼굴을 닦았다. 파르 가정에 대한 정보를 얻을 수 있을 것 같아, 나는 이 늙은 포크촙에게 집까지 태워 주겠다는 제안을 했다.

"가는 길입니다." 내가 말했다.

"폐를 끼치고 싶지 않아요."

"전혀 폐가 아닙니다." 내가 우겼다.

"그럼, 그러시다면요. 매우 친절한 분이시군요. 저는 약간 충격을 받았답니다." 그녀가 과도하게 닦아 광택이 나는 자신의 검은 구두 앞에 놓인 상자를 주워 올렸다. 구두코가 푸줏간 주인의 골무 안 엄지손가락처럼 불룩하게 튀어나와 있었다. 그녀는 자신의 이름을 슈미트라고 했다.

"좋은 분이시군요, 귄터 씨." 빌헬름이 말했다.

"터무니없는 소리." 내가 그렇게 말했고, 실제로 그랬다. 고인이 된 고용주에 관해 이 노파에게서 정보를 주워 모을 수 있다는 것에 대해서는 말하지 않았다. 나는 그녀의 손에서 상자를 뺏어 들었다. "제가 들죠." 그것은 공인된 양복점 슈테호바르트의 옷 상자였고, 나는 그녀가 파르 부부에게 그 옷 상자를 가져온 모양이라고 생각했다. 나는 말없이 빌헬름에게 끄덕한 다음 차를 세워 놓은 곳으로 갔다.

"노이엔부르거 가라고요." 내가 차를 몰면서 말했다. "린덴 가를 지나서죠?" 노부인은 그렇다고 확인해 주고 방향을 일러 준 다음 잠시 침묵했다. 그러더니 다시 울기 시작했다.

"저렇게 끔찍한 비극이,"

"네, 네. 엄청난 불행이죠."

나는 빌헬름이 그녀에게 얼마나 많은 이야기를 했는지 궁금했다. 적당히 이야기했더라면 더 좋았을 텐데. 그러면 충격을 덜 받았을 테고, 지금 그녀에게서 더 많은 이야기를 이끌어 냈으리라.

"경찰이세요?" 노파가 물었다.

"화재를 조사중입니다." 내가 얼버무리듯 말했다.

"베를린을 가로질러 나 같은 노파를 데려다주시기엔 바쁘신 분일 텐데요. 다리를 건너 내려 주시면 나머지는 걸어갈게요. 이제 괜찮아요, 정말로요."

"괜찮습니다. 그건 그렇고 부인과 파르 부부에 대해 얘기하고 싶군요. 그러니까, 괜찮으시다면요." 우리는 란트베어 운하를 가로질러 중앙에 평화 기념비가 우뚝 솟은 벨레 알리안체 광장으로 들어섰다.

"아시겠지만 조사가 선행되어야 하고, 부부에 대해 아는 게 많으면 많을수록 제게 도움이 될 겁니다."

"네, 제 얘기가 도움이 된다면 저는 뭐, 괜찮아요." 그녀가 말했다.

노이엔부르거 가에 도착하자 나는 주차를 하고, 부인을 따라 몇 층 안 되는 아파트 이층으로 올라갔다.

슈미트 부인의 아파트는 이 도시 이전 세대 사람들의 전형적인 건물이었다. 가구는 견고하고 정교했고—베를린 사람들은 테이블과 의자에 많은 돈을 썼다—거실에는 큼직한 자기 타일 스토브가 있었다. 병원 대기실의 수족관만큼이나 베를린 사람들의 집에서 흔히 볼 수 있는 뒤러의 판화 한 점이 진빨강 비더마이어 양식의 작은 탁자 위에 맥없이 걸려 있었다. 작은 탁자 위에는 다양한 액자들(우리의 사랑해 마지않는 총통의 사진 한 장을 포함하여)이 늘어서 있었고, 조그만 실크 스바스티카가 큰 청동 액자에 끼워 있었다. 술병들이 놓인 쟁반도 있었는데, 나는 거기서 슈납스 한 병을 꺼내 작은 잔에 가득 따랐다.

"이걸 한 잔 마시면 기분이 좋아지실 겁니다." 내가 그녀에게 잔을 건네며 말했다. 그리고 실례를 무릅쓰고 내 잔에도 한 잔 따르면 어떨지 생각했다. 부러운 눈으로 그녀가 술을 꿀꺽꿀꺽 마시는 모습을 지켜보았다. 슈미트 부인은 두툼한 입술을 핥으며 창가에 놓인 양단 마감 의자에 앉았다.

"몇 가지 질문에 대답할 기분이 되셨습니까?"

그녀가 끄덕였다. "뭘 알고 싶으시죠?"

"음, 우선, 파르 부부를 아신 지 얼마나 되셨습니까?"

"흠, 어디 보자." 여자의 얼굴에 불확실성을 띤 뿌연 무성영화 같은

빛이 명멸했다. 양동이에서 솟은 모래처럼 약간 돌출한 보리스 카를로프[28]의 입에서 공허한 목소리가 천천히 흘러나왔다. "일 년쯤 됐을 거예요." 그녀가 자리에서 일어나 코트를 벗자 때 묻은 꽃무늬 덧옷이 드러났다. 그러더니 몇 초간 가슴을 두드리며 기침을 했다.

이러는 동안 나는 모자를 젖혀 쓰고 주머니에 손을 넣은 채 방 한가운데에 우뚝 서 있었다. 나는 파르 부부의 부부 관계에 대해 물었다.

"그러니까, 두 사람은 사이가 좋았습니까? 나빴습니까?" 그녀는 이 두 물음에 모두 끄덕였다.

"그 집에 처음 일하러 갔을 때, 두 분은 사이가 아주 좋았어요. 하지만 곧 부인이 교사직을 잃었죠. 그 때문에 아주 안 좋았어요, 부인이요. 그리고 오래잖아 다투기 시작했죠. 내가 있었을 때는 남편분이 거의 없었지만요. 남편분이 있었을 때는 거의 말다툼을 했고, 그건 보통 커플들이 하는 부부 싸움이 아니었어요. 아니고말고요. 두 분은 서로 증오하기라도 하듯 소리를 지르고 화를 냈죠. 말다툼이 끝난 뒤에 몇 번인가 부인이 자기 방에서 우는 것을 봤어요. 글쎄요, 저는 두 분이 왜 싸웠는지 정말 몰라요. 두 분은 청소하는 게 즐거울 만큼 아름다운 집을 갖고 있었는데 말이죠. 분명히 말씀드리지만 두 분은 씀씀이가 헤프지 않았어요. 저는 부인이 뭔가를 사는 데 큰돈을 들이는 걸 한 번도 본 적이 없어요. 부인은 멋진 옷들을 많이 갖고 계셨지만 화려한 건 하나도 없었답니다."

28. 무성영화 〈프랑켄슈타인〉의 프랑켄슈타인 역을 한 배우로 슈미트 부인을 빗댄 농담.

"보석은 어떻습니까?"

"분명히 부인은 몇 가지 보석을 갖고 계셨지만 내 기억으로 그분이 그걸 하고 다니신 적은 없어요. 그렇긴 해도 저는 낮에만 거기에 있었으니까요. 반면에 제가 정리하려고 남편분의 재킷을 들었을 때 귀걸이 몇 개가 마루에 떨어진 적이 있었죠. 부인이 하셨을 만한 귀걸이가 아니었어요."

"무슨 뜻이죠?"

"그 귀걸이들은 귀를 뚫는 거였고, 파르 부인은 클립형 귀걸이만 하셨으니까요. 어쨌든 저는 저만의 결론을 내렸지만 누구에게도 말은 하지 않았어요. 그분의 일에 제가 상관할 바는 아니니까요. 하지만 부인은 남편을 의심하는 것 같았어요. 부인은 멍청한 여자가 아니었어요. 오히려 그 반대죠. 그래서 전처럼 술을 들이부으신 게 분명해요."

"부인이 술을 마셨습니까?"

"스펀지처럼요."

"남편은 어땠습니까? 내무성에서 일했다던데?"

슈미트 부인은 어깨를 으쓱했다. "어떤 정부 기관이었는데 뭐라고 부르는지는 모르겠어요. 법과 관련된 뭔가였어요. 남편분 서재 벽에 법 관련 자격증이 걸려 있었죠. 하지만 자기 일에 대해서 입이 아주 무거우셨어요. 그리고 서류들을 제 눈에 띄지 않게 꼼꼼히 챙기셨고요. 그렇다고 제가 그걸 읽으려고 했다는 건 아니고요. 그분은 그럴 기회조차 주지 않으셨죠."

"남편이 집에서 일을 많이 했습니까?"

"가끔요. 제가 알기로, 보통 빌로브 광장에 있는 사무실 빌딩에서 일을 하셨어요. 아시다시피 볼셰비키 본부로 쓰였던 건물이죠."

"독일 노동당 본부인 DAF 건물을 말씀하시는 거겠죠. 공산당이 쫓겨난 지금은요."

"맞아요. 가끔 파르 씨가 거기까지 태워다 주곤 하셨어요. 동생이 브루넨 가에 사는데, 일이 끝나면 보통은 로젠탈러 광장행 99번 버스를 타고 가죠. 가끔 파르 씨는 친절하게도 저를 빌로브 광장까지 데려다주셨어요. 거기서 그분이 DAF 건물로 가시는 걸 봤죠."

"마지막으로 보신 게…… 언제죠?"

"어제로 이 주 됐어요. 아시겠지만 저는 휴가중이었죠. 루겐 섬으로 KdF 여행을 갔다 왔어요. 가기 전에 부인은 뵀지만 남편분은 못 봤어요."

"부인은 어떻던가요?"

"여느 때와는 달리 아주 행복해 보이셨어요. 그뿐만 아니라 저에게 말씀하실 때도 술병을 들고 계시지 않았죠. 연휴 때는 스파에 갈 계획이라고 하셨어요. 종종 가시거든요. 지금 생각하니 부인이 술을 끊었던 것 같아요."

"알겠습니다. 그리고 부인은 오늘 아침 양복점에 들러 페르디난트 가로 갔군요. 맞습니까?"

"네, 맞아요. 저는 가끔 파르 씨를 위해 작은 심부름을 했어요. 그분은 보통 가게 같은 데 가기에는 너무 바쁘셨어요. 그래서 저한테 돈을 주고 심부름을 시키셨죠. 휴가를 떠나기 전에 그분 단골 양복점에 정장을 갖다 주라고 하셨어요. 그러면 재단사가 알아서 할 거라고요."

"그의 정장 말이군요."

"뭐, 네. 그런 것 같아요." 나는 상자를 주워들었다.

"봐도 될까요?"

"안 될 거 없겠죠. 어쨌든 그분은 돌아가셨잖아요?"

뚜껑을 열기 전에 나는 상자 안에 무엇이 들었는지 알았다. 내 생각은 틀리지 않았다. 오른쪽 깃 위에 반짝이는 바그너풍 이중 번개 마크와 왼쪽 소매에 수놓인 로마 양식 독수리와 스바스티카는 황제 군대의 예전 엘리트 기병대를 상기시키는 검은 제복임이 틀림없었다. 왼쪽 깃에 있는 세 개의 씨앗은, 나치스 친위대에서 고위 계급을 뭐라고 부르는지 모르지만 대위에 해당하는 제복임을 나타냈다. 오른쪽 소매에 종이 한 장이 핀으로 꽂혀 있었다. 그것은 슈테흐바르트 양복점에서 돌격대장 파르 앞으로 보내는 청구서로 이십오 마르크였다. 나는 휘파람을 불었다.

"그러니까 파울 파르는 검은 천사였군요."

"도저히 믿기지 않는군요." 슈미트 부인이 말했다.

"그가 이 옷을 입은 모습을 본 적이 없다는 말씀이신가요?"

그녀가 고개를 저었다. "그분 옷장에 걸린 걸 본 적이 없어요."

"그렇군요." 나는 슈미트 부인이 믿을 만한 사람인지 확신할 수 없었지만 그녀가 이 옷에 대해 거짓말을 해야 할 이유가 없다는 생각이 들었다. 독일 제국 나치 친위대를 위해 일하는 독일인 변호사가 이런 옷을 입는다는 것은 드물지 않은 일이었다. 나는 의전 행사가 있을 때에만 가끔 이 제복을 입었을 파르를 상상했다.

이제 혼란스러운 표정을 짓고 있는 사람은 슈미트 부인이었다. "저는 어떻게 불이 났는지 당신에게 여쭤 볼 생각이었는데요."

나는 잠시 생각하다가 그녀가 충격을 받고 내가 대답하기 곤란한 질문들을 하지 못하게 할 심산으로 어떠한 완충 기재 없이 직설적으로 말하기로 마음먹었다.

"방화였습니다." 내가 아무렇지도 않게 말했다. "두 사람 모두 살해됐죠." 그녀의 입이 벌어졌고 눈은 찬바람이라도 맞은 것처럼 다시 축축해졌다.

"맙소사." 그녀가 말을 잇지 못했다. "끔찍해라. 누가 그런 짓을 했죠?"

"좋은 질문입니다. 두 사람 중 누구에게라도 적이 있었는지 아십니까?" 그녀는 한숨을 쉰 다음 고개를 저었다. "두 사람 중 한 사람이라도 서로가 아닌 다른 누군가와 다투는 소리를 들은 적 있습니까? 전화로라든가? 아니면 문가에서 누군가와? 어떤 것이든." 그녀는 계속 고개를 저었다.

"잠시만요. 모르긴 해도," 그녀가 천천히 말을 이었다. "네, 몇 달 전에 그런 경우가 있었어요. 파르 씨가 서재에서 부인이 아닌 분과 다투는 소리를 들었어요. 매우 화가 나 있었고, 맞아요, 그때 그 사람들이 한 말 중 어떤 말은 점잖은 사람들이 할 말이 아니었어요. 두 사람은 정치적인 문제로 싸우고 있었죠. 다른 건 몰라도 정치적인 문제인 것 같았어요. 직스 씨가 총통 각하에 대해 어떤 끔찍한 말을……,"

"직스 씨라고 하셨습니까?"

"네." 슈미트 부인이 말했다. "그분이 말다툼 상대였어요. 잠시 후에 그분이 서재 문을 박차고 나오시더니 돼지 간이라도 씹으신 표정으로 현관문으로 나가셨어요. 저를 밀칠 기세로요."

"무슨 말이었는지 기억하십니까?"

"서로 자신을 파멸시킬 작정이냐며 비난했어요."

"그런 일이 있었을 때 파르 부인은 어디 있었습니까?"

"외출하셨어요. 아마 휴가를 즐기시러 나가신 것 같았어요."

"감사합니다." 내가 말했다. "큰 도움이 됐습니다. 이제 저는 알렉산더 광장으로 돌아가 봐야겠군요." 나는 문을 향해 몸을 돌렸다.

"죄송해요." 슈미트 부인이 양복 상자를 가리켰다. "파르 씨 양복을 어떻게 해야 할까요?"

"우편으로 부치세요." 나는 테이블 위에 이 마르크를 놓았다. "프린츠 알브레히트 가 9번지 힘러 SS 국가지도자에게요."

4

지메온 가는 노이엔부르거 가에서 얼마 떨어져 있지 않지만, 노이엔부르거 가에 있는 건물들의 창가에는 페인트가 다 떨어져 나간 데비해 지메온 가의 건물들의 창문은 유리가 없다. 이곳을 가난한 지역이라고 부르는 것은 요제프 괴벨스가 자신의 발에 맞는 신이 없어 문제[29]라고 말하는 것과 약간 비슷하다.

자갈이 깔린 악어 등 같은 길 위에, 빨랫줄로 이어진 오류 층 높이의 다세대 주택 두 채가 화강암 절벽처럼 마주 보고 있었다. 뚱한 젊은이들의 입에는, 어항 속 똥을 매단 나른한 금붕어들처럼 손으로 만 담배의 담뱃재가 늘어져 있었다. 그들은 음울한 골목의 황폐한 벽에 기댄 채 보도를 따라 깡충거리는 건방진 꼬마들을 멍하니 바라보고 있었다. 아이들은 거리의 벽을 뒤덮은 망치, 낫과 외설적인 그림과 조잡하게 그린 스바스티카를 의식하지 못하고 젊은이들의 존재를 무시한 채 시끄럽게 놀았다. 어떤 낙서든 간에 그것은 젊은이들의 도그마들이었다. 쓰레기가 널린 거리 아래쪽과 젊은이와 아이들을 둘러싼,

---

29. 괴벨스는 어릴 때 소아마비를 앓고 평생 의족에 의지한 채 절름발이로 살았다.

햇빛이 들지 않는 건물들의 그림자 아래 반지하층에는, 이 지역을 상대로 필요한 서비스를 제공하는 작은 가게와 사무실 들이 자리 잡고 있었다.

그러나 서비스라고 할 만한 것들은 많이 필요하지 않았다. 이 지역에는 돈이 없었고, 장사라고 할 만한 것들 대부분은 루터 교회의 참나무 복도만큼이나 활기 없이 딱딱했다. 나는 이 작은 가게들 중 하나인 전당포로 다가가, 진열창을 보호하기 위한 나무 셔터에 그려진 커다란 다윗의 별을 무시하고 안으로 들어갔다. 문이 열렸다 닫히자 벨이 울렸다. 바깥보다 한층 어두운 가게의 유일한 빛의 원천은 낮은 천장에 매달린 기름 램프뿐으로, 낡아 빠진 범선 안에 있는 느낌이었다. 나는 주위를 둘러보며 가게 안쪽에서 주인 바이츠만이 나오길 기다렸다. 가게 안에는 뿔이 달린 옛 투구와 탄저균 때문에 죽은 것처럼 보이는, 유리 진열장 안의 마르모트 박제와 오래된 지멘스 진공청소기가 있었고, 내가 가진 것과 같은 철십자 훈장 따위의 군대 훈장—대부분 이등 훈장—으로 가득한 케이스, 오래전에 가라앉았거나 해체 공장으로 보내진 배들의 그림이 잔뜩 들어 있는, 스무 권 전질에서 몇 권 빠진 컬러의 『해군 연감』, 블라우풍크트 라디오, 군데군데 깨진 비스마르크 흉상과 라이카 카메라 한 대가 있었다. 익숙한 바이츠만의 기침 소리와 그의 출현을 알리는 담배 냄새가 났을 때 나는 메달 케이스를 주의 깊게 들여다보고 있었다.

"몸을 좀 돌봐야 할 것 같군, 바이츠만."

"오래 살아서 뭐하게?" 그가 말을 할 때마다 색색거리는 기침의 위협이 상존했다. 언제 다가와 찌를지 모를 미늘창처럼 그 기침이 그를 데려가기 위해 도사리고 있었다. 이따금 그는 자신을 그럭저럭 제어했지만 이번에는 도저히 인간이 내는 소리라고는 할 수 없는 기침 발작을 일으켰다. 거의 다 쓴 배터리로 차를 출발시키려는 사람 같았다. 언제나 그렇듯 그 어떤 것도 그를 구제할 가망이 없어 보였다. 그런데도 그는 입에서 파이프를 떼려고 하지 않았다.

"가끔은 신선한 공기도 마셔야 해." 내가 그에게 말했다. "적어도 우선 담배부터 끊던가."

"공기는, 내 머리 위로 지나가 버려. 어쨌든 공기 없이 지내는 연습 중이야. 놈들이 유대인의 산소 호흡을 금지할지도 모르니까." 그가 카운터를 들어 올렸다. "뒷방으로 가자고, 친구. 거기서 내가 해 줄 일이 뭔지 말해 보게." 나는 텅 빈 책장을 지나 그를 따라 카운터를 돌았다.

"장사는 잘 돼?" 내가 물었다. 그가 몸을 돌려 나를 보았다. "책들은 다 어쨌어?" 바이츠만이 우울하게 고개를 저었다.

"어쩔 수 없이 처분해야 했어. 뉘른베르크 법에 따라……," 그가 경멸 섞인 웃음을 지으며 말했다. "……놈들이 유대인의 책 판매를 금지했어. 헌 책도 안 돼." 그가 다시 몸을 돌리고 뒷방으로 향했다. "요즘 나는 호르스트 베셀[30]의 영웅주의를 믿는 만큼이나 그 법을 믿고 있네."

---

30. 〈기를 높이 내걸어라〉라는 정치시를 지은 독일의 작곡가이자 나치당원. 나치가 집권하기 전 반대파에게 살해됐고, 훗날 요제프 괴벨스에 의해 '나치스 순교자'로 떠받들어졌다.

"호르스트 베셀? 처음 듣는데."

바이츠만이 웃으며 지독한 냄새를 풍기는 파이프로 낡은 자카르 소파를 가리켰다. "앉게, 베르니, 술을 갖다 주지."

"흠, 놀라운데? 놈들이 아직도 유대인들에게 술을 마시게 하다니. 자네가 그 책들 얘길 했을 때 미안함을 느낄 뻔했지. 생각만큼 나쁜 놈들은 아닌가 보군. 아직 술이 있는 걸 보니."

"사실일세, 친구." 그는 구석에 있는 캐비닛을 열고 슈납스 병을 꺼내 조심스럽게, 하지만 넉넉하게 따랐다. 나에게 잔을 건네며 그가 말했다. "하나 말해 주지. 이게 없었다면 이 나라는 정말 지옥일 거야." 그가 잔을 들어 올렸다. "주정뱅이가 늘어나, 국가사회주의 독일의 효율성에 차질이 오기를."

"보다 많은 주정뱅이를 위하여." 나는 그렇게 말하며 감사하다는 듯 술을 마시는 그를 바라보았다. 파이프를 물었을 때조차 입매에 비꼬는 듯한 웃음을 머금은 빈틈없는 얼굴이었다. 너무 모였다 싶은 눈을 좌우로 가르는, 크고 살집이 있는 코가 알이 두꺼운 무테안경을 받치고 있었고, 여전히 검은 머리가 넓은 이마의 오른쪽으로 단정히 빗겨 있었다. 잘 다린 가는 세로줄 무늬 양복을 입는 바이츠만은 희극 배우에서 영화감독으로 전향한 에른스트 루비치를 닮았다. 그는 낡은 접이식 의자에 앉아 나를 향했다.

"그래서, 뭘 도와주면 되지?"

나는 그에게 직스의 목걸이 사진을 보여 주었다. 그는 사진을 보고 약간 색색거리더니 입을 열기 전에 기침을 했다.

"만약 이게 진짜……," 그는 미소를 짓고 고개를 좌우로 흔들었다.

"이게 진짜라고? 물론 진짜겠지. 그렇지 않으면 자네가 왜 이렇게 멋진 사진을 보여 줬겠어. 음, 정말 멋진 물건처럼 보이는데."

"도둑맞았네."

"베르니, 자네가 여기 앉아 있는 것만 봐도 이 목걸이가 나무에 걸린 채 소방대를 기다리고 있는 게 아니라는 건 알아." 그가 어깨를 으쓱했다. "내가 자네한테 말해 줄 수 있는 건 이게 멋진 목걸이라는 거야. 몰랐던 건 아니겠지?"

"어이, 바이츠만. 절도범으로 잡히기 전까지 자네는 프리에트라엔더 가의 최고 보석상 중 하나였잖나."

"그렇게 고상하게 얘기 안 해도 돼."

"이십 년이면 자네는 자네 조끼 주머니 속만큼이나 이 바닥을 훤히 알 텐데."

"이십이 년이야." 그는 읊조리더니 각자의 잔에 술을 따랐다. "아주 잘 알지. 알고 싶은 걸 말해, 베르니. 그래야 말해 주든지 말든지 하지."

"이런 장물을 어떻게 처리하지?"

"란트베어 운하에 던지는 것 말고 말인가? 돈이 되는 일? 어떤 상황이냐에 달렸지."

"어떤 상황?" 내가 참을성 있게 물었다.

"소유자가 유대인이냐 아니냐 말일세."

"젠장, 바이츠만, 그렇게 비싸게 굴 거 없잖아."

"아니, 난 진지해, 베르니. 지금 보석 시장은 바닥을 치고 있어. 독일을 떠나려는 많은 유대인은 이민 자금으로 보석을 팔아야 해. 적어도 그들은 팔 보석이라도 있으니 다행이지. 그리고 예상했겠지만 그 보석들은 최하 가격으로 팔리네. 유대인이 아닌 사람들은 보석 경기가 좋아질 때까지 기다릴 여유가 있지. 유대인은 그럴 수 없고." 바이츠만은 잔기침을 하며 직스의 다른 사진을 가져가 더 유심히 보더니 어깨를 살짝 으쓱했다.

"내가 다룰 만한 게 아닌데. 내가 취급하는 건 잔챙이들이야. 경찰 녀석들이 관심을 가질 만한 건 전혀 없어. 그들은 자네가 날 아는 것만큼이나 나에 대해 잘 알지. 일단 감방에서 썩은 전과가 있으니까. 까딱 잘못했다간 그놈들이 날 키트캣 쇼걸들이 속바지를 벗는 것보다 더 빨리 강제수용소로 보낼 걸세." 낡은 풍금처럼 색색거리는 바이츠만은 씩 웃더니 나에게 사진을 넘겼다.

"암스테르담이 그걸 팔기엔 최적의 장소지. 자네가 독일 밖으로 그걸 가지고 나갈 수 있다면 말일세. 독일 세관원들은 밀수업자의 악몽이지. 베를린에서는 그걸 살 사람들이 있을 걸세."

"예를 들면 어떤 사람이?"

"저울 두 개를 쓰는 녀석들―하나는 카운터 위에 하나는 밑에―은 관심이 있을 거야. 페터 노이마이어 같은 친구. 그는 슐뤼터 가에서 골동품 보석을 전문으로 하는 작고 멋진 가게를 갖고 있네. 이건 그가 다루는 품목일지도 몰라. 그에게는 많은 판로가 있다고 들었고, 자네가 원하는 통화로 돈을 줄 수 있을 걸세. 그래, 분명히 확인해 볼만한 사람이야." 그는 종이에 이름을 적었다. "베르너 젤테도 있군. 좀 포츠담스러운 면이 있는데, 실은 장물에 손을 대고도 남을 작자지." 포츠담은 그 도시의 고루한 왕정주의자들처럼 잘난 체하고, 위선적이고,

지적으로나 사회적으로나 희망이 보이지 않는 시대착오적인 사람들을 은밀히 비난하는 말이었다. "솔직히 말하자면 그 녀석은 뒷골목 낙태 전문의보다도 양심이 없는 놈일세. 그의 가게는 부다페스터 가獨든, 에버트 가든, 헤르만 괴링 가든, 지금 나치스당에서 뭐라고 부르든 간에 그 거리에 있네.

세련된 가게를 차려 놓고 약혼반지를 보러 오는 사람들을 상대하는 다이아몬드 중개상들이 있는데, 랍비 코트 주머니에 든 포크춥만큼이나 인기가 있지. 주로 입으로 사업을 하는 부류의 사람들일세." 그는 이름 몇 개를 더 적었다. "이 친구, 라저 오펜하이머. 그는 유대인이야. 이게 바로 내가 공정한 데다 비유대인에게 악감정이 없다는 걸 나타내는 거라고. 오펜하이머는 요아힘슈탈러 가에 사무실을 갖고 있네. 어쨌든 최근에 들은 바로는 그가 여전히 그 사업을 하고 있다더군.

게르트 예쇼넥도 있지. 베를린에서는 신참이지. 원래는 뮌헨에 있었다는군. 내가 들은 바로 그는 3월의 제비꽃 중에서도 최악의 부류라는 거야. 나치스당에 승선해서 빠르게 수익을 올리는 부류 말일세. 그는 포츠다머 광장에 있는 강철로 된 흉물스러운 건물에다 근사한 사무실을 차렸네. 그 건물 이름이 뭐였더라……?"

"콜룸부스 하우스." 내가 말했다.

"맞아. 콜룸부스 하우스. 히틀러가 현대 건축물에는 별로 관심이 없다고들 하지, 베르니. 그게 무슨 의미인 줄 아나?" 바이츠만이 빙긋 웃었다. "그와 나에겐 공통점이 있다는 거지."

"공통점을 가진 사람이 또 있나?"

"모르지. 있을지도."

"누구?"

"우리의 위대한 수상 각하."

"괴링이? 장물을 산다고? 진심이야?"

"오, 그렇고말고." 그가 단호하게 말했다. "그자는 사치품 소유욕이 대단해. 물건의 입수 방법에 대해서도 까다롭지 않아. 그가 좋아 죽는 게 보석이지. 내가 프리에트라엔더에 있었을 때 자주 가게에 오곤 했어. 그때는 돈이 궁했네. 많이 사기에는. 할 수만 있었다면 왕창 샀을 거야."

"맙소사, 바이츠만. 상상이 돼? 내가 카린할[31]에 들러서 '실례합니다만 수상 각하, 며칠 전 페르디난트 가의 어떤 저택에서 도둑맞은 값비싼 다이아몬드 귀걸이에 대해서 아시는 게 있습니까? 제가 에미 사모님의 드레스를 조사하고 젖가슴 사이 어딘가에 그게 숨어 있는지 봐도 되겠습니까?'라고 말하는 게?"

"거기서 뭘 찾는다는 건 어려운 일이겠지." 흥분한 바이츠만이 색색거리며 말했다. "그 암퇘지는 거의 그 작자만큼이나 뚱뚱하니까. 그 여자는 히틀러 유겐트[32] 전원에게 젖을 물리고도 헤르만의 아침 식사를 위해 남겨 둘 만큼 젖이 남아돌 걸세." 그는 옆 사람에게 병균이라도 옮길 것 같은 발작적인 기침을 해 댔다. 나는 기침이 잦아들기를

---

31. 괴링의 첫 번째 아내 이름을 딴 사냥용 시골 저택.
32. 1933년에 히틀러가 청소년들에게 나치스의 신조를 가르치고 훈련하기 위하여 만든 조직.

기다렸다가 오십 마르크를 꺼냈다. 그는 그 돈을 일축했다.

"내가 한 게 뭐가 있다고?"

"그럼 뭐라도 사겠네."

"왜 그래? 갑자기 잡동사니를 모으고 싶어졌나?"

"그게 아니라······,"

"그렇다면 잠깐, 자네가 사고 싶어 할 만한 게 있지. 운터 덴 린덴 가에서 어떤 소매치기가 슬쩍한 거야." 그는 자리에서 일어나 사무실 뒤 작은 주방으로 갔다. 그러고나서 퍼실 세제 한 상자를 갖고 왔다.

"고맙군. 그런데 내 세탁물은 세탁소로 보냈네."

"그런 게 아니야." 그가 세제 안으로 손을 집어넣으며 말했다. "반갑지 않은 방문객이 왔을 때를 대비해 그걸 여기에 숨겼지. 아, 여기 있군." 그가 작고 납작하고 은빛이 도는 물건을 상자에서 꺼내 그것을 옷깃에 문지른 다음 내 손바닥에 놓았다. 그것은 성냥갑 크기의 타원형 판이었다. 한쪽 면에는 어디서나 볼 수 있는 독일 제국 독수리가 스바스티카를 감싼 월계관을 움켜쥐고 있는 그림이 있었고, 다른 쪽에는 비밀경찰이라는 단어와 일련번호가 새겨져 있었다. 윗부분에는 재킷 안쪽에 부착할 수 있도록 작은 고리가 있었다. 그것은 게슈타포의 원형 신분증이었다.

"그게 자네한테 필요한 문들을 열어 줄 걸세, 베르니."

"정신 나갔군. 맙소사, 이걸 갖고 있다가 들키면······,"

"그래, 알아. 이게 정보 제공자한테 줄 돈을 아껴 줄 거라고 생각하지 않나? 원한다면 오십 마르크를 내게."

"괜찮군." 그걸 갖고 다닐지 확신할 순 없었지만 나는 그렇게 말했다. 그의 말은 사실이었다. 매수할 돈을 아껴 줄 터였다. 하지만 만일 이걸 쓰다가 걸린다면 작센하우젠 수용소로 가는 첫 기차를 타게 되리라. 나는 그에게 오십 마르크를 주었다. "공짜 맥주 교환증을 잃어버린 경찰이라. 맙소사, 그 개자식의 얼굴을 보고 싶군. 마우스피스 없는 호른 연주자잖아." 나는 가기 위해 자리에서 일어섰다.

"정보, 고맙네." 내가 말했다. "그리고 자네가 모를까 봐 하는 얘긴데 지금 밖은 여름 날씨야."

"그래, 비가 평소보다 따뜻해졌더군. 적어도 놈들이 무더운 여름에 관해서만큼은 유대인 탓을 안 하겠지."

"너무 믿진 마." 내가 말했다.

5

전차가 탈선한 알렉산더 광장 뒤편은 혼란스러웠다. 우뚝 솟은 성 게오르게 붉은 벽돌 탑의 시계가 세시를 알렸을 때, 나는 아침으로 퀘 이커 퀵 플레이크('조국의 젊은이를 위한 아침 식사') 한 사발을 먹은 이래 아무것도 먹지 못했다는 것을 깨달았다. 나는 슈톡 카페로 갔다. 그곳은 베르트하임 백화점에서 가까웠고, S반 기차가 지나가는 고가 교의 그림자 안에 있었다.

슈톡 카페는 조촐한 레스토랑으로, 안쪽 모퉁이에 더욱 조촐한 바 가 있었다. 술고래인 주인의 이름은 카페 이름과 같았고, 배불뚝이 주 인이 바 안쪽을 간신히 비집고 들어가면 사람 한 명 서 있을 공간이 나왔다. 내가 문을 열고 들어가자 주인이 그 안에 서서 맥주를 따르고 글라스도 닦고 있었다. 아담한 체구의 예쁜 그의 아내는 테이블에서 시중을 들고 있었다. 종종 알렉스에서 온 크리포들이 테이블들을 차 지했는데, 국가사회주의에 대한 헌신을 어쩔 수 없이 과대 포장하는 슈톡의 노력 덕분이었다. 벽에는 총통의 큰 사진이 걸려 있을 뿐 아니 라 '총통에게 경의를'이라는 표어도 있었다.

슈톡은 원래부터 그런 사람은 아니었고, 1933년 3월 이전에는 오히려 공산주의 경향을 띤 사람이었다. 그는 내가 그 사실을 알고 있다는 걸 알았고, 그것을 기억하는 또 다른 사람들이 있지는 않을지 늘 걱정했다. 그래서 나는 사진과 표어에 대해 그에게 뭐라고 하지 않았다. 독일에 있는 모든 이가 1933년 3월 이전의 사람과는 다른 사람이었다. 따라서 '목에 칼이 들어온다면 누군들 국가사회주의자가 아니겠는가'가 내 입버릇이었다.

나는 빈 테이블에 앉아 손님들을 관찰했다. 떨어져 있는 몇몇 테이블에 앉은 사람들은 동성애 색출 부서인 변태과에서 나온 형사들이었다. 그 무리들은 협박범들과 크게 다를 바 없었다. 그들 옆 테이블에는 얼굴에 심한 마맛자국이 있는 사람이 앉아 있었다. 그는 베르더셰마크트 시장 안에 있는 경찰서의 젊은 형사로, 전에 내 끄나풀 노이만을 절도 혐의로 체포했었다.

내가 자우어크라우트를 곁들인 돼지 족발을 달라고 하자, 슈톡 부인은 씩씩하게 주문을 받아 가면서도 별다른 인사를 하지 않았다. 성질이 더러운 그 여자는 경찰서 내부에서 벌어지는 흥미로운 정보 한 토막에 대한 대가로 내가 슈톡에게 돈을 지불한다는 것을 알고 있고, 그 사실을 못마땅해했다. 이곳을 드나드는 경찰이 많았기 때문에 슈톡은 꽤 많은 정보를 듣고 있었다. 슈톡 부인은 식기 운반용 소형 승강기로 가서 내 주문을 아래쪽 주방에 전달했다. 슈톡이 바 뒤에서 간신히 빠져나와 느긋한 발걸음을 옮기기 시작했다. 그는 통통한 손에 나치스당 기관지인 《푈키셔 베오바흐터》[33] 한 부를 들고 있었다.

"안녕, 베르니. 형편없는 날씨에 잘 지내고 있나?"

"축축한 푸들 같은 날씨군, 막스. 맥주 한 잔 갖다 주게."

"바로 가져다주지. 신문 보겠나?"

"특별한 소식이라도 있나?"

"찰스 린드버그 부부가 베를린에 있다는군. 대서양을 횡단한 친구 말이야."

"멋진 뉴스인데. 정말이야. 여기 있는 동안 그 위대한 비행사는 폭격기 공장 개막 행사들에 참석하나 보군. 번쩍거리는 새 전투기를 시승하지 않을까 싶은데. 아마 주최 측은 그가 그길로 스페인까지 날아가 주길 바랄지도 모르지."

슈톡이 초조한 표정으로 어깨 너머를 바라보더니 내게 목소리를 낮추라는 시늉을 했다. "목소리가 커, 베르니." 그가 토끼처럼 씰룩이며 말했다. "자네가 언젠가 나를 죽일 거야." 슈톡은 우울하게 중얼거리며 내 맥주를 가지러 갔다.

나는 슈톡이 테이블 위에 놓고 간 신문을 훑어보았다. '두 사람의 목숨을 앗아 간 페르디난트 가의 화재를 조사중'이라는 단락이 보였는데, 두 사람의 이름이라든가 두 사람과 내 의뢰인과의 관계라든가 경찰이 살인 사건으로 추정한다는 등의 언급은 없었다. 나는 신문을 옆 테이블로 휙 집어던졌다. 《푈키셔 베오바흐터》를 읽느니 차라리 성냥갑 뒷면을 보고 있는 편이 세상 돌아가는 소식을 더 많이 알 수 있을 터였다. 그럭저럭하는 동안 변태과 형사들이 카페에서 나갔고, 슈톡이 내 맥주를 가지고 왔다. 그는 내 주의를 끌려고 잔을 치켜들었

---

33. 1920년부터 발행된 사회주의 독일 노동당 기관지. '민족 관찰자'라는 뜻. 원래는 나치당과 상관없는 뮌헨의 작은 신문이었으나, 아돌프 히틀러가 인수하여 당 기관지로 성격을 바꾸었다. 1945년까지 25년 동안 나치당의 공식 대변지였다.

3월의 제비꽃
—

다가 테이블 위에 내려놓았다.

"언제나 멋진 하사관님의 수염을 보여 주게."

"고마워." 나는 맥주를 길게 들이켠 다음 손등으로 윗입술에 수염처럼 남은 거품을 닦아 냈다. 슈톡 부인이 식기 운반용 승강기에 있는 음식들 중에서 내 점심을 골라내어 가져왔다. 그녀는 셔츠에 구멍이라도 낼 듯한 눈빛으로 남편을 쳐다보았지만 슈톡은 못 본 척했다. 그러자 슈톡 부인은 마맛자국이 있는 형사가 떠난 테이블을 치우러 갔다. 슈톡이 자리에 앉아 식사를 하는 나를 쳐다보았다.

잠시 후 내가 말했다. "그래서, 들은 거 있나? 뭐라도?"

"란트베어 운하에서 남자 시체를 건졌대."

"뚱뚱한 철도원만큼이나 흔치 않은 일이군그래." 내가 그에게 말했다. "자네도 알겠지만 운하는 게슈타포의 화장실이야. 누군가 이 빌어먹을 도시에서 사라지면 경찰 본부나 시체 보관소보다 운하 관리 사무소에서 찾는 게 더 빠를 거야."

"그래, 하지만 이번 시체는 코에 당구 큐가 꽂혀 있었어. 그들은 그게 뇌를 관통했다고 추정하고 있어."

나는 나이프와 포크를 내려놓았다. "내가 식사를 마칠 때까지 유혈이 낭자하는 얘기는 삼가 주겠나?"

"미안." 슈톡이 사과했다. "뭐, 그게 다야. 하지만 보통 그들은 그런 짓은 하지 않잖아. 그들이 그러겠어, 게슈타포가?"

"프린츠 알브레히트 가[34]에서 보통 그런 짓을 어떻게 간주하는지 알

---

34. 게슈타포 본부 소재지.

게 뭔가. 아마 죽은 자가 디밀어서는 안 될 데에 코를 디밀었나 보지. 게슈타포가 시적인 방법으로 그 친구를 처리하고 싶었을 수도 있고."

내가 입을 닦고 테이블 위에 팁을 올려놓자 슈톡이 세지도 않고 팁을 그러모았다.

"그 자리가 예술 학교였다는 걸 생각하면 웃기는 일이지. 게슈타포 본부 말이야."

"걸작이군. 게슈타포에게 두들겨 맞은 불쌍한 녀석들도 그 얘길 들으면 귀여운 눈사람처럼 행복하게 잠자리에 들겠지." 나는 자리에서 일어나 문으로 향했다. "그나마 린드버그 부부가 와서 다행이군."

나는 사무실을 향해 걸었다. 프로체 부인은 대기실 벽에 걸린 누렇게 변한 틸리[35]의 복제화 액자를 닦는 중이었다. 그는 가련한 로텐부르크 시장의 곤경을 재밌어하고 있었다. 내가 문을 들어섰을 때 전화 벨이 울리기 시작했다. 프로체 부인은 나를 향해 미소 짓고는 깨끗해진 액자를 새삼 들여다보는 나를 잽싸게 지나쳐, 전화를 받으러 자신의 방으로 갔다. 나는 정말 오랜만에 그 그림을 자세히 보았다. 도시를 더 이상 파괴하지 말아 달라고 간청하는 시장에게 16세기 독일 제국군 사령관이었던 틸리가 맥주 6리터를 입을 떼지 말고 단번에 마시라고 요구하는 중이었다. 내가 기억하기로 시장은 이 엄청난 일을 해내고 도시를 구했다. 늘 생각하는 거지만 너무나 독일다운 이야기였다. 딱 나치 폭력배가 할 만한 가학적인 짓이었다. 그다지 변한 게 없

---

35. 30년 전쟁 당시 구교도를 이끌었던 사령관.

었다.

"여자분이에요." 프로체 부인이 소리쳤다. "이름은 밝히지 않고 당신과 통화하고 싶대요."

"연결해 줘요." 내 사무실로 발걸음을 옮기며 내가 말했다. 나는 전화기를 들었다.

"우리, 어젯밤에 만났었죠." 목소리가 말했다. 다크마르의 결혼 피로연에서 만난 카롤라를 떠올리고 나는 욕을 했다. 나는 그 작은 사건을 깡그리 잊고 싶었다. 하지만 카롤라가 아니었다. "아니면 오늘 아침이라고 해야 하나요. 꽤 늦긴 했군요. 당신은 가는 길이었고, 나는 파티에서 막 돌아온 참이었으니까요. 기억나요?"

"프라우……," 나는 여전히 믿기지 않아서 머뭇거렸다.

"제발, 부인이라는 말은 빼고요. 괜찮으시다면 일제 루델이라고 불러 주세요, 귄터 씨."

"괜찮고말고요." 내가 말했다. "어떻게 모르겠습니까?"

"그러실지도 모르죠. 당신은 아주 피곤해 보였으니까요." 그녀의 목소리는 황제의 팬케이크만큼이나 달콤했다. "헤르만과 나는, 그러니까 우린 종종 남들은 그렇게 늦은 시간까지 깨어 있지 않다는 사실을 잊는다니까요."

"이렇게 말하는 걸 용서하신다면, 당신은 그런 상태에서도 무척 좋아 보이시더군요."

"어머, 고마워요." 그녀의 목소리는 진심으로 아양을 떠는 것처럼 들렸다. 경험상 나는 개에게 비스킷을 잔뜩 주지 않는 것처럼 어떤 여자에게도 지나치게 아양을 떨지 못했다.

"뭘 도와드릴까요?"

"긴급한 문제로 당신과 이야기를 나누고 싶어요. 그렇긴 해도 그 얘기를 전화로 하고 싶진 않군요."

"제 사무실로 오시겠습니까?"

"안 될 것 같아요. 지금 바벨스베르크에 있는 스튜디오에 있어요. 오늘 밤 내 아파트로 오시는 게 어떻겠어요?"

"당신 아파트로요?" 내가 말했다. "네, 좋습니다. 기꺼이. 어디에 있습니까?"

"바덴셰 가 7번지. 아홉시 어때요?"

"괜찮습니다." 그녀는 전화를 끊었다. 나는 담배에 불을 붙이고 멍하니 연기를 내뿜었다. 그녀는 영화를 찍는 중이었을 테고, 나는 그녀가 호수에서 벌거벗은 채로 수영을 하는 장면을 찍은 다음 분장실에서 로브만 걸친 채 나에게 전화하는 모습을 상상했다. 상상을 하는 데는 오래 걸리지 않았다. 나는 상상력이 풍부했다. 이내 나는 직스가 그 아파트를 알고 있는지 궁금했다. 알 거라고 생각했다. 직스 같은 부자가 아내의 거처를 모를 리 없었다. 그녀는 아마 독립성을 유지하기 위해 그 집을 빌렸을 것이다. 마음만 먹으면 그녀가 갖지 못할 게 별로 없을 터였다. 몸을 이용한다면 달과 은하계 몇 개쯤은 가질 수 있으리라. 어쨌거나 그녀가 나를 보자고 한 사실을 직스가 알고 있거나 찬성할 거라는 생각은 들지 않았다. 내게 자신의 집안일을 들쑤시지 말라고 하지 않았던가. 그녀가 나와 급히 이야기하고 싶은 내용이 무엇이든 간에 그 키 작은 요정의 귀에 들어가서는 안 될 게 분명했다.

나는《베를리너 모르겐포스트》의 범죄 담당 기자 뮐러에게 전화했다. 《베를리너 모르겐포스트》는 신문 가판대에 남아 있는 쓰레기 같은 신문들 가운데 그나마 나은 신문이었다. 뮐러는 한때 잘나갔던 괜찮은 기자였다. 이제 옛 방식의 범죄 보도는 별로 볼 수 없었다. 당국의 선전 부처가 그것을 담당했다.

"이봐." 형식적인 인사를 나누고 내가 말했다. "자네 도서관 파일에 있는 신상 정보가 좀 필요해. 찾을 수 있는 건 전부. 그리고 가능한 한 빨리. 헤르만 직스에 대해서."

"그 철강 재벌? 딸의 죽음을 조사중이군, 응, 베르니?"

"화재 조사 건으로 보험회사의 의뢰를 받았네."

"얼마나 알아냈지?"

"자네가 전철 티켓에 기사를 쓸 수 있을 만큼."

"음, 내일 자 신문에 낼, 우리가 냄새를 맡은 정도겠군. 당국이 보도를 자제하라던데. 사실만 보도하래. 그나마도 간단히."

"왜지?"

"직스는 윗선에 줄이 닿거든, 베르니. 그의 돈이면 엄청나게 많은 침묵을 살 수 있지."

"뭔가 알아냈나?"

"방화라고 들은 게 다야. 자료가 언제 필요하지?"

"오십 마르크면 내일까지 되겠지. 그리고 가족들에 대해서 파낼 수 있는 건 모두."

"용돈이야 많을수록 좋지. 우리끼리만의 얘기지만."

나는 전화를 끊고 서류 몇 장을 지난 신문에 끼워 넣은 다음 아직 빈 공간이 남아 있는 책상 서랍에 던져 넣었다. 그리고 수사 일지에 낙서를 하다가 책상 위에 굴러다니는 문진 몇 개를 집었다. 차갑고 묵직한 문진을 손안에서 굴리고 있는데 문을 두드리는 소리가 들렸다. 프로체 부인이 방 안으로 들어왔다.

"정리할 파일이 있나 해서요." 나는 책상 뒤 바닥에 난잡하게 쌓여 있는 파일 뭉치를 가리켰다.

"저게 내 보관 시스템이죠." 내가 말했다. "믿으시거나 말거나 순서 대로 정돈된 겁니다." 그녀는 내가 농담한 것이라고 생각했는지 미소를 지었고, 마치 내가 인생을 바꿔 놓을 뭔가를 설명했다는 듯이 조심스럽게 끄덕였다.

"저게 모두 진행중인 일인가요?"

나는 웃음을 터뜨렸다. "여기는 법률 사무소가 아닙니다." 내가 말했다. "저것들 중 상당수가 진행중인 일인지 아닌지 몰라요. 조사라는 건 빠른 결과를 내는 빠른 업무가 아니죠. 참을성을 많이 기르셔야 할 겁니다."

"그럴 것 같군요." 프로체 부인이 말했다. 내 책상 위에는 액자가 단 하나뿐이었다. 그녀는 그 사진을 자세히 보려고 액자를 돌렸다. "미인이군요. 아내분이신가요?"

"그랬죠. 카프 반란[36] 때 죽었습니다." 골백번 한 말이었다. 이렇게 아내의 죽음을 어떤 사건에 편승해 쉽게 이야기하는 이유는 십육 년

---

36. 1920년 3월 13일부터 닷새간 베를린에서 우익 정치가 W. 카프를 우두머리로 제정파(帝政派) 군인들이 일으킨 쿠데타.

이 지난 지금도 내가 그녀를 무척이나 그리워한다는 사실을 가볍게 생각하기 위해서였다. 어쨌든 한 번도 성공적인 적은 없었다. "스페인 독감 때문이었죠." 내가 설명했다. "우리가 같이 산 시간은 십 개월 뿐이었습니다." 프로체 부인이 동정하듯 고개를 끄덕였다.

우리 둘 다 잠시 말이 없었다. 이내 나는 손목시계를 보았다.

"원하신다면 퇴근하셔도 됩니다." 그녀에게 말했다. 프로체 부인이 퇴근하고 나서 나는 내 방의 높이 달린 창문 앞에 오래도록 서서 늦은 오후 햇살에 에나멜 가죽처럼 번들거리는 젖은 거리를 내려다보았다. 비가 그쳐 멋진 저녁이 될 것처럼 보였다. 이미 반대편 건물인 베롤리나 하우스에서 줄지어 나온 회사원들이 집으로 가기 위해 알렉산더 광장 지하철역으로 통하는 보도를 지나 지하 터널의 미로 속으로 내려가고 있었다.

베를린. 나는 이 오래된 도시를 사랑했던 적도 있었다. 그것은 도시가 자신을 거울에 비춰 보고 숨을 쉬기 힘들 만큼 너무 타이트하게 코르셋을 졸라매길 좋아하기 전이었다. 나는 세계에서 가장 흥미로운 도시들 중 하나 같았던 베를린의 쉽고 속 편한 철학과 싸구려 재즈와 천박한 카바레와 바이마르 시대에 특징지어진 그 밖의 넘쳐나는 모든 문화를 사랑했다.

내 사무실 뒤편, 그러니까 남동쪽에는 경찰 본부가 있고, 나는 베를린에서 발생하는 범죄를 엄중 단속하기 위해 거기서 행해지는 몹시 고된 업무들을 상상했다. 총통에 대한 무례한 언사, 정육점 유리창에 '매진'이라는 팻말을 거는 것, 히틀러식 경례에 신경 쓰지 않는 것, 그리고 동성애와 같은 악행들이 단속대상이었다. 그것이 국가사회주의 정부 통치하의 베를린의 모습이었다. 흡사 저주받은 대저택 같았다. 어두운 구석, 음울한 계단, 불길한 지하실. 다락방에는 자유롭게 설치는 악령으로 가득했고, 책이 날아다니고, 문이 탕탕 여닫히며, 유리가 깨지고, 밤이 되면 비명을 질렀다. 두려움을 견디지 못한 주인들은 집을 팔고 나갈 마음을 여러 차례 먹었다. 하지만 그럴 때마다 그들은 귀를 막고, 멍든 눈을 가리며, 아무 이상 없는 척을 했다.

공포로 겁에 질린 그들은 발밑에서 움직이는 카펫을 무시하며 필요한 말만 했고, 보스의 시답잖은 농담에 늘 동조하는 듯한 웃음소리는 신경질적이고 가늘었다.

아우토반 건설이나 밀고처럼, 경찰 치안 활동은 새 독일의 성장 산업 중 하나다. 따라서 알렉스는 항상 바쁘다. 내가 그곳에 도착했을 때는 일반인들을 상대하는 대부분 부서의 업무 시간이 종료됐는데도 건물의 입구마다 여전히 많은 사람이 서성이고 있었다. 여권과인 4번 출입구가 특히 붐볐다. 출국 비자를 얻기 위해 하루 종일 줄을 서서 기다렸던 베를린 거주 유대인들이 이제 알렉스 경찰 본부의 여권과에서 쏟아져 나오는 중이었고, 그들의 얼굴은 출국 비자 획득의 성패 여부에 따라 희비가 엇갈렸다.

알렉산더 가를 따라 내려간 나는 3번 출입구를 지나쳤다. 출입구 앞에는 독특한 흰색 반코트 제복 때문에 '흰 쥐들'이라는 별명이 붙은 교통경찰 두 명이 연청색 BMW 오토바이에서 내리는 중이었다. 죄수 호송차인 녹색 미나가 경적을 광광 울리며 야노비츠 다리 쪽으로 질주하고 있었다. 경적 소리를 의식조차 하지 않는 두 흰 쥐들이 보고를 하기 위해 3번 출입구 안으로 거들먹거리며 걸어 들어갔다. 나는 누군가에게 제지받을 염려가 거의 없는 2번 출입구를 택할 만큼 이곳을 잘 알고 있었다. 누군가가 멈춰 세운다면 나는 유실물과인 32a호실에 가는 길이라고 말할 참이었다. 하지만 2번 출입구는 경찰 시체 보관소로도 통했다.

태연하게 복도를 따라 지하로 내려간 뒤 작은 매점을 지나 비상구로 갔다. 문 손잡이를 아래로 당겨 열고 나가자 경찰차 몇 대가 주차되어 있는 자갈 깔린 넓은 마당이 나왔다. 고무장화를 신고 그중 한 대를 세차하고 있는 남자는 내 모습에 별다른 주의를 기울이지 않았다. 나는 몸을 약간 수그리고 마당을 지나쳐 또 다른 문으로 들어갔다. 이 문은 보일러실로 통했고, 나는 잠시 멈춰 서서 상황을 살폈다. 나는 이곳 지리에 훤할 만큼 오랜 기간인 십 년 동안 알렉스에서 일하지 않았던가. 나를 아는 누군가를 만날지도 모른다는 것이 내 유일한 걱정이었다. 보일러실에서 밖으로 나가는 문을 열고 복도로 통하는 짧은 계단을 올랐다. 복도 끝에는 시체 보관소가 있었다.

시체 보관소 대합실에 들어서자 상한 닭고기에서 나는 것 같은 시큼한 냄새가 풍겼다. 포름알데히드가 섞인 역겨운 칵테일 같은 냄새가 콧구멍으로 들어오자 위가 요동쳤다. 두 장의 유리가 달린 문 너머, 가구라고는 책상 하나와 의자 두 개뿐인 썰렁한 사무실에는 냄새와 '시체 보관소 출입 금지'라고 쓰인 팻말 이외에, 경고라고 할 만한 게 아무것도 없었다. 나는 문을 살짝만 열고 안을 들여다보았다. 음산하고 눅눅한 방 한가운데에 놓인 부검 수술대는 배수구 역할도 했다. 얼룩진 도기 배수구 양옆에 있는 두 개의 대리석 판은 약간 기울어져 있어서 부검 시 흐르는 액체들이 중앙으로 흐르게 되어 있었고, 배수구 양 끝에 위치한 기다란 수도꼭지 중 하나에서 흐르는 물이 바닥을 씻어 내리고 있었다. 부검 수술대는 배수관 양 끝에 한 구씩, 시체 두 구를 머리에서 발끝까지 눕힐 수 있을 만큼 컸다. 하지만 지금은 메스와 수술용 톱으로 부검중인 남자 시체 한 구뿐이었다. 성긴 검은 머리, 넓은 이마, 긴 매부리코, 단정한 콧수염과 짧은 턱수염에 안경을 쓴 가냘픈 남자가 허리를 구부리고 부검 도구들을 휘두르는 중이었다. 빳빳한 칼라에 넥타이를 맨 남자는 고무장화와 묵직한 앞치마 차림에 고무장갑을 끼고 있었다.

나는 문을 열고 조용히 안으로 발을 들인 다음 직업적인 호기심을 갖고 그 시체를 들여다보았다. 가까이 다가갈수록 남자의 사인이 궁금해졌다. 물에 불은 탓에 장갑과 양말을 벗듯 손발의 피부가 벗겨진 것으로 보아 익사가 분명했다. 머리의 상태를 빼면 그것이 대체로 합당한 사인이었다. 머리 부분은 진흙탕 축구장처럼 검을 뿐으로 얼굴이 아예 없었고, 두개골 윗부분은 톱질이 되어 뇌가 제거된 상태였다. 젖은 고르디우스의 매듭 같은 뇌가 콩팥 모양의 접시에서 해부를 기다리고 있었다.

섬뜩한 색깔에 뒤틀린 자세, 고깃덩어리 같은 변사체를 눈앞에 두고도 내 반응은 동네 '독일인' 푸줏간에 진열된 고기를 보는 것과 크게 다를 것이 없었다. 나는 칼에 찔려 죽은 시체, 익사체, 차에 깔린 시체, 총에 맞아 죽은 시체, 불에 타 죽은 시체, 맞아 죽은 시체를 보고도 무신경한 내 자신에 가끔 놀랐지만 그런 무감각이 어디서 기인했는지 너무나 잘 알고 있었다. 터키 전선과 크리포에서의 근무로 꽤 많은 죽

음을 보아 온 탓에 나는 시체가 살아 있는 인간이었다고 생각하길 포
기했다. 사설 조사원이 된 이후에도 실종자 탐문의 방편으로 베를린
에서 가장 큰 병원 성 게르트라우덴의 시체 보관소나 란트베어 운하
선착장 가까이에 있는 인양 시체 막사를 빈번하게 드나들었기 때문
에, 이렇듯 죽음과의 친숙함은 계속 유지되어 왔다.

나는 곧 일만 박사가 몸을 돌려 슬쩍 나를 보기 전까지 그 자리에
서서 몸통과 머리의 상태가 상이한 것을 혼란스러워하며 내 앞에 펼
쳐진 섬뜩한 광경을 바라보고 있었다.

"맙소사." 일만 박사가 으르렁거렸다. "베른하르트 귄터. 아직 살아
있었나?" 수술대에 다가간 나는 역한 냄새를 맡지 않으려고 숨을 내
쉬었다.

"젠장. 내가 마지막으로 이렇게 끔찍한 냄새를 풍기는 시체를 본 건
죽은 말이 내 얼굴 위에 앉아 있었을 때였죠."

"대단한 시체 아닌가?"

"내 말이. 이 사람은 뭘 하다 이렇게 된 겁니까, 북극곰과 싸우기라
도 했습니까? 아니면 히틀러가 키스라도 했든가."

"보기 드문 경우 아닌가? 머리가 거의 타 버린 것 같아."

"산酸?"

"맞아." 내가 똑똑한 학생이기라도 하다는 듯 일만의 목소리는 만
족스럽게 들렸다. "잘 맞혔군. 어떤 종류인지는 말하기 어렵지만 아
마 염산이나 황산일 거야."

"피해자의 신원을 숨기고 싶었나 보군요."

"딱 그거야. 잘 들어 두게. 사인은 숨길 수 없네. 이 친구 콧구멍에

부러진 당구 큐가 박혀 있었지. 그게 뇌를 관통해 즉사했네. 사람을 죽이는 데 아주 흔한 방법은 아니라고 할 수 있지. 이런 건 처음 봐. 어쨌든 사람을 죽이는 살인자의 다양한 방법에 놀라지 않게 된 지 오래일세. 분명 자네도 놀라지 않았겠지. 자네는 언제나 상상력이 풍부한 형사였으니까. 자네 신경은 말할 것도 없고. 자네는 이런 데를 태연히 걸어 다닐 만큼 배짱이 있는 친구야. 그게 자네를 여기서 쫓아내지 못하는 내 유일한 감상적인 면이랄까."

"파르 사건에 대해 얘기하고 싶습니다. 당신이 검시하지 않았습니까?"

"정보가 빠르군." 그가 말했다. "사실 오늘 아침에 그 가족이 시체를 양도해 달라고 요구했네."

"검시 결과는요?"

"이봐, 지금은 말할 수 없어. 이 친구의 부검을 마칠 동안 기다리게. 한 시간 뒤에 와."

"어디로요?"

"알트 쾰른에 있는 퀸스틀러 에크가 어떤가? 조용한 데라 방해받을 염려가 없지."

"퀸스틀러 에크." 내가 말했다. "찾을 수 있겠죠." 나는 유리문을 향해 몸을 돌렸다.

"오, 그리고 베르니. 정보에 대한 비용은 확실히 챙겨 오겠지?"

오래전 수도에 편입된 알트 쾰른의 독립 구역은 슈프레 강에 있는 작은 섬이다. 별명이 '박물관 섬'일 만큼 주로 박물관들이 들어서 있어서 그곳은 그 수입으로 꾸려 나간다. 하지만 나는 그 박물관 중 한 군데도 가 본 적이 없었다. 나는 과거에 그다지 흥미가 없었고, 누군가 왜냐고 묻는다면 이 나라의 과거에 대한 집착이 우리를 지금 이 꼴로 만들어 놓았다고 말할 터였다. 빌어먹을. 술집에 가면 반드시 어떤 머저리가 1918년 이전의 독일 국경이나 비스마르크 시대를 들먹이고, 우리가 프랑스의 코를 납작하게 눌렀을 때에 대해 끝도 없이 떠들어 댄다. 그것들은 묵은 원한일 뿐이고 들척거려 봐야 좋을 게 없다는 게 내 지론이다.

밖에서 보니 약속 장소에는 간단한 마실 거리를 찾는 행인을 잡아끄는 데가 하나도 없었다. 꾀죄죄하게 페인트가 칠해진 문도 그렇고, 창가 화단에 바짝 말라비틀어진 꽃도 그랬다. 물론 더러운 유리창에 형편없는 손글씨로 '오늘 밤 여기서 연설을 들을 수 있습니다'라고 쓰인 푯말도 그랬다. 이 말은 오늘 저녁 절름발이 요제프가 당 집회 연설을 한다는 뜻이었고, 그 결과로 교통 대란이 있을 거라는 뜻이었다. 욕이 나왔다. 나는 계단을 내려가 문을 열었다.

퀸스틀러 에크 내부는 간단한 마실 거리를 찾는 행인이 잠시 머무를 만한 곳이 더욱 아니었다. 벽은 작은 포탄 모형, 해골, 관 같은 음울한 나무 조각으로 뒤덮여 있었다. 먼 쪽 반대편 벽에는 시체가 드러난 지하 묘지와 무덤처럼 보이도록 칠한 거대한 오르간이 있었고, 곱사등이가 하이든을 연주중이었다. 돌격대원들이 곱사등이의 연주에 흠뻑 빠져 열정적으로 〈자랑스럽고 위대한 나의 프로이센〉을 불렀기 때문에 그 곱사등이는 다른 누구보다도 자신을 위해 연주했다. 나는 베를린에 살면서 가끔 괴상한 것들을 보아 왔지만 이 광경은 콘라트 바이트[37]가 나오는 영화의 한 장면을 연상케 했다. 그것도 썩 좋은 느낌이 아닌 영화를. 나는 어느 순간에 외팔이 경찰서장의 등장을 기대했다.

대신 나는 일만이 엥겔하르트 한 병을 시키고 구석 자리에 홀로 앉아 있는 것을 발견했다. 내가 같은 것으로 두 병을 더 시켰을 때 돌격대원들이 합창을 마쳤고, 곱사등이는 내가 제일 좋아하는 슈베르트 소나타 중 하나를 학살하기 시작했다.

"최악의 장소를 골랐군요." 내가 싱긋 웃으며 말했다.

"아주 진기한 곳을 찾았다고 생각했는데."

"당신의 친근한 이웃인 시체 도둑을 만나기에 최적인 곳이군요. 낮에 실컷 시체를 보고 이렇게 시체 안치소 같은 곳으로 술을 마시러 와야 합니까?"

그는 뻔뻔하게 어깨를 으쓱했다. "내 주위의 죽음만이 내가 살아 있다는 것을 끊임없이 상기시키지."

"시체 애호증에도 장점이 있군요." 내 말에 동의한다는 듯 일만이 웃었다.

"그래서 자네는 그 가엾은 돌격대장과 그의 귀여운 아내에 대해 알고 싶다는 건가, 응?" 나는 끄덕였다. "이번 건은 흥미로운 케이스야. 정말로. 흥미로운 것들은 점점 드물어지고 있지. 이 도시에서 죽어 나가는 사람들로 내가 바빴을 거라고 생각했겠지만 보통 대부분은 그

---

37. 독일 배우로 〈칼리가리 박사의 밀실〉이 대표작. 나치즘이 발흥하자 영국으로 이민했다.

렇게까지 흥미로울 것들이 거의 없네. 난 살인자들 때문에 빈번하게 법의학적 증거를 제출하네. 우리는 요지경 같은 세상에서 살고 있는 걸세." 그가 서류 가방을 열고 푸른색 서류철을 꺼냈다. "사진을 가져왔네. 자네가 그 행복한 커플을 보고 싶을 거라고 생각했지. 진짜 두 사람은 한 쌍의 기관차 화부火夫더군. 각자의 결혼 반지를 보고 신원을 확인할 수 있었네."

나는 파일을 휙휙 넘겨 보았다. 카메라 앵글은 계속 바뀌었지만 피사체는 똑같았다. 까맣게 드러난 스프링으로 보아 침대였던 것에 누워 있는 이집트 파라오 같은 두 구의 암회색 사체는 그릴 위에 놓인 기다란 소시지 같았다.

"멋진 앨범이군요. 두 사람은 뭘 하고 있었습니까, 주먹다짐?" 내가 맨주먹 싸움꾼처럼 주먹을 들어 올린 두 시체를 보고 그렇게 말했다.

"이런 죽음에는 흔히 나타나는 모습이지."

"이 베인 자국들은 뭡니까? 자상 같은데요."

"다시 말하지만 흔히 나타나는 현상일세." 일만이 말했다. "대화재에서 발생하는 열은 잘 익은 바나나가 터지듯 피부를 찢어 놓네. 그러니까, 자네가 바나나를 기억한다면 말일세."

"휘발유 통은 어디에서 발견됐습니까?"

그가 눈썹을 이상하게 치켜떴다. "오, 그걸 알고 있나? 그래, 정원에서 빈 통 두 개를 찾았지. 원래 거기 있었던 것 같진 않아. 녹도 슬지 않은 데다 한 통에는 휘발유가 조금 남아 있었지. 소방관 말로는 화재 장소에 휘발유 냄새가 많이 났다더군."

"그럼, 방화군요."

"틀림없네."

"방화라면 총알 수색은 왜 한 겁니까?"

"경험이지. 화재일 경우에는 증거 인멸의 가능성을 염두에 두고 검시하네. 그게 일반적인 절차야. 여자의 몸에서 총알 세 발, 남자에게서 두 발, 그리고 침대 머리에서 세 발을 찾았네. 여자는 불이 나기 전에 사망했더군. 여자는 머리와 목을 맞았어. 남자의 경우는 달랐지. 기도에는 연기 입자가 있었고, 혈액에서는 일산화탄소가 검출됐지. 조직 세포는 아직 선홍색이었네. 남자는 가슴과 얼굴에 총상을 입었어."

"총은 아직 발견되지 않았습니까?" 내가 물었다.

"그래. 하지만 오토매틱 7.65구경이 분명하고 총알은 구형 마우저에 쓰였던 것처럼 아주 단단하네."

"총알이 발사된 거리는?"

"살인자는 1.5미터쯤 앞에서 쏜 게 분명해. 총알이 통과한 각도로 보아 범인은 침대 앞에 서 있었네. 그리고 물론 침대 머리에 총알들이 박혀 있었지."

"총이 한 정뿐이었다고 생각하십니까?" 일만이 끄덕였다. "팔 연발이라." 내가 말했다. "소형 권총의 최대 장탄 아닙니까? 누군지 모르지만 확실히 끝냈군요. 아니면 아주 화가 났거나. 젠장, 이웃에서는 아무 소리도 못 들었답니까?"

"그런 것 같아. 만약 들었다면 게슈타포가 작은 파티라도 열었나 보다고 생각했겠지. 화재 신고는 오전 세시 십분에 들어왔고, 그때쯤에는 이미 불길을 잡을 수가 없었지."

돌격대원들이 〈독일이여, 그대는 우리의 자랑〉을 합창하기 시작했을 때 곱사등이는 오르간 연주를 포기했다. 그들 중 한 명, 얼굴에 딱딱한 베이컨 껍질 같은 길쭉한 흉터가 있는 덩치가 맥주잔을 흔들며 퀸스틀러 에크에 있는 손님들에게 합창을 강요하며 돌아다녔다. 일만은 꺼리는 기색도 없이 바리톤 목소리로 크게 따라 불렀다. 내 노래는 음정과 열정이 결여되어 있었다. 목청껏 부른다고 해서 애국자가 되는 것은 아니다. 빌어먹을 국가사회주의자들, 특히 젊은 친구들의 문제는 애국심이 자신들만의 전유물이라고 생각한다는 것이다. 그들은 지금 국가사회주의자가 아니더라도 그렇게 되어 가는 중이며 곧 그렇게 될 터였다.

합창이 끝났을 때, 나는 일만에게 몇 가지를 더 물었다.

"두 사람은 다 벌거벗은 채였네." 그가 대답했다. "그리고 술에 잔뜩 취해 있었지. 여자는 오하이오 칵테일 몇 잔, 남자는 맥주와 슈납스를 많이 마신 상태였네. 총에 맞았을 땐 십중팔구 잔뜩 취해 있었을 걸세. 그리고 여자의 질에서 정액이 검출되었고, 그 정액은 남자의 혈액형과 일치했지. 두 사람은 뜨거운 밤을 보낸 것 같아. 오, 그래, 여자는 임신 8주였지. 아, 삶이라는 작은 초가 타올랐다 꺼진 거지."

"임신이라." 나는 생각에 잠겨 그 말을 반복했다. 일만이 기지개를 펴더니 하품을 했다.

"그래. 두 사람이 저녁에 뭘 먹었는지 알고 싶나?"

"됐습니다." 내가 잘라 말했다. "금고에 대해 말해 보세요. 열려 있었습니까, 잠겨 있었습니까?"

"열려 있었네." 그가 말을 멈추고 기다렸다. "재밌군. 자네는 그게 어떤 식으로 열려 있었는지 묻지 않는군. 자넨 이미 그 금고가 약간 불에 그을었을 뿐 손상을 입지 않았다는 것을 알았다는 뜻이지. 그 금고가 불법적으로 열렸다면 그건 전문가의 소행이라는 뜻이고. 슈토킹거 금고는 열기 쉬운 금고가 아니야."

"지문은 없던가요?" 일만은 고개를 저었다.

"지문을 채취할 수 없을 만큼 심하게 그을었지."

"가정해 보죠." 내가 말했다. "파르 부부가 죽기 직전에는 금고 안에 내용물이 있었다고 말입니다. 그날 밤 금고가 잠겨 있었다고."

"좋아."

"그렇다면 두 가지 가능성이 있죠. 한 가지는 전문 금고털이가 금고를 연 다음 두 사람을 죽였다는 것. 그리고 다른 하나는 누군가 그들에게 금고를 열게 한 다음 그들을 침실로 데려가 쐈다는 것. 하지만 금고 문을 연 채로 두었다는 건 프로답지 않다는 생각이 드는군요."

"그놈이 아마추어처럼 보이려고 한 게 아니라면." 일만이 말했다. "내 개인적인 생각을 말하자면, 두 사람은 총에 맞았을 때 수면 상태였네. 총에 맞은 각도로 보아 두 사람은 누워 있었다고 말할 수 있지. 만약 의식이 있는 상태에서 누군가 총을 들이댔다면 분명 몸을 일으켜 앉았을 걸세. 그래서 자네의 협박 이론은 개연성이 낮다는 게 내 결론일세." 그는 손목시계를 보고 남은 맥주를 들이켠 다음 내 다리를 다독이더니 따뜻하게 덧붙였다. "즐거웠네, 베르니. 옛 생각이 나는 걸. 쥐어 패거나 세간의 이목을 끄는 걸 수사라고 여기는 부류가 아닌 사람과 수사 이야기를 나눠서 얼마나 기쁜지 모르겠군. 지금 있는 곳은 여전히 그렇지. 알렉스를 그만두게 될 날도 머지않았네. 우리의 위대한 크리포 경찰국장 아르투르 네베가 나를 쫓아내려고 해. 또 다른 늙다리 보수파를 쫓아낸 다음에."

"박사님이 정치에 관심이 있는 줄 몰랐군요."

"없지." 그가 답했다. "애당초 히틀러가 선출된 게 그런 거 아니겠나? 누가 나라를 통치하든 관심 없는 사람들이 너무 많았기 때문에? 우습게도 난 전보다 더 관심이 없어졌네. 3월의 제비꽃들에게 가담할 생각은 조금도 없어. 하지만 난 떠나는 데 미련이 없네. 크리포의 지배권을 놓고 지포와 오르포가 싸우는 꼴을 보기도 이제 지쳤네. 보고서를 제출할 때가 되면 우리의 오르포 제복 친구들에게도 제출해야 할지 말아야 할지 아주 혼란스럽지."

"지포와 게슈타포가 크리포를 좌지우지한다고 생각했는데요."

"명령의 상층부라는 사실은 맞아." 일만이 결론을 내려 주었다. "하지만 중간이나 하위 명령권층에 존재하는 옛 명령 체계는 여전히 작동하네. 오르포의 일원인 지방자치권 지역 경찰국장들 역시 크리포 위에 있지. 소문에 따르면 오르포의 수장이 각 지역 경찰국장에게 지포의 고문 기술자들을 넌지시 방해하라는 지시를 내린 모양이야. 베를린 경찰국장도 내심 지지하고 있어. 그와 크리포 경찰국장인 아르투르 네베는 서로 꼴도 보기 싫어하지. 웃기지 않나? 자, 이제 자네가 괜찮다면 난 정말 가 봐야겠군."

"빌어먹을 투우장이군요."

"그렇다니까, 베르니. 자넨 잘 나갔어." 그가 기쁜 듯이 웃었다. "게다가 더 나빠질 거야."

나는 정보비로 일만에게 백 마르크를 건넸다. 싸게 먹히는 정보는 없지만 최근 들어 정보를 얻는 데 드는 비용이 점점 오르는 것 같았다. 이유는 간단하다. 요즘에는 누구나 어느 정도는 힘들기 때문이다. 국가사회주의 치하에서의 삶의 가장 큰 특성은, 어떤 형태로든 부패가 만연한다는 것이다. 정부는 바이마르 정당의 다양한 부패들을 몇 번 폭로해 왔지만 현존하는 부패에 댈 게 아니었다. 부패는 최고위층까지 만연했고, 누구나 그 사실을 알고 있다. 그래서 대부분의 사람들 역시 한몫을 차지하는 걸 당연시 여기고 있다. 나는 그런 일에 관해서 나를 포함하여 예전만큼 까다롭게 구는 사람을 본 적이 없다. 그 부패가 암거래 식량이든 국가 공무원에게서 부당하게 얻는 이점이든 부패에 대한 사람들의 감정은 목공의 몽당연필만큼이나 무뎌졌다는 게 엄연한 진실이다.

6

그날 저녁 베를린의 거의 모든 시민들은 부드럽고 능수능란한 바이올린과 귀에 거슬리고 빈정대는 듯한 트럼펫을 지휘하는 괴벨스의 오케스트라를 보기 위해 노이쾰른으로 향하는 것처럼 보였다. 하지만 불행하게도 많은 사람으로 인해 이 인기 있는 연설자가 시야에 들어오지 않았기 때문에 적어도 목소리만큼은 들을 수 있도록 베를린 도처에 음향 시설들이 설치되었다. 의무적으로 레스토랑과 카페에서는 라디오를 틀어야 했고, 거의 모든 거리의 광고탑과 가로등에는 확성기가 설치되었으며, 시민의 의무로 정해진 정당 방송 청취를 강제하기 위해 라디오 감시인들은 어느 집의 문이든 두드릴 수 있는 권한이 주어졌다.

라이프치거 가를 향해 서쪽으로 차를 몰고 가다가, 횃불을 들고 빌헬름 가를 따라 남쪽으로 행진하는 나치 돌격대 퍼레이드와 맞닥뜨린 나는 어쩔 수 없이 차에서 내려 지나치는 나치 깃발에 히틀러식 경례를 했다. 몰매를 맞을 위험을 피하기 위해서는 그래야 했다. 이 군중 속에는 단지 골칫거리를 피하기 위해 약간 당혹감을 느끼며, 이곳에 있는 수많은 교통경찰처럼 오른손을 번쩍 치켜든 나 같은 사람들이 있을 터였다. 누가 알겠느냐만. 그러고 보니 독일 정당들은 언제나 손을 치켜드는 경례를 좋아했다. 사회민주당은 머리 위로 주먹을 높이 쳐들었다. 독일 공산당 볼셰비키들은 주먹을 어깨 높이로 올렸다. 중도주의자들은 엄지와 검지로 권총 모양을 만들어 세웠다. 그리고 나치스들은 손톱 검사라도 받듯 손을 치켜들었다. 나는 사람들이 그 모든 게 매우 우스꽝스럽고 과장된 행동이라고 생각했던 때를 기억하고 있다. 아무도 그러한 경례를 진지하게 받아들이지 않는 것은 그 때문일지도 몰랐다. 이제 여기에 있는 모든 사람들은 누구에게 뒤질세라 손을 치켜들고 있었다. 미친 짓이다. 베를리너 가에서 벗어나면 나오는 바덴셰 가는 내 아파트가 있는 트라우테나우 가에서 겨우 한 블록 떨어져 있다. 두 거리의 공통점이란 베를리너 가에서 가깝다는 것뿐이다. 바덴셰 7번지는 이 도시에서 가장 현대적인 아파트 블록 중 하나이며 프톨레마이오스 왕가의 친목 만찬만큼이나 배타적이다.

나는 내 작고 더러운 차를 거대한 듀센버그와 번쩍거리는 부가티 사이에 세우고, 대성당 두어 곳의 대리석을 부족하게 만들었을 것 같은 로비로 들어갔다. 뚱뚱한 도어맨과 나치 돌격대원이 나를 보더니, 정당 방송 시작 전 바그너를 연주중인 라디오가 놓인 데스크를 박차고 나와, 내 구겨진 양복과 꼬질꼬질한 손톱이 이곳 거주자들에게 모욕이라도 될까 봐 불안하다는 듯 내 앞에 인간 장벽을 형성했다.

"밖에 있는 표지판을 보셨을 텐데." 뚱뚱보가 으르렁거렸다. "이 건물은 외부인 출입 금지요." 나를 위협하는 그들의 협력은 내게 별 영향을 주지 않았다. 나는 환영받지 못하는 데 익숙할뿐더러 쉽게 물러

가는 사람이 아니다.

"그런 표지판은 못 봤는데." 나는 사실을 말했다.

"우린 말썽을 원치 않아요, 선생." 돌격대원이 말했다. 그의 턱은 주먹으로 살짝만 쳐도 마른 가지처럼 툭 부러질 듯 약해 보였다.

"난 뭘 팔러 온 게 아니오." 내가 그에게 말했다. 뚱뚱보가 이어받았다.

"그러니까 당신이 뭘 팔든 여기 있는 사람들은 원치 않는다니까."

나는 그를 보고 힘없이 웃었다. "이봐, 뚱보. 네 입 냄새만 아니었어도 난 널 밀치고 들어갔을 거야. 힘들다는 사실을 알지만 전화를 걸 줄 안다면 루델 양에게 걸어 봐. 그녀가 날 기다리고 있다는 걸 알게 될 테니까." 뚱보가 삐죽거리는 입가에 납골당 천장에 매달린 박쥐처럼 생긴 큼직한 흑갈색 수염을 잡아당겼다. 그의 입 냄새는 내가 상상할 수 있는 것보다 더 지독했다.

"이 건방진 자식아. 그 말이 사실인 게 신상에 이로울 거다. 너를 밖으로 던져 버리면 기쁠 테니까 말이야." 중얼중얼 욕을 하면서 그는 뒤뚱뒤뚱 데스크로 돌아가 거칠게 다이얼을 돌렸다.

"루델 양을 방문할 손님이 있습니까?" 그가 온화한 톤으로 말했다. "그런 말을 들은 적이 없어서요." 내 말이 맞았다는 걸 확인한 그는 실망한 표정이었다. 그가 전화를 끊고 왼쪽 문을 향해 머리를 저었다.

"삼층이야." 그가 내뱉었다.

삼층에는 양 끝으로 두 개의 문이 있었다. 문 사이에는 쪽모이 세공을 한 복도가 있었고, 그중 한군데 문이 마치 나를 기다렸다는 듯 살짝 열려 있었다. 하녀가 나를 응접실로 안내했다.

"앉아 계시는 편이 좋을 거예요." 그녀가 심술궂은 목소리로 말했다. "아직 옷을 갈아입고 계시는 데다 얼마나 오래 걸릴지 모르니까요. 원하신다면 마실 것은 알아서 드세요." 그러더니 그녀는 사라졌고 나는 주위를 살펴보았다.

아파트는 개인 비행장보다는 넓지 않았다. 나는 세실 B. 데밀[38] 감독 영화의 세트장 중 돈이 적게 든 편에 속하는 세트장 넓이의 공간을 둘러보았다. 그 감독의 사진이 그랜드 피아노에 놓은 수많은 사진액자 가운데 좋은 자리를 차지하고 있었다. 이곳을 장식하고 가구를 고른 사람의 취향에 비하면 페르디난트 대공의 궁은 터키 서커스 난쟁이 공연단 장식 수준에 지나지 않았다. 나는 나머지 사진들을 바라보았다. 주로 일제 루델이 찍은 영화들의 스틸 사진이었다. 사진들 대부분에서 그녀는 최소한의 옷만 걸치고 있었다. 벌거벗은 채로 수영을 하고 있거나 주요 부분만 가린 채 나무 뒤에서 수줍게 응시한다거나. 루델은 노출이 많은 역할들로 유명했다. 어떤 깔끔한 레스토랑 테이블에서 즐거워하는 괴벨스 박사와 앉아 있는 사진이 있었고, 권투 선수 막스 슈멜링의 스파링 파트너가 되어 찍은 사진도 있었다. 어떤 일꾼의 팔에 들려 있는 사진도 있었는데 그는 그냥 일꾼이 아닌 유명 배우 에밀 야닝스였다. 나는 그게 영화 〈건축업자의 오두막〉의 스틸 사진이라는 것을 깨달았다. 나는 영화보다 영화의 모태가 된 책이 훨씬 좋았다.

오드콜로뉴 4711 향에 몸을 돌린 나는 얼떨결에 아름다운 영화 스

38. 〈삼손과 데릴라〉, 〈십계〉 등 대형 시대극으로 유명한 미국의 영화감독 겸 제작자.

타와 악수를 나누었다.

"내 작은 갤러리를 보고 계셨군요." 내가 집어 들고 들여다봤던 액자들을 제자리에 정리하며 그녀가 말했다. "저렇게 잔뜩 진열된 사진들을 보고 나를 허영심 덩어리라고 생각하셨을 테지만 단지 사진들을 앨범에 정리하지 못했을 뿐이에요."

"전혀 그렇게 생각하지 않았습니다." 내가 말했다. "아주 흥미롭군요." 그녀가 내게 나를 포함하여 수많은 독일 남자들의 넋을 잃게 했던 미소를 보였다.

"좋게 봐 주시니 기쁜데요." 그녀는 술이 달린 금색 허리띠를 두른 녹색 벨벳 파자마 차림에 굽이 높은 모로코 슬리퍼를 신고 있었다. 요즘 유행에 따라 금발 머리를 뒤에서 틀어 올렸지만 대부분의 독일 여자들과 다르게, 그녀는 화장을 했고 담배를 피웠다. 이러한 모습은 독일 여성들에 대한 나치의 이상에 위배되는 것이며 여성 연맹 BdM[39]의 눈살을 찌푸리게 할 만했다. 하지만 나는 도시 남자다. 화장기 없고 꾸미지 않은 빨간 볼은 시골에서야 괜찮을지 모르지만 나를 포함한 독일 남자들이라면 거의 대부분 화장한 여자를 선호한다. 물론, 일제 루델은 다른 여자들과는 다른 세계에서 살았다. 그녀는 나치스의 여성 연맹을 하키 협회 정도로 생각하고 있을지도 몰랐다.

"두 문지기 친구들에 대해서는 사과드릴게요." 그녀가 말했다. "하지만 아시다시피 요제프와 마그다 괴벨스 부부가 위층에 살고 있어서 당신이 상상한 것 이상으로 보안이 심한 거예요. 그리고 보니 연설

---

39. 독일 여성 연맹.

을 들어 보려고 노력하거나 적어도 조금은 듣겠다고 요제프와 약속했군요. 괜찮으시겠어요?"

내가 선전과 국민 계몽의 수상, 그리고 그의 부인과 친분이 있다면 모를까 그 말은 내가 여태 들어 왔던 질문과는 차원이 달랐다. 나는 어깨를 으쓱했다.

"괜찮습니다."

"조금만 들어요." 루델은 호두나무 술 선반 위에 놓인 필코 라디오를 켜며 말했다. "자, 그럼, 어떤 걸 드시겠어요?" 내가 위스키를 청하자 그녀가 틀니를 담가도 될 만큼 많은 양을 따라 주었다. 그녀는 푸른빛이 도는 길쭉한 유리 주전자에 든 인기 있는 베를린 여름 음료 보블레 칵테일을 자기 잔에 따르고는 내가 앉아 있는, 색깔과 모양이 덜 익은 파인애플 같은 소파에 앉았다. 술 선반 위에 놓인 라디오 진공관이 따뜻해지면서 위층에 산다는 남자의 부드러운 목소리가 천천히 방 안을 채울 때 우리는 잔을 부딪쳤다.

먼저 괴벨스는 외국 언론들의 새로운 독일에 대한 '편향된' 보도를 비판하고 힐책했다. 그의 몇몇 발언은 그를 추종하는 군중에게서 박수와 웃음을 끌어낼 만큼 재치가 있었다. 루델은 분명히 미소를 지었지만 대개는 침묵을 지켰고, 나는 그녀가 위층에 사는 안짱다리 이웃의 말을 이해했는지 궁금했다. 이윽고 그는 국민 혁명에 반기를 드는 반역자들―그들이 누군지는 모르겠지만―을 규탄하는 목소리를 높이기 시작했다. 이쯤에서 루델은 하품을 억눌렀다. 마침내 요제프가 가장 좋아하는 주제인 총통 예찬을 시작하려 하자 그녀는 소파에서 벌떡 일어나 라디오를 껐다.

"오, 하룻저녁에 그의 말을 이 정도 들었으면 됐어요." 그녀는 축음기로 다가가 레코드를 집어 들었다.

"재즈 좋아하세요?" 분위기를 전환하며 그녀가 물었다. "오, 괜찮아요, 이건 흑인 재즈가 아니에요. 난 좋아하는데 당신은 어때요?" 현재 독일에서는 흑인 재즈를 듣는 게 허락되지 않았지만 나는 종종 흑인이 연주하는 재즈와 아닌 재즈를 어떻게 구분할 수 있는지 궁금했다.

"재즈라면 가리지 않습니다." 내 말에 루델은 축음기 태엽을 돌리고 레코드 위에 바늘을 놓았다. 강한 클라리넷 음색이 긴장을 풀어 주었고, 색소폰 연주자는 이탈리아 1개 중대를 총알이 빗발치는 무인지대로 이끄는 듯했다.

"왜 여기에 계신지 물어도 되겠습니까?" 내가 말했다.

그녀가 춤을 추며 소파로 돌아와 앉았다. "글쎄요, 탐정 아저씨, 헤르만은 내 친구들을 약간 버거워하거든요. 그이는 달렘에 있는 우리 집에서 밤낮없이 일만 해요. 나는 여기서 사람들 대부분을 만나죠. 그이를 방해하지 않으려고요."

"아주 분별 있게 들리는군요." 그녀의 조각 같은 콧구멍에서 나를 향해 뿜어져 나온 담배 연기를 나는 깊이 들이마셨다. 내가 미국 담배 냄새를 좋아했기 때문만은 아니라 그 연기가 그녀의 가슴 깊은 곳에서 나왔기 때문이었고, 가슴 깊은 곳에서 나온 연기가 아니더라도 나는 상관없었다. 재킷 안이 출렁이는 것으로 보아 그녀가 가슴이 풍만할뿐더러 브래지어도 하지 않았다고 진작 결론을 내렸다.

"그러니까," 내가 말했다. "날 만나자고 한 이유가 뭡니까?" 놀랍게도 그녀는 내 무릎을 가볍게 건드렸다.

"긴장 풀어요." 그녀가 미소 지었다. "바쁘신 건 아니겠죠?" 나는 머리를 젓고 그녀가 담배를 비벼 끄는 모습을 지켜보았다. 재떨이에는 이미 립스틱이 잔뜩 묻은 담배꽁초가 몇 개 있었지만 몇 모금 빨지 않은 것들이었다. 정작 긴장을 풀 필요가 있는 사람은 그녀인 듯했다. 무엇 때문인지 몰라도 그녀는 초조해하는 것 같았다. 나 때문일까. 내 이론을 굳히기라도 하듯 그녀는 소파에서 벌떡 일어나 보블레 한 잔을 더 따르고 레코드를 갈았다.

"술 더 안 드려도 돼요?"

"네." 난 그렇게 말하고 홀짝였다. 부드럽고 뒷맛이 깔끔한, 좋은 위스키였다. 이내 나는 파울과 그레테 파르를 잘 알았는지 물었다. 그 질문이 그녀를 놀라게 한 것 같진 않다. 대신 그녀는 정말로 몸이 닿도록 가까이 다가와 앉은 다음 묘한 미소를 지었다.

"오, 그럼요." 루델은 건성으로 말했다. "깜빡했군요. 당신은 헤르만을 위해 화재를 조사중이죠?" 그녀가 더 활짝 웃으며 덧붙였다. "그 사건이 경찰을 당황하게 했나 봐요." 목소리에 비꼬는 기색이 있었다. "그래서 위대한 탐정인 당신이 등장해서 미스터리를 풀 실마리를 찾는 거고요."

"미스터리는 없습니다, 루델 양." 내가 도발적으로 말했다. 그 말은 그녀를 거의 도발하지 못했다.

"왜죠. 분명히 미스터리가 있을 텐데요. 누가 그랬느냐?"

"미스터리란 건 인간의 지식과 이해를 뛰어넘는 무언가고, 조사하는 데 들이는 내 시간을 낭비한다는 걸 뜻하죠. 아닙니다. 이 사건은 수수께끼 이상의 것은 없습니다. 하지만 나는 수수께끼를 좋아하죠."

"오, 나도 그래요." 그녀는 나를 놀리려고 그렇게 말하는 것 같았다. "오, 그리고 제발 여기 있는 동안은 나를 일제라고 부르세요. 그러면 난 당신을 이름으로 부르죠. 이름이 뭐죠?"

"베른하르트."

"베른하르트," 루델은 긴 이름에 대해 생각하더니 짧게 줄여 말했다. "베르니." 그녀는 마시고 있던, 샴페인에 백포도주를 섞은 칵테일을 크게 한입 꿀꺽 들이켜고 잔 위에 떠 있던 딸기를 집어 먹었다. "음, 베르니, 이처럼 중요한 일로 헤르만에게 고용된 걸 보니 당신은 아주 유능한 탐정인 게 분명해요. 난 당신이 남편을 미행해 열쇠 구멍으로 그가 뭘 하는지 훔쳐본 다음 아내에게 일러바치는 지저분하고 별 볼 일 없는 사람일 거라고 생각했어요."

"이혼 건은 취급하지 않습니다."

"정말요?" 그녀가 슬며시 미소를 지으며 말했다. 그 미소가 꽤 거슬렸다. 일정 부분 나를 깔보고 있는 듯한 느낌이 들었는데 키스로 그 미소를 그치게 하고 싶은 마음이 간절했다. 하다못해 손등으로라도. "궁금한 게 있는데요. 이 일로 돈을 많이 버나요?" 자신의 질문이 끝나지 않았다는 표시로 내 허벅지를 토닥이며 그녀가 덧붙였다. "무례하게 굴려는 게 아니에요. 하지만 알고 싶어요. 안락하게 사시나요?"

대답하기 전에 나는 호화롭기 그지없는 주위를 의식했다. "나 말입니까, 안락하냐고요? 바우하우스 의자 못지않게 안락합니다." 그녀가 내 말에 웃음을 터뜨렸다. "당신은 파르 부부에 대한 내 질문에 대답하지 않는군요."

"그랬나요?"

"당신이 더 잘 아실 텐데요."

그녀가 어깨를 으쓱했다. "두 사람을 알긴 했어요."

"파울이 당신 남편과 왜 사이가 좋지 않았는지 잘 알 만큼 말입니까?"

"당신이 정말 관심 있는 게 그건가요?"

"우선은."

루델은 짜증이 난다는 듯 작게 한숨을 쉬었다. "좋아요. 당신이 원하는 게임을 하죠. 내가 지루해지기 전까지는." 그녀가 알았느냐는 듯이 나를 향해 눈썹을 추켜세웠고, 나는 그녀가 하는 말의 정확한 의미를 몰랐지만 어깨를 으쓱하며 말했다.

"나야 상관없습니다."

"사실이에요. 두 사람은 잘 지내지 못했지만 이유는 잘 몰라요. 파울과 그레테가 처음 사귀기 시작했을 때, 헤르만은 두 사람의 결혼을 반대했죠. 그는 파울이 멋진 금니를 원하는 거라고 생각했어요. 알죠? 부자 아내 말이에요. 남편은 그와 헤어지라고 그레테를 설득하느라 애썼어요. 하지만 그레테는 들은 척도 안 했죠. 결혼 후에는 사이가 좋았다더군요. 적어도 헤르만의 전처가 죽기 전까지는요. 그때쯤부터 난 직스와 알고 지냈어요. 우리가 결혼하고 나서 두 사람 사이가 냉랭해지기 시작했죠. 그레테는 술을 마시기 시작했어요. 그들은 체면상 같이 사는 것 같았죠. 파울은 내무성에서 지내다시피 했어요."

"그가 거기서 무슨 일을 했는지 아십니까?"

"몰라요."

"파울은 사교적이었습니까?"

"여자들과 말이에요?" 루델이 웃음을 터뜨렸다. "파울은 잘생기긴 했지만 좀 따분했어요. 그가 헌신한 건 일이었지 여자가 아니었어요. 정말로 여자 문제가 있었다면 입을 다물고 있었겠죠."

"파르 부인은 어땠습니까?"

루델은 금발 머리를 흔들고 술을 꿀꺽 마셨다. "그 애 스타일이 아니에요." 하지만 그녀는 잠시 말을 끊고 생각에 빠진 것처럼 보였다. "비록……," 그녀는 어깨를 으쓱했다. "아무것도 아니에요."

"자, 털어놔 봐요."

"달렘 집에 있을 때 한 번 그레테가 하우프트핸들러와 뭔가 관계가 있는 게 아닐까 하는 의심이 잠깐 들었죠." 나는 눈썹을 치켜세웠다. "헤르만의 개인 비서 말이에요. 이탈리아가 아디스아바바를 침공했을 때였을 거예요. 이탈리아 대사관이 주최한 파티에 갔기 때문에 기억해요."

"오월 초겠군요."

"네, 어쨌든 헤르만은 일 때문에 바빠서 나 혼자 갔어요. 다음 날에는 UFA 영화사 촬영 건으로 일찍 일어나야 했죠. 달렘 집에서 자면 아침에 좀 여유로울 것 같았어요. 거기서 바벨스베르크로 가는 게 훨씬 편하거든요. 어쨌든 집에 도착해서 두고 온 책을 찾으려고 응접실 문을 열고 머리를 쑥 들이밀었더니 어둠 속에 누가 앉아 있더군요. 할마 하우프트핸들러와 그레테였죠."

"두 사람은 뭘 하고 있었습니까?"

"아무것도요. 그래서 더 의심스럽더군요. 그때가 새벽 두시였고, 두 사람은 첫 데이트를 하는 학생 커플처럼 소파 양 끝에 앉아 있었죠. 날 보더니 당황해했어요. 두 사람은 잡담중이었을 뿐이고 정말 시간이 이렇게 된 줄 몰랐다고 하더군요. 하지만 난 믿지 않았어요."

"남편에게 그 이야기를 했습니까?"

"아니요." 루델이 대답했다. "사실 잊어버렸어요. 안 잊어버렸다고 해도 말하지 않았을 거예요. 헤르만은 그런 일을 그냥 넘어가는 사람이 아니에요. 백만장자들은 다 그런 것 같아요. 남을 쉽게 믿지 못하고 의심이 많죠."

"당신의 아파트를 허락할 만큼 당신은 믿나 보군요."

그녀가 가소롭다는 듯이 웃음을 터뜨렸다. "맙소사, 웃기네요. 내가 얼마나 참는지 당신은 모를걸요. 하지만 당신은 탐정이니까 우리에 대해 다 알겠군요. 난 나를 감시하라고 남편에게 돈을 받은 내 하녀들 몇 명을 해고해야 했죠. 그이는 정말 질투가 많은 남자예요."

"그의 입장이라면 나라도 그렇게 했을지 모릅니다." 내가 그녀에게 말했다. "남자라면 당신 같은 여자를 지키려고 안간힘을 쓰겠죠." 그녀가 내 눈을 똑바로 쳐다보더니 내 전신을 훑어보았다. 이렇게 도발적인 눈빛을 보내도 비난받지 않을 부류는 창녀와 엄청난 부자와 아름다운 영화 스타뿐이다. 그 눈빛은 격자 울타리를 올라타는 덩굴식물처럼 자신의 몸에 올라타라는 의미였다. 나로 하여금 양탄자에라도 구멍을 내고 싶게 만드는 눈빛. "솔직히 말해, 당신은 남자들의 질투심을 불러일으키는 걸 즐길 테죠. 남자를 애타게 할 생각으로 손을 들어 왼쪽을 가리킨 다음 자신은 오른쪽으로 갈 반복하는 여자들처럼 나를 동요하게 만드는군요. 오늘 밤 왜 나를 여기로 불렀는지 말할 준비가 되셨습니까?"

"나는 하녀를 집으로 보냈어요." 그녀가 말했다. "그러니까 그만 떠들고 키스나 해요, 멍청한 양반." 보통 나는 지시받는 것을 그리 좋아하는 편이 아니지만 이번 경우에는 대꾸하지 않았다. 영화 스타가 자신에게 키스하라고 하는 일이 매일 있는 것은 아니니까. 예의상 그녀의 부드럽고 감미로운 입술에 걸맞은 응대를 했다. 잠시 후 그녀의 몸이 떨리는 게 느껴졌고, 그녀가 내 빨판 같은 입술에서 입을 떼고 뜨거워진 목소리로 헐떡이며 말했다.

"맙소사, 서서히 달아오르는 버너로군요."

"팔뚝에 대고 연습하죠." 그녀가 미소를 짓더니 입술을 내밀어 정신을 놓기로 작정을 한 사람처럼 나에게 키스를 했기 때문에 그녀를 떼어 놓을 방도가 없었다. 더 많은 산소가 필요하다는 듯이 그녀는 코로 숨을 계속 들이마시더니 점차 격해졌고, 그녀가 입을 열기 전까지 나는 그녀와 보조를 맞췄다.

"당신과 하고 싶어, 베르니." 그녀의 한마디 한마디가 내 바지 지퍼 안쪽을 동요시켰다. 우리는 말없이 자리에서 일어났고, 그녀가 내 손을 잡고 침실로 이끌었다.

"먼저 욕실부터 가야겠군요." 내가 말했다. 그녀가 머리 위로 파자마 윗도리를 벗자 두 젖가슴이 흔들렸다. 그것들은 진짜 영화 스타의 젖가슴이었고, 나는 한동안 거기서 눈을 뗄 수 없었다. 두 갈색 젖꼭지는 영국 병사의 헬멧 같았다.

"오래 기다리게 하지 말아요, 베르니." 그녀가 허리띠를 풀자 바지가 흘러내렸고, 서 있는 그녀에게 남은 것은 속바지뿐이었다.

하지만 나는 욕실에서 한쪽 벽면을 다 차지한 거울 속의 내 솔직한 모습을 보며 시간을 오래 끌었다. 그리고 왜 저처럼 살아 있는 여신이 새하얀 공단 시트 같은 남자를 마다하고 비싼 세탁료가 들 것 같은 많은 남자 가운데 나를 원했는지 자문했다. 성가대원 같은 얼굴이나 명랑한 성격 때문은 아니었다. 부러진 코와 자동차 범퍼 같은 턱은 축제 때 열리는 권투 링 위에서의 기준으로 볼 때나 핸섬한 얼굴이었다. 내 금발 머리와 푸른 눈이 나를 인기 있는 사람으로 만들었다고는 추호도 생각하지 않았다. 그녀는 잠깐의 애무 이상을 원했고, 그게 무엇을 뜻하는지 머리를 잽싸게 굴렸다. 문제는 내 발기한 물건이 일시적이나마 매우 단단히 통제권을 쥐어 버렸다는 점이었다. 침실로 가자 그녀는 여전히 그 자리에 서서 내가 돌아와 자신을 안아 주길 기다리고 있었다. 나는 그녀의 속바지를 잡아채듯 내리고 인내의 한계에 다다른 그녀를 침대로 이끌어, 값을 매기지 못할 만큼 귀중한 책을 펼치는 흥분한 학자처럼 그녀의 매끈하고 햇볕에 그은 허벅지를 비집어 벌렸다. 오랫동안 나는 손가락으로 페이지를 넘겨 가며 텍스트를 숙독했고, 내가 소유할 수 있으리라고 꿈에도 생각지 못했던 책을 실컷 눈요기했다.

불을 끄지 않고 켜 두었기 때문에 마침내 나는 그녀의 다리 사이 풀숲에 플러그를 꽂는 내 모습을 완벽하게 볼 수 있었다. 끝난 뒤 그녀는 내 위에서 졸리지만 만족스러워하는 개처럼 숨을 쉬며 거의 경외하듯 내 가슴을 어루만졌다.

"맙소사, 몸이 좋군요."

"어머니가 대장장이였죠." 내가 대꾸했다. "어머니는 손바닥을 망치 삼아 말편자에 못을 박곤 했습니다. 그런 어머니에게서 태어났으니까요." 그녀가 킥킥거렸다.

"말수가 많진 않지만 해야 할 땐 농담으로 일관하는군요?"

"독일에는 심각한 표정을 하고 죽어 나가는 사람이 많으니까."

"게다가 아주 냉소적이고요. 그건 왜죠?"

"전에는 사제였죠."

그녀가 파편에 맞아 생긴 내 이마의 흉터를 어루만졌다. "어쩌다 생긴 흉터예요?"

"일요일 미사 후 성구 보관실에서 성가대 녀석과 권투를 했죠. 권투 좋아합니까?" 나는 피아노 위의 슈멜링 사진을 기억해 냈다.

"좋아 죽죠." 그녀가 말했다. "난 난폭하고 억센 남자가 좋아요. 부시 서커스에서 하는 큰 권투 시합 전에 남자들이 몸 푸는 모습을 보는 게 좋아요. 방어하거나 공격하는 모습, 잽은 어떻게 날리는지, 배짱은 있는지 같은 걸 보는 게요."

"고대 로마의 귀족 부인 같군요. 돈을 걸기 전에 어떤 검투사가 이길 건지 미리 체크하는."

"물론, 나는 승자를 좋아해요. 지금 당신처럼……,"

"뭐라고요?"

"싸움을 잘할 것 같다고요. 아마도 꽤. 참을성 있게 나를 덮치듯 말이에요. 체계적으로. 힘든 상황도 받아들일 준비가 되어 있는 듯하고. 그게 당신을 위험한 남자로 보이게 하죠."

"그러는 당신은?" 그녀가 흥분한 것처럼 내 가슴 위에서 몸을 흔들자 가슴이 매력적으로 흔들렸지만 지금은 더 이상 그녀의 육체를 탐하고 싶은 욕구가 들지 않았다.

"오, 좋아, 좋아." 그녀가 흥분한 듯 소리쳤다. "난 어떤 타입의 선수 죠?"

나는 그녀를 곁눈질했다. "당신은 춤추듯 상대 주위를 돌며 상대방의 에너지를 상당히 소모시킨 다음 멋진 펀치 한 방으로 녹아웃시킬 것 같군요. 판정승은 당신에겐 안 어울립니다. 당신은 늘 상대를 바닥에 눕혀야 만족하죠. 이 시합에 관해 내가 혼란스러운 게 딱 하나 있습니다."

"그게 뭐죠?"

"내가 다운될 거라고 생각한 이유가 뭡니까?"

루델은 침대 위에 앉았다. "무슨 말인지 모르겠군요."

"알겁니다." 이제 나는 편하게 말할 수 있었다. "자신을 감시하라고 남편이 날 고용했다고 생각한 게 아닙니까? 내가 화재 건을 조사한다고는 전혀 믿지 않는군요. 당신이 이 소박한 밀회를 계획한 이유가 그거죠. 이제 나는 착실히 그 밀회에 응한 것 같군요. 당신이 내게 그 짓을 그만두라고 말하면 내가 당신 말에 따르도록. 그렇지 않으면 더 이상 이런 대접은 못 받는 거고. 그러니까, 당신은 시간을 허비한 셈이죠. 아까 말했듯이 나는 이혼 사건은 맡지 않습니다."

그녀가 한숨을 쉬고 팔로 가슴을 가렸다. "확실히 말할 타이밍을 잘 잡는군요, 사냥개 양반."

"사실 아닙니까?"

그녀는 침대에서 튕기듯 일어났고, 나는 실오라기 하나 걸치지 않은 그녀의 나신을 마지막으로 보고 있다는 사실을 알았다. 다음부터는 다른 모든 남자들처럼 그녀의 나신을 감질나게나마 힐끗 보기 위해서는 극장으로 가야 할 터였다. 옷장으로 간 그녀는 옷걸이에서 가운을 획 잡아챘다. 그리고 주머니에서 담배 한 갑을 꺼냈다. 그녀는 한 팔로 가슴을 가린 채 담배를 꺼내 불을 붙이고 화가 난 듯 담배를 피웠다.

"돈을 줄 수도 있었어요." 루델이 말했다. "하지만 대신 나를 준 거예요." 그녀는 담배 연기를 전혀 들이마시지 않고 신경질적으로 뻐끔거리기만 했다. "얼마를 원하죠?"

부아가 치민 나는 벌거벗은 내 허벅지를 치며 말했다. "젠장, 귀는 장식인가. 내 말은 아예 듣지 않는군. 말했을 텐데. 난 당신 방의 열쇠 구멍을 훔쳐보고 당신 애인의 이름을 알아 오라고 고용된 게 아니라고."

그녀가 못 믿겠다는 듯 어깨를 으쓱했다. "나한테 애인이 있는 줄 어떻게 알았죠?"

나는 침대에서 몸을 일으켜 옷을 입기 시작했다. "현미경과 핀셋 없이도 그 정도는 짐작할 수 있지. 당신에게 애인이 없다면 나를 그렇게까지 신경 쓰지 않았을 테니까." 그녀는 두 번 쓴 콘돔처럼 얄팍하고 미심쩍은 미소를 지어 보였다.

"그래요? 당신은 대머리에서도 이를 찾아낼 사람이군요. 어쨌든 내가 당신을 신경 쓴다고? 난 내 프라이버시를 신경 쓴 것뿐이에요. 이봐요, 이제 꺼져 줬으면 좋겠군요." 그녀가 내게 등을 돌리며 말했다.

"그러려던 참이죠." 나는 단추를 잠그고 재킷을 걸쳤다. 침실 문가에서 나는 마지막으로 그녀를 이해시키려고 했다.

"마지막으로 말하지만 나는 당신 뒤를 캐기 위해 고용된 게 아닙니다.”

"날 바보 취급했어요.”

난 머리를 저었다. "당신은 감이 부족하군. 소젖 짜는 여자 정도의 머리 갖고는, 자기 자신을 바보 취급하는 데 내 도움은 필요 없었을 겁니다. 기억에 남을 밤을 보내게 해 줘서 고맙군요." 내가 방을 나서자 망치로 손가락을 찧은 남자의 입에서나 나올 듯한 욕이 줄을 잇기 시작했다.

나는 구강염에 걸린 복화술사 같은 기분으로 집을 향해 차를 몰았다. 이렇게 엮인 일에 화가 났다. 독일의 위대한 영화 스타 중 한 명에게 침대로 끌어들여진 다음 욕을 먹으며 쫓겨나는 경우가 매일 있는 일은 아니다. 나는 저 유명한 육체와 친숙해질 기회를 여러 번 갖고 싶었다. 품평회에서 큰 상을 받았다가 시상에 실수가 있었다는 말을 들은 꼴이었다. 그래도 역시 이런 일을 예상했어야 했다. 부유한 여자만큼 막무가내인 존재는 없다.

아파트 안으로 들어서자마자 술을 한 잔 따르고 목욕물을 데웠다. 그런 다음 베르트하임 백화점에서 산 실내복을 입고 나니 기분이 다시 나아지기 시작했다. 실내가 답답해서 창문 몇 개를 열었다. 얼마 동안 독서를 하려고 해 봤다. 나는 잠이 들었던 듯했다. 문을 두드리는 소리에 깨어 보니 두 시간가량 지나 있었다.

"누구요?" 내가 현관으로 다가가며 물었다.

"경찰이다, 문 열어." 목소리가 말했다.

"무슨 일이오?"

"일제 루델과 관련해 물어볼 게 있어." 그가 말했다. "그녀가 한 시간 전에 아파트에서 시체로 발견됐어. 살해된 채로." 잡아채듯 문을 열자 루거 총구가 내 위를 찔렀다.

"들어가." 총을 쥔 남자가 말했다. 나는 엉겁결에 손을 올리고 그 말에 따랐다.

그는 연청색 리넨 바바리안 스포츠 코트 차림에 연노란색 타이를 매고 있었다. 어려 보이는 창백한 얼굴에는 흉터가 있었는데 워낙 선명하고 깔끔해서, 학창 시절 결투를 벌이다 난 흉터로 보이길 원하는 마음에 면도칼로 자해한 게 아닐까 하는 생각이 들었다. 그는 강한 맥주 냄새를 풍기며 현관 안으로 들어오더니 등 뒤로 문을 닫았다.

"그러지, 젊은 친구." 나는 그가 총을 다루는 데 익숙하지 않은 걸 보고 안도하며 말했다. "루델 양을 미끼로 날 속였군. 속지 말았어야 했는데 말이야."

"이 개자식." 그가 으르렁거렸다.

"괜찮다면 손을 내려도 되겠나? 혈액 순환이 예전만 못해서 말이야." 나는 손을 내렸다. "이게 다 뭐지?"

"시치미 떼지 마."

"무슨 시치미?"

"네놈이 그 여자를 강간했잖아." 총을 고쳐 쥔 그가 초조한 듯 침을 삼키자 목젖이 얇은 핑크빛 이불 속의 신혼부부처럼 오르내렸다. "네놈이 한 짓을 그녀가 다 말했어. 그러니까 시치미 떼 봐야 소용없어."

나는 어깨를 으쓱했다. "요점이 뭔가? 내가 자네라도 그 말을 믿었겠지. 자네가 무슨 짓을 하고 있는지 알고나 있나? 여기 들어왔을 때 자네 숨소리는 이미 위험한 신호를 보내고 있더군. 나치스가 어떤 일에 관해서는 어느 정도 융통성이 있는 것처럼 보일지 몰라도 사형 제도를 없애진 않았지. 자네도 알다시피. 자네가 이제 막 술을 마실 나이가 됐다고 해도 말이야."

"죽여 버릴 테다." 그가 마른 입술을 핥으며 말했다.

"뭐, 그것도 나쁘지 않지만 배 말고 다른 데를 쏘면 안 되겠나?" 내가 총을 가리켰다. "자네가 나를 확실히 죽이지 않으면 남은 평생 우유만 먹고 사는 게 마뜩잖을 거야. 나라면 머리를 택하겠네. 자네가 조준만 할 수 있다면 미간을 말이야. 어렵겠지만 그러면 나를 확실히 죽일 수 있지. 솔직히 말하자면 지금 내 기분 같아서는 제발 그렇게 해 줬으면 좋겠군. 뭘 잘못 먹은 탓이겠지만 속이 루나 공원의 놀이기구처럼 울렁거리니까." 그 증거로 나는 힘을 주어 걸쭉한 방귀를 뀌었다.

"오, 맙소사." 나는 얼굴에 대고 손을 흔들었다. "무슨 뜻인지 알겠지?"

"닥쳐, 짐승 같은 놈아." 젊은 남자가 말했다. 나는 그가 총구를 들어 내 머리를 겨누는 모습을 지켜보았다. 군에 있었을 때 일반적으로 지급되었던 총인 루거를 기억했다. 루거 P08은 반동에 의해 격발이 되는 식이었지만 첫 발의 격발은 늘 뻑뻑한 편이었다. 머리는 배보다 더 작은 타깃이었고, 나는 제시간에 머리를 수그릴 수 있길 바랐다.

내가 그의 허리를 겨냥해 몸을 날렸을 때, 섬광이 번쩍이는 것을 보았고, 9밀리미터 탄환이 내 머리 너머 공기를 가른 뒤 내 뒤의 무언가를 작살내는 것이 느껴졌다. 우리는 현관문으로 나동그라졌다. 하지만 그가 완강히 저항하지 못할 거라고 생각했던 게 실수였다. 나는 권총을 쥔 쪽 손목을 잡았지만 내 생각보다 훨씬 센 힘으로 팔이 나를 향해 휘어졌다. 그가 내 실내복 깃을 움켜잡았다. 이내 깃이 찢어지는 소리가 들렸다.

"젠장. 더 이상 못 참겠군." 나는 그의 흉골에 대고 총구를 누르는 데 성공했다. 내 온 몸무게를 실어 총을 누르며 녀석의 갈비뼈가 부러지길 바랐지만, 그 대신 또다시 발사된 총이 두꺼운 살집에 묻혀 둔탁한 소리를 냈고, 나는 놈의 뜨거운 피를 뒤집어썼다. 나는 몇 초 동안 축 늘어진 몸을 붙들고 있다가 녀석을 밀쳐 냈다.

일어서서 녀석을 보았다. 가슴에서 계속 피가 솟구치고 있었지만 녀석이 죽었다는 사실은 의심의 여지가 없었다. 이내 놈의 주머니를 조사했다. 누구라도 자신을 죽이려고 한 자가 누군지 알고 싶기 마련이다. 지갑에는 발터 콜브라는 이름의 신분증과 이백 마르크가 들어 있었다. 크리포 꼬마에게 돈을 남길 필요가 없었기 때문에, 나는 실내복 손해비로 백오십 마르크를 꺼냈다. 사진도 두 장 있었다. 하나는 어떤 여자의 항문에 고무관으로 이상한 짓을 하고 있는 음란한 엽서 사진이었고, 다른 하나는 '사랑을 담아'라는 사인이 담긴 일제 루델의 홍보용 스틸 사진이었다. 나는 내 조금 전 동침 상대의 사진을 태우고, 독한 술을 한 잔 따른 다음 에로틱한 관장 사진에 혀를 내두르며 경찰에 전화했다.

알렉스에서 형사 두 명이 왔다. 상사인 테스머는 게슈타포였고, 또 다른 형사는 크리포에 얼마 남지 않은 내 친구 슈탈레커였지만 테스머가 같이 있는 한 쉽게 위기를 모면할 길은 없었다. "내 이야기는 그게 다야." 세 차례나 진술을 하고 난 다음 내가 말했다. 우리는 권총과 죽은 자의 지갑에서 나온 내용물이 놓인 식탁 주변에 둘러앉아 있었다. 테스머는 내가 거절하기 힘든 물건을 강매라도 한 것처럼 천천히 머리를 저었다.

"구멍투성이 진술이군. 자, 다시 얘기해 봐. 이번엔 날 만족시킬 수 있을지도 모르지." 거의 없는 것처럼 얇은 입술 때문에 테스머의 입은 싸구려 커튼에 베인 자국이 난 것 같았다. 그 자국을 통해 보이는 것은 설치류 같은 치아와 이따금 눈에 띄는, 우툴두툴한 회색 굴 같은 혀뿐이었다.

"이봐, 테스머." 내가 말했다. "내 말이 약간 구태의연하다는 건 알지만 그냥 믿으라고. 정말이야. 번드르르한 말이라고 해서 다 진실은 아니니까."

"그럼 빌어먹을 이야기를 지어내 보기라도 하지그래. 저 고깃덩어리는 뭐지?"

나는 어깨를 으쓱했다. "그의 주머니 안에 있는 걸로 아는 게 다야. 나와 죽이 잘 맞는 사이는 아니었지."

"그래서 그를 죽였구먼." 테스머가 말했다.

상관 옆에 불편하게 앉아 있는 슈탈레커가 초조하다는 듯이 안대를 잡아당겼다. 그는 프로이센 보병대에서 복무했을 당시 한쪽 눈을 잃었고, 그 용맹함에 대한 보답으로 갈망하던 훈장을 받았다. 나라면 안대가 근사해 보일지라도 눈을 희생하지는 않을 터였다. 검은 머리와 무성한 검은 콧수염이 그에게서 해적 같은 인상을 이끌어 냈지만 실제로는 온화한 성격이었고 오히려 둔해 보이기까지 했다. 하지만 그는 훌륭한 형사이자 충실한 친구였다. 그러나 나에게 불을 붙이기 위해 테스머가 최선을 다하는 동안에 손을 내밀어 화상을 입을 위험을 감수할 정도는 아니었다. 너무 정직한 탓에 그는 1933년 당시 국가사회주의 독일 노동당 선거에 대해 한두 가지 경솔한 발언을 했다. 그 후 그는 입을 다물 줄 아는 지각이 생겼지만 크리포 간부가 그를 쫓아낼 구실이 생기길 고대하고 있다는 것을 그와 나 모두 알고 있었다. 그나마 이처럼 오랫동안 그를 경찰에 발붙이게 한 것은 그의 눈부신 군 경력 덕분이었다.

"그리고 내 생각엔 네놈의 오드콜로뉴 냄새가 싫어서 저 녀석이 네놈을 죽이려 한 것 같군." 테스머가 말했다.

"그것도 눈치챘나, 응?" 나는 그때 슈탈레커가 살짝 미소 짓는 것을 보았는데 테스머 역시 보았고, 그는 그걸 좋아하지 않았다.

"귄터, 트럼펫 부는 깜둥이보다 입술이 더 두껍군. 여기 있는 네놈 친구는 네놈이 재밌다고 생각할지 모르지만 나는 당신을 쓰레기라고 생각할 뿐이야. 그러니까 개수작은 집어치워. 난 유머와는 담쌓은 사람이니까."

"난 사실을 말했어, 테스머. 문을 열자 콜브 씨께서 새총으로 내 밥통을 겨누고 서 있었지."

"권총이 네놈을 겨누고 있었는데 용케 그를 해치웠군. 몸에 염병할 구멍 하나 보이지 않는구먼, 귄터."

"최면술 강좌를 듣고 있거든. 이미 말했듯이 난 운이 좋았고, 저 친구는 나빴지. 깨진 전구를 보셨겠지."

"잘 들어. 난 쉽게 최면에 걸리지 않아. 저 녀석은 전문가였어. 사탕

한 봉지에 새총을 넘겨줄 놈이 아니야."

"전문가라니. 혹시 방물상? 배꼽 빠질 소리는 그만하시지, 테스머. 저 친구는 어린애였어."

"그렇다면 네놈한테는 더 안 좋게 됐군그래. 네놈 때문에 이제 더 자랄 수 없을 테니까."

"어리긴 했지만," 내가 말했다. "약골은 아니었지. 내 입술의 피는 당신이 지나치게 매력적이라서 내가 깨문 게 아니야. 이건 진짜 피라고. 그리고 여기 내 실내복을 봐. 찢긴 거 안 보이시나?"

테스머가 경멸하듯 웃었다. "난 네놈이 칠칠치 못하게 옷을 입은 것뿐이라고 생각했는데."

"어이, 이거 오십 마르크짜리 실내복이라고. 당신에게 보이려고 내가 이걸 찢었다고 생각하는 건 아니겠지?"

"그런 걸 살 여유가 된다면 버릴 여유도 있겠지. 난 늘 당신 같은 부류가 분에 넘치게 돈을 번다는 생각이 들어." 나는 의자에 등을 기댔다. 나는 테스머가 경찰 내에서 보수파와 볼셰비키를 색출해 숙청한 경찰의 주요 인물 발터 베케의 심복 중 하나라는 사실이 떠올랐다. 정말 전형적인 개새끼라는 뜻이었다. 슈탈레커가 어떻게 살아남았는지 궁금했다.

"얼마나 벌지, 귄터? 일주일에 삼사백 마르크? 아마 나와 슈탈레커를 합친 것만큼 벌겠지, 안 그런가 슈탈레커?" 내 친구는 말없이 어정쩡하게 어깨를 으쓱했다.

"모릅니다."

"맞지?" 테스머가 말했다. "당신이 일 년에 얼마나 버는지 슈탈레커조차 모른다는군."

"직업을 잘못 골랐군, 테스머. 과장하는 실력으로 보아 선전성에서 일해야 했는데 말이야." 그는 아무 말도 하지 않았다. "그렇군. 그래. 이제 알겠군. 얼마를 주면 되겠나?" 테스머가 얼굴에서 피어나는 웃음을 애써 감추며 어깨를 으쓱했다.

"오십 마르크짜리 실내복을 입는 남자로부터 말인가? 백 정도라고 말해 두지."

"백? 하찮은 애송이 때문에? 가서 그놈을 다시 보라고, 테스머. 찰리 채플린 같은 콧수염도 없고 오른팔을 뻣뻣하게 쳐들고 있지도 않잖아."

테스머가 자리에서 일어났다. "말이 많아, 귄터. 심각한 문제에 직면하기 전에 네놈 주둥이가 잠잠해지길 바라지." 그가 슈탈레커를 쳐다본 다음 나를 돌아보았다. "오줌이 마렵군. 오줌 누고 와서 내가 네놈이 알아듣게 해 줄 때까지 네놈의 옛 친구가 여기 있을 거야. 허튼 수작이라도 부린다면……," 그가 입을 삐죽이며 머리를 저었다. 테스머가 자리를 뜰 때 내가 그의 등 뒤에서 소리쳤다. "변기 시트를 올리는 걸 잊지 말라고." 나는 슈탈레커를 보며 씩 웃었다.

"어떻게 지내, 브루노?"

"어떻게 된 거야, 베르니? 술 마셨어? 정신이 나가기라도 한 거야? 왜 그래, 테스머를 건드리면 곤란해진다는 걸 알잖아. 저 녀석을 갖고 놀더니 이제 흥정하겠다는 건가. 저 개자식한테 그냥 돈을 줘 버려."

"이봐, 조금의 흥정도 없이 저 쥐새끼 같은 놈에게 돈을 준다면 저 놈은 나한테 더 우려먹을 게 있다고 생각할 거야. 브루노, 저 개자식을 보자마자 난 오늘 저녁에 어느 정도 돈이 들 거라는 걸 알았어. 난 저놈과 베케 때문에 크리포에서 나온 거야. 난 그 일을 마음에 두고 있어. 저놈도 마찬가지고. 아직도 저놈 때문에 짜증이 솟구쳐."

"자네가 실내복 가격을 말했을 때 자네 스스로 몸값을 비싸게 먹인 거야."

"실은 더 비싸. 거의 백 마르크에 가깝거든."

"맙소사." 슈탈레커가 숨을 내쉬었다. "테스머가 옳아. 자네는 돈을 너무 많이 버는군." 그가 손을 주머니에 찔러 넣더니 나를 똑바로 쳐다보았다. "정말 여기서 어떤 일이 일어났는지 말해 주겠나?"

"다음에, 브루노. 내 말은 거의 사실이야."

"한두 가지 사소한 점은 빼놓고 말이지."

"맞아. 이봐, 도움이 필요해. 내일 시간 괜찮아? 하우스 파터란트의 영화관에서 영화 어때. 맨 뒷줄 네시에."

브루노가 한숨을 쉬더니 끄덕였다. "그러지."

"오기 전에 파울 파르 사건에 관해 좀 알아봐 줘." 그가 눈살을 찌푸리며 무슨 말을 하려는 참에 테스머가 화장실에서 돌아왔다.

"바닥에 오줌을 흘리진 않았겠지."

테스머가 고딕 건물의 무시무시한 장식용 처마 돌림띠 같은 호전적인 눈빛으로 내 얼굴을 보았다. 단호해 보이는 턱과 옆으로 퍼진 코가 납덩이같은 인상을 주었다. 전반적으로 전기 구석기 시대 사람 같은 느낌이었다.

"현명한 결론을 내렸으면 좋겠군." 그가 으르렁거렸다. 물소와 말이 더 잘 통할 것 같았다.

"선택할 게 많지 않아 보이는군." 내가 말했다. "영수증 같은 건 끊어 주지 않겠지?"

7

크론프린첸 가로수 길에서 벗어난 달렘의 끝자락에 직스의 저택으로 통하는 거대한 연철 대문이 있었다. 나는 한동안 차에 앉아 그 길을 바라보았다. 몇 차례 눈이 감기고 머리가 끄덕여졌다. 새벽이 가까워 오는 밤이었다. 잠깐 졸고 난 후 밖으로 나와 대문을 열었다. 이내 나는 차 뒤로 천천히 걸어간 다음 사유 도로를 향해 난 길고 완만한 경사를 내려가 자갈이 깔린 길을 따라 늘어서 있는 어둠침침한 소나무의 서늘한 그림자 안으로 들어갔다.

낮에 보는 직스의 저택은 더욱 인상적이었지만, 한 채가 아닌 두 채가 바짝 붙어 있다는 것을 이제야 알 수 있었다. 빌헬미네 농가 양식으로 지어진 아름답고 튼튼한 저택이었다.

나는 일제 루델을 처음 본 날 밤, 그녀가 BMW를 주차했던 현관문 앞에 차를 세우고 밖으로 나온 다음 도베르만 두 마리가 나타날 경우를 대비해 차 문을 열어 두었다. 개들은 사설 조사원을 전혀 좋아하지 않았는데 마찬가지로 나도 개들에게 반감이 있었다.

나는 현관문을 두드렸다. 현관홀에 메아리가 울려 퍼졌고, 닫힌 덧문을 보면서 헛걸음을 한 게 아닌가 하는 생각이 들었다. 그 자리에

서서 담배에 불을 붙이고 문에 기대 담배를 피우며 귀를 기울였다. 저택은 선물 포장된 고무나무 속에 흐르는 수액만큼이나 조용했다. 이윽고 발소리가 들렸고, 집사 파라즈의 둥근 어깨와 레반트인 특유의 골상이 열린 문으로 나타나자 자세를 바로 했다.

"안녕하십니까." 내가 밝은 표정을 지으며 말했다. "하우프트핸들러 씨를 만나러 왔습니다." 발 치료사가 패혈증으로 빠진 발톱을 바라보듯 파라즈가 혐오스러운 눈빛으로 나를 쳐다보았다.

"약속이 되어 있습니까?"

"그런 건 아니지만," 내가 명함을 건네며 말했다. "오 분만 시간을 내주면 좋겠군요. 요전 날 밤에 직스 씨를 뵈러 왔었죠." 파라즈가 말없이 머리를 끄덕이고 명함을 돌려주었다.

"알아보지 못해 죄송합니다, 선생님." 여전히 문을 잡고 있는 그가 홀 안으로 물러서며 나를 안으로 들였다. 등 뒤로 문을 닫으며 그는 흥미 없다는 듯 내 모자를 보았다.

"이번에도 모자를 맡기지 않으시겠죠, 선생님."

"내가 들고 다니는 편이 낫지 않겠습니까?" 그에게 더 가까이 다가선 나는 아주 분명한 술 냄새를 맡을 수 있었다. 신사 전용 클럽 등에서 내오는 종류의 술 냄새가 아니었다.

"좋습니다, 선생님. 여기서 잠시만 기다리시면 제가 하우프트핸들러 씨를 찾아서 당신을 만날 수 있는지 물어보겠습니다."

"고맙습니다. 재떨이 있습니까?" 나는 주사기를 들듯 담배 끄트머리를 위로 향하게 들었다.

"네, 선생님." 그가 성경책만 한 줄마노 재떨이를 가지고 와서 내가 거기에 담배를 비벼 끌 동안 그것을 양손으로 받쳐 들었다. 담배를 끄자 그는 재떨이를 들고 몸을 돌려 복도 끝으로 사라졌다. 하우프트핸들러와 만나게 되면 무슨 말을 해야 할지 머리를 굴리는 나를 남겨 두고. 특별히 생각해 둔 게 없었지만 하우프트핸들러는 자신과 그레테 파르의 관계에 대해 일제 루델이 한 말을 설명할 준비가 전혀 되어 있지 않으리라고 생각했다. 난 단지 찔러 볼 뿐이었다. 열 사람에게 터무니없는 열 가지 질문을 던지다 보면 가끔은 그 질문이 어딘가 아픈 곳을 찌를 때가 있다. 가끔은 뭔가를 알아내려고 너무 깊이 파고들지만 않는다면 뭔가 큰 것을 건질 경우도 있다. 사금을 채취하는 것과 약간 비슷하다. 매일 강으로 가서 진흙 속에 넣었다 뺀 사금 채취용 쟁반을 살펴보라. 눈을 떼지 않고 쟁반을 살핀다면 더럽고 작은 돌처럼 보이는 진짜 금을 발견할 것이다.

나는 계단 앞으로 가서 계단 위를 올려다보았다. 천장의 거대한 원형 채광창을 통과한 빛이 진홍색 벽에 걸린 그림들을 비추고 있었다. 바닷가재와 백랍 항아리를 그린 정물화를 보고 있을 때 뒤에서 대리석 바닥을 울리는 발소리가 들렸다.

"아시겠지만 카를 슈흐의 작품입니다." 하우프트핸들러가 말했다. "엄청 비싼 작품이죠." 그는 잠시 말을 끊었다가 덧붙였다. "하지만 아주, 아주 따분합니다. 이쪽으로 오세요." 그가 직스의 서재로 안내했다.

"유감이지만 오래 이야기를 나눌 수는 없을 것 같군요. 아시다시피 내일 있을 장례식 준비로 할 일이 아주 많습니다. 이해해 주시리라 믿습니다." 나는 소파들 중 하나에 앉아서 담배에 불을 붙였다. 하우프트핸들러가 팔짱을 끼자 그의 넓은 어깨를 감싸고 있는 밤색 스포츠 재킷 가죽이 찌직 소리를 냈다. 그는 고용주의 책상에 걸터앉았다.

"저를 보자고 하신 이유가?"

"사실, 장례식과 관련된 일이죠." 나는 그가 던진 말을 즉흥적으로 주제 삼아 말했다. "장례식장이 어딘지 궁금해서 말입니다."

"사과를 드려야겠군요, 귄터 씨." 그가 말했다. "죄송합니다. 직스 씨가 당신이 장례식에 참석하길 바라실 거라는 생각을 미처 못했군요. 직스 씨는 루르에 가시면서 모든 준비를 제게 맡기셨는데 조문객 리스트에 관해서는 어떤 지시도 내리지 않으셨습니다."

나는 곤란하다는 표정을 지으려 애썼다. "오, 그렇군요." 나는 소파에서 일어섰다. "당연히 나는 직스 씨 같은 의뢰인의 따님께 조의를 표하고 싶습니다. 보통 의뢰인의 장례식에는 참석하죠. 하지만 제가 참석하지 못하더라도 직스 씨는 분명 이해하실 겁니다."

"귄터 씨," 하우프트핸들러가 잠시 사이를 두고 말했다. "제가 지금 초대장을 드리면 불쾌하실까요?"

"전혀요. 장례 준비를 하는 데 폐가 되지 않는다면."

"문제없습니다. 여기에 카드가 몇 장 있습니다." 하우프트핸들러는 책상을 빙 둘러 가서 서랍 하나를 열었다.

"직스 씨를 위해 오래 일하셨습니까?"

"이 년쯤 됐습니다." 그가 기계적으로 대답했다. "전에는 독일 영사관에서 외교관으로 일했죠." 하우프트핸들러는 가슴에 달린 주머니에서 안경을 꺼내 코끝에 걸친 다음 초대장을 작성했다.

"그레테 파르를 잘 아셨습니까?"

그가 나를 힐끗 쳐다보았다. "전혀요. 인사하는 정도였죠."

"그녀에게 적이라든가 질투심 많은 연인이라든가 뭐, 그와 비슷한 사람이 있었는지 아십니까?" 그는 카드를 작성한 뒤 압지에 대고 눌렀다.

"없었다고 확신합니다." 하우프트핸들러는 안경을 벗어 주머니에 넣으며 잘라 말했다.

"그런가요? 그는 어떻습니까? 파울 말입니다."

"그분에 대해서는 더욱 드릴 말씀이 없습니다, 죄송하군요." 그는 봉투에 초대장을 넣었다.

"그와 직스 씨는 잘 지냈습니까?"

"두 사람은 적대적이지 않았습니다. 만약 그런 뜻으로 물으신 거라면요. 두 사람의 차이는 순수하게 정치적인 것이었죠."

"음, 요즘 들어 정치가 아주 본질적인 문제에 이르지 않았나요?"

"아니, 두 사람의 경우는 아닙니다. 이제 실례가 되지 않는다면 저는 정말 일어나 봐야 할 것 같습니다."

"네, 그러셔야죠." 그가 내게 초대장을 건넸다. "오, 감사합니다." 복도로 나가는 그의 뒤를 따르며 내가 말했다. "당신도 여기서 지내십니까, 하우프트핸들러 씨?"

"아니요, 시내에 아파트가 있습니다."

"그래요? 어디죠?" 그는 잠시 머뭇거렸다.

"쿠르퓌어슈텐 가요." 결국 대답하고는 내게 물었다. "왜 물으시죠?"

나는 어깨를 으쓱했다. "내가 너무 많은 질문을 했군요, 하우프트

핸들러 씨. 양해 바랍니다. 버릇이라서요. 미안합니다. 의심 많은 성
격이 일에 맞죠. 부디 기분 나쁘게 생각지 마십시오. 그럼, 가 봐야 할
것 같군요." 하우프트핸들러는 희미하게 미소를 지으며 나를 문으로
안내했다. 그는 안심한 듯 보였다. 하지만 내가 그의 마음에 작은 파
문을 일으킬 만큼 충분한 말을 했길 바랐다.

　하노마크는 속력을 내기엔 연식이 오래된 듯하다. 따라서, 시내 중
심가로 이어지는 아부스 고속도로를 탄 것은 잘못된 낙관론이었다.
이 고속도로를 타려면 일 마르크를 내야 하지만 아부스는 그럴 만한
가치가 있다. 포츠담에서 쿠르퓌어슈텐담으로 이어지는 십 킬로미터
동안은 커브길이 없다. 자신을 위대한 레이서 카라치올라[40]라고 생각
하는 운전자가 시속 백오십 킬로미터까지 속력을 올릴 수 있는, 시내
에서는 유일한 도로다. 적어도 변성 알코올보다 더 나을 게 없는 저옥
탄 대체 휘발유, BV 아랄을 쓰기 전 시대에는 그럴 수 있었다. 이제 하
노마크의 1.3리터 엔진으로는 시속 구십 킬로미터가 고작이었다. 나
는 그룬펠트 백화점 때문에 '그룬펠트 모퉁이'로 알려진, 쿠르퓌어슈
텐담과 요아힘슈탈러 가의 교차로에 주차했다. 유대인인 그룬펠트가
아직 백화점을 소유하고 있었을 때는 지하층에 있는 소다수 판매점
에서 공짜 레모네이드를 주곤 했었다. 그러나 베르트하임, 헤르만 티
에츠 앤드 이스라엘 같은 큰 상점을 소유했던 모든 유대인의 경우와

---

40. 루돌프 카라치올라. 1930년대 유럽 그랑프리 챔피언을 세 번이나 차지한 전설의 레
이서.

마찬가지로, 나라에서 그룬펠트의 재산을 몰수한 이래 레모네이드를 공짜로 마실 수 있는 시대는 가 버렸다. 그래도 레모네이드를 마시고 싶다면 돈을 내야 하며, 공짜였던 레모네이드만큼 맛이 있지 않았다. 세계에서 가장 날카로운 혀가 아니더라도 설탕이 줄었다는 것을 알 수 있었다. 나라에서 속이는 다른 모든 것들과 마찬가지로.

나는 자리에 앉아 레모네이드를 마시며 유리관으로 된 통로를 오르내리는 승강기를 바라보았다. 각 층에서 승강기를 타는 사람들은 백화점 내부를 볼 수 있었다. 나는 그 승강기를 바라보며 다크마르의 결혼식에서 만난 카롤라를 보러 스타킹 상점으로 올라갈지 말지 갈등했다. 레모네이드의 신맛이 내 타락한 행동을 상기시켰기 때문에 올라가지 않기로 결정했다. 대신 나는 그룬펠트 백화점에서 나와 쿠르퓌어슈텐담에서 슐뤼터 가로 이어지는 짧은 거리를 걸었다.

베를린의 보석상은 사기 위해서보다 팔기 위해 줄을 서는 사람들이 더 많은, 얼마 안 되는 가게 가운데 하나다. 페터 노이마이어의 골동품 보석상 역시 예외는 아니었다. 내가 유리문 밖으로 이어진 줄 끝에 섰을 때는 줄이 그리 길지 않았다. 그리고 내가 서곤 했던 대부분의 줄보다, 여기에 서 있는 사람들의 줄은 더 늙고 더 슬퍼 보였다. 그들이 줄을 선 이유는 다양했지만 대개는 두 가지 공통점이 있었다. 유대인이라는 점과 불가피하며 필연적인 결과로서 일자리 부족. 일자리가 없다는 것은 일단 그들이 어쩌다 보석들을 팔러 왔는지를 알려준다. 줄이 시작되는 긴 유리 카운터 안쪽에 좋은 옷을 입은 무표정한 점원 두 명이 있었다. 두 사람은 물건을 팔러 온 사람들에게 그들의 보석이 얼마나 값어치가 없는지, 시장에서 그 물건이 얼마나 싼 가격에 팔리는지 말하는 중이었다.

"이런 물건은 흔하죠." 점원 한 명이 카운터 위에 펼쳐 놓은 진주와 브로치 들을 보고 머리를 저으며 입술을 찡그리고 말했다. "아시겠지만 우리는 물건의 감상적感傷的인 가치를 보고 가격을 매기지 않습니다. 이해하시겠죠." 그는 앞에 선 기가 죽어 쪼그라든 늙은 부인 나이의 반 정도밖에 안 되는 젊은이로, 비록 면도가 필요해 보이긴 했지만 아주 잘생긴 사람이었다. 그의 동료는 냉담한 표정 탓에 아주 잘생겼다고 말하기는 어려웠다. 그는 경멸하듯 코를 킁킁거리고 옷걸이 사이즈에 딱 맞는 어깨의 한쪽을 으쓱거리면서 성의 없이 툴툴거렸다. 그러고는 말없이 비쩍 마른 수전노 같은 손에 든 지폐 뭉치에서 백 마르크 지폐를 다섯 장 꺼냈는데, 그의 앞에 놓인 물건은 그 돈의 서른 배의 가치가 있을 게 분명했다. 그에게 물건을 팔려는 노인은 그 하찮은 제안을 받아들여야 할지 말아야 할지 결정을 못 내리며 떨리는 손으로 천 조각에 싸 온 팔찌를 가리켰다.

"하지만 여기를 보게. 이 진열장 안에 든 똑같은 물건은 자네가 제시한 금액의 세 배잖나."

그 옷걸이가 입을 오므렸다. "프리츠. 저 사파이어 팔찌가 진열장 안에 얼마나 오래 진열돼 있었지?" 그것은 확실히 효과적인 콤비 플레이였다.

"여섯 달은 됐을걸." 잘생긴 남자가 응수했다. "똑같은 건 사지 마. 자네도 알겠지만 이건 자선사업이 아니야." 그는 그 말을 하루에 몇 차례나 했을 터였다. 옷걸이가 따분하다는 듯 눈을 깜박거렸다.

"무슨 뜻인지 아시겠죠? 보세요, 다른 데서 더 많이 받으실 수 있다고 생각하신다면 거기로 가십시오." 하지만 눈앞에 보이는 현금의 위력에 노인은 굴복했다. 나는 맨 앞줄로 걸어가 노이마이어 씨를 보러 왔다고 말했다.

"뭔가를 팔러 오셨다면 뒷줄에서 기다리셔야 합니다." 옷걸이가 꿍얼거렸다.

"팔러 온 게 아니라," 내가 애매하게 말한 다음 덧붙였다. "다이아몬드 목걸이를 찾는데." 옷걸이는 내가 오래전 헤어진 부자 삼촌이라도 된다는 듯 나를 보고 미소 지었다.

"잠시만 기다리시면," 그가 알랑거리며 말했다. "노이마이어 씨가 시간이 비는지 보고 오겠습니다." 잠시 커튼 뒤로 사라졌던 그가 돌아와 나를 복도 끝에 있는 작은 사무실로 안내했다.

페터 노이마이어가 배관공의 연장 가방에 들었음 직한 시가를 피우며 책상 앞에 앉아 있었다. 그는 우리의 사랑스러운 총통처럼 연청색 눈에 머리가 까맸고, 금전 등록기처럼 배가 튀어나와 있었다. 양 볼은 빨갰는데 습진 때문이거나, 단지 아침에 너무 바짝 면도를 한 듯했다. 내 소개를 하자 그가 내 손을 잡고 흔들었다. 오이를 잡는 느낌이었다.

"만나서 반갑습니다, 귄터 씨." 그가 흥분한 듯 말했다. "다이아몬드를 찾으신다고요."

"맞습니다. 하지만 누군가를 대신해서 온 거라고 말해야 할 것 같군요."

"알 것 같군요." 노이마이어가 씩 웃었다. "특별히 생각해 두신 세팅이 있습니까?"

"아, 그렇습니다. 다이아몬드 목걸이요."

"그럼, 제대로 찾아오신 겁니다. 보여 드릴 만한 목걸이가 몇 가지 있습니다."

"내 고객의 요구는 분명합니다. 다이아몬드를 두른 목걸이로 카르티에 제품이죠." 노이마이어가 재떨이에 시가를 내려놓은 다음 긴장과 흥분이 섞인 연기를 내뿜었다.

"그렇다면 범위가 좁아지죠."

"부자가 관련된 일입니다, 노이마이어 씨." 내가 말했다. "그들은 언제나 자신이 원하는 게 뭔지 정확히 압니다. 그렇지 않습니까?"

"오, 그들은 정말 그렇죠, 귄터 씨." 그는 의자에서 몸을 내밀어 시가를 집으며 말했다. "당신이 말씀하신 것 같은 목걸이는 매일 들어오는 종류가 아닙니다. 게다가 당연히 돈도 많이 들죠." 슬슬 쐐기풀로 바지를 찔러 볼 때였다.

"당연히 내 의뢰인은 많은 돈을 지불할 용의가 있습니다. 보험 평가액의 25퍼센트. 무조건."

그가 눈살을 찌푸렸다. "무슨 말씀이신지 잘 이해가 안 가는군요."

"집어치워, 노이마이어. 우리 둘 다 당신이 가게 안에서 펼치는 마음이 따뜻해지는 광경 이면에 더 많은 사업이 있다는 걸 알아."

그는 연기를 조금 내뿜고 시가 끝을 쳐다보았다. "내가 장물을 샀다고 말씀하시는 거군요, 귄터 씨, 당신이 만약……."

"듣기나 해, 노이마이어. 아직 안 끝났어. 내 의뢰인은 믿을 만한 사람이야. 현금 지불이지." 나는 직스의 다이아몬드 사진을 그에게 건넸다. "만약 어떤 쥐새끼가 이걸 팔려고 여기로 걸어 들어오면 나한테 전화해. 전화번호는 뒤에 있어."

노이마이어가 사진과 나를 불쾌한 듯이 보더니 자리에서 일어섰다. "재밌군요, 귄터 씨. 뭔가 오해하신 모양이로군요. 경찰을 부르기 전에 여기서 썩 나가쇼."

"경찰을 부르는 게 좋은 생각이 아니라는 걸 잘 알 텐데. 그들이 여기 와서 당신 금고를 열어 보면 그들은 당신 애국심에 큰 감명을 받을 게 분명해. 그거야말로 정직의 표상이겠지."

"나가."

나는 자리에서 일어나 사무실을 나섰다. 이런 방식으로 일을 진행할 셈은 아니었지만 노이마이어의 사업 방식이 마음에 들지 않았다. 가게에서 옷걸이가 노부인이 가져온 보석 상자에 가격을 매기는 중이었다. 구세군 쉼터에서 주는 돈보다 더 싼 가격일 터였다. 노부인 뒤에서 기다리고 있는 유대인 몇 명이 희망과 체념이 섞인 표정으로 나를 쳐다보았다. 그 표정이 나를 대리석 위에 놓인 송어만큼이나 불편하게 했고, 그 표정이 내 탓은 아니었지만 창피함에 가까운 감정을 느꼈다.

게르트 예쇼벡은 또 다른 부류였다. 그의 가게는 수평선에 주안점을 둔 포츠담 광장에 위치한 구 층짜리 건물 콜룸부스 하우스 팔층에 있었다. 그 건물은 장기 복역수에게 복역중에 무한히 지급되는 성냥으로 지은 것 같았을뿐더러, 비슷한 이름 탓에 베를린 소재 템펠호프 공항 근처에 있는 게슈타포 강제수용소 콜룸비아 하우스를 생각나게 했다. 이 나라는 이상한 방식으로 아메리카 대륙을 발견한 사람에게 경의를 표하고 있다.

팔층은 한 해에 삼만 마르크로 그럭저럭 살아가는 의사, 법률가, 출판업자 들의 사교 클럽 같은 곳이었다.

윤이 나는 마호가니로 된 예쇼넥 사무실의 이중문에는 '보석상 게르트 예쇼넥'이란 금박 글자가 붙어 있었다. 문을 지나니 산뜻한 핑크빛 벽으로 나뉜 L자형 사무실이 보였다. 그 벽에는 다이아몬드, 루비, 잡다한 싸구려 보석의 사진 액자들이 걸려 있었는데, 솔로몬 왕에게조차 탐욕을 불러일으킬 것 같았다. 나는 의자에 앉아 타이프라이터 앞에 앉은 활기 없는 젊은 남자가 전화를 끊기를 기다렸다. 몇 분이 지났다. "다시 전화하겠습니다, 루디." 그가 수화기를 내려놓고 살짝 무례한 표정으로 나를 보았다.

"뭐죠?" 구식이라 해도 어쩔 수 없지만 나는 결코 남자 비서를 좋아해 본 적이 없었다. 남자에게서 받는 서비스는 남자의 허영심에 방해가 되고, 이 특별한 방식은 나를 설득하지 못했다.

"손톱 손질이 끝났다면 당신 보스에게 보잔다고 전하게. 귄터라는 사람이."

"약속하셨습니까?" 그가 능글맞게 말했다.

"다이아몬드를 살 사람이 언제부터 약속이 필요했지? 대답해 보겠나?" 그가 내게 담배 한 보루만큼의 관심도 없다는 것을 알 수 있었다.

"조용히 앉아 계시면 알아서 해 드리죠." 그렇게 말하고 그는 책상을 돌아 하나뿐인 다른 문으로 향했다. "시간이 되시는지 알아보겠습니다." 그가 방에서 나가 있는 동안 나는 잡지 선반에서 《데어 슈튀르머》 최근호를 집어 들었다. 표지에 천사 의상을 입은 남자가 얼굴 앞에 천사 가면을 들고 있는 그림이 있었다. 남자의 뒤편으로 천사의 그림자와, 천사의 의상에서 튀어나온 악마의 꼬리가 보였다. 마스크 뒤의 옆모습은 그가 명백히 유대인이라는 것을 나타냈다.《데어 슈튀르머》의 삽화가는 유대인을 상징하는 큰 코를 즐겨 그렸고, 이번 그림의 코는 정말 펠리컨의 부리 같았다. 점잖은 사업가의 사무실에 어울리지 않는 잡지였다. 방에서 활기 없는 젊은 남자가 나오더니 간단하게 말했다.

"잠시만 기다리세요." 그러고는 덧붙이듯 말했다. "사장님이 유대인 놈들 보라고 구독하는 거죠."

"이해가 안 되는데."

"여기에 유대인들이 많이 오니까요. 물론 팔러만 오고 사지는 않죠. 여기서《데어 슈튀르머》를 구독한다는 걸 유대인들이 알면 물건 값을 깎는 데 도움이 될 거라고 예쇼넥 씨는 생각한 거죠."

"아주 영리한 양반이군. 그게 먹히나?"

"그런 것 같아요. 직접 물어보세요."

"그것도 물어보지."

사장실에는 볼 게 많지 않았다. 두 개의 큼직한 양탄자 저편에 소형 전함으로 쓰였다고 해도 좋을 만한 회색 강철 금고가 있었고, 상판에 검은색 가죽을 씌운 장갑차 크기의 책상이 있었다. 책상 위에는 마하라자 왕이 사랑한 코끼리를 장식할 수 있을 만큼 큰 루비가 놓인 정사각형 펠트 천과 티 하나 없는 새하얀 각반을 찬 예쇼넥의 발을 제외하면 남은 공간이 별로 없었다. 내가 문을 열고 들어서자 두 발이 책상 아래로 황급히 내려왔다.

게르트 예쇼넥은 돼지 같은 작은 눈에 햇볕에 탄 얼굴색과 비슷한 짧은 갈색 턱수염을 기른 거대한 돼지 같은 남자였다. 나이에 어울리지 않게 열 살은 어린 사람이 입을 만한 연회색 더블 정장 차림에 깃에는 무시무시한 배지를 달고 있었다. 그는 온몸을 3월의 제비꽃으로 도배를 하고 있었다.

"귄터 씨." 예쇼넥은 밝은 목소리를 내더니 잠시 부동자세를 취하듯 꼼짝도 하지 않고 서 있었다. 이내 나를 맞기 위해 사무실을 가로질러 다가왔다. 그는 자줏빛을 띤 도살업자 같은 손으로 내 손을 잡고 거세게 흔들었는데 내가 그럭저럭 손을 뺐을 때 자줏빛 손 군데군데에 흰 반점이 보였다. 그에게는 당밀 같은 피가 흐를 게 틀림없었다. 그는 상냥하게 미소를 지은 다음 내 어깨 너머로 막 문을 닫고 있는 그의 활기 없는 비서를 쳐다보았다.

"헬무트. 최대한 진한 커피를 부탁하네. 두 잔으로 빨리." 예쇼넥이 웅변 선생처럼 손으로 박자를 맞추며 빠른 말투로 딱 부러지게 말했다. 유대인에게 보이려고 《데어 슈튀르머》를 갖다 놓은 것처럼, 나에게 보이려고 루비를 올려놓은 게 틀림없는 책상으로 나를 이끌었다. 나는 그것을 못 본 척했지만 예쇼넥은 자신의 작은 공연을 거부하게 두지 않았다. 그는 통통한 손가락으로 루비를 집어 빛에 비춰 보면서 불쾌한 웃음을 지었다.

"대단히 멋진 카보숑[41] 루비입니다. 마음에 드십니까?"

"빨강은 내 취향이 아닙니다." 내가 말했다. "내 머리색과 어울리지

---

41. 위쪽을 둥글게 연마한 보석.

않지." 그가 웃고 루비를 벨벳으로 감싸더니 금고에 돌려놓았다. 나는 그의 책상 앞 큰 안락의자에 앉았다.

"다이아몬드 목걸이를 찾고 있습니다." 내가 말했다. 그가 내 맞은 편에 앉았다.

"그렇다면, 귄터 씨, 저는 정평이 난 다이아몬드 전문가입니다." 그가 경주마처럼 약간 과장되게 머리를 끄덕이자 오드콜로뉴 냄새가 혹 끼쳤다.

"그래요?"

"베를린에서 저만큼 다이아몬드에 대해서 많이 아는 사람이 있는지 모르겠군요." 그가 어디 반박해 보라는 듯이 도전적으로 다박나룻 투성이 턱을 내게 내밀었다. 나는 토할 뻔했다.

"그러시다니 다행이군요." 예쇼넥의 비서가 커피를 내오고 부자연스러운 종종걸음으로 방에서 나가자 예쇼넥이 거북하다는 듯 비서의 뒷모습을 힐끗 보았다.

"남자 비서에 적응이 안 되는군요. 물론 여자에게 적절한 자리가 가족을 돌보는 집이라는 걸 알지만 비서로서는 여자들이 훨씬 좋죠, 귄터 씨."

"나라면 남자 비서를 고용하느니 동업자를 구하겠습니다." 내 말에 그가 예의 바르게 미소를 지었다.

"자, 그럼, 다이아몬드 구매에 관심이 있으시다고요."

"다이아몬드들이죠." 내가 그의 말을 정정했다.

"알겠습니다. 다이아몬드만 찾으시는 겁니까, 세팅된 걸 찾으시는 겁니까?"

"사실, 내 의뢰인이 도둑맞은 특별한 다이아몬드를 찾는 중입니다." 내가 그렇게 설명하고 그에게 내 명함을 건넸다. 그가 냉정하게 명함을 응시했다. "정확히 말하자면 목걸이가 하나죠. 여기에 사진이 한 장 있습니다." 나는 사진을 꺼내 그에게 건넸다.

"훌륭하군요."

"바게트 컷 하나하나가 일 캐럿입니다."

"그렇군요. 하지만 제가 어떻게 도와 드려야 할지 모르겠군요, 귄터 씨."

"이걸 훔친 자가 당신에게 팔러 온다면, 내게 연락해 주시면 고맙겠습니다. 당연히 상당한 보상이 따를 겁니다. 나는 내 의뢰인에게서 물건을 되찾으면 보험 평가액의 25퍼센트를 지불하라는 권한을 위임받았습니다. 아무것도 묻지 않고."

"당신의 의뢰인 이름을 여쭤 봐도 될까요, 귄터 씨?"

"글쎄요." 나는 주저했다. "보통, 의뢰인의 신원은 알려 드릴 수 없습니다. 하지만 당신은 비밀을 지켜 주실 분 같군요."

"감사합니다."

"그 목걸이의 소유주는 정부의 손님으로 올림픽을 참관하러 오신 인도 공주입니다." 예쇼벡이 내 거짓말을 듣자 눈살을 찌푸리기 시작했다. "나는 보지 못했지만 베를린에서는 보기 드문 대단한 미인이라 더군요. 그녀는 며칠 전날 밤 그 목걸이를 도난당한 아들론 호텔에서 묵고 있습니다."

"인도 공주에게서 훔친 물건이라는 말입니까?" 그가 미소를 지으며 말했다. "그럼 말입니다, 왜 신문에서는 이 사건에 대해 아무런 보도가 없을까요? 그리고 왜 경찰이 수사에 나서지 않을까요?" 나는 극적인 효과를 더하기 위해 대답을 하지 않고 잠시 커피를 마셨다.

"아들론 호텔 경영진은 스캔들을 피하길 간절히 바라고 있습니다. 유명한 보석 도둑 파울하버가 저지른 불행한 연쇄 도난 사건으로 고통받은 지 얼마 되지 않았죠."

"네, 그 기사를 읽은 기억이 납니다."

"목걸이가 보험에 들어 있다는 것은 말할 것도 없지만 문제는 아들론 호텔의 평판이 걸려 있다는 겁니다. 그 점을 이해하실 거라 믿습니다."

"음, 도움이 될 어떤 정보라도 듣게 되면 즉시 당신께 연락을 드리죠." 그렇게 말하며 예쇼넥은 주머니에서 금시계를 꺼냈다. 그는 의도적으로 시계를 힐끗 보았다.

"자, 그럼, 실례지만 제가 정말 바빠서 말입니다." 예쇼넥이 자리에서 일어나 통통한 손을 내밀었다.

"시간 내주셔서 고맙습니다. 나가는 길은 알고 있습니다."

"가실 때 바깥에 있는 녀석에게 제가 보잔다고 전해 주시면 고맙겠군요."

"그러죠."

그가 내게 히틀러식 거수경례를 했다. "하일 히틀러." 나는 군말 없이 따라 했다.

바깥 사무실에서는 활기 없는 젊은이가 잡지를 읽고 있었다.

그에게 보스가 보자고 한다는 말을 마치기도 전에 열쇠들이 눈에 들어왔다. 책상 위 전화 옆에 놓여 있었다. 비서가 앓는 소리를 내며 자리에서 신경질적으로 일어났다. 나는 문가에서 머뭇거렸다.

"참, 종이 한 장 줄 수 있나?"

그가 열쇠 밑에 있는 메모지를 가리켰다. "갖다 쓰세요." 비서는 그렇게 말하고 예쇼넥의 사무실로 들어갔다.

"고맙네. 그러지." 열쇠고리에는 '사무실'이라는 라벨이 붙어 있었다. 나는 주머니에서 담배 케이스를 꺼내 열었다. 공작용 점토의 부드러운 표면에 두 열쇠의 세 가지 본—앞뒤 면과 수직면—을 떴다. 충동적인 행동이라고 해도 좋았다. 나는 예쇼넥이 한 말보다는 오히려 하지 않은 말을 소화할 여유가 없었다. 그러나 나는 언제나 점토를 지니고 다녔고, 그것을 쓸 기회가 생겼을 때 쓰지 않는 것은 애석한 일이었다. 이 점토로 열쇠를 얼마나 자주 만들었고, 그것이 얼마나 유용하게 쓰였는지는 놀랄 정도다.

밖으로 나온 다음 공중전화를 찾아 아들론 호텔에 전화했다. 나는 여전히 아들론에서의 좋았던 많은 시절을 기억하고 있었고, 친구들 또한 많았다.

"안녕, 헤르미네." 나는 이름을 밝혔다. "베르니야." 헤르미네는 아들론 호텔 전화 교환대에 있는 여자들 중 한 명이다.

"정말 오랜만이에요." 그녀가 말했다. "얼마만이에요."

"좀 바빴어."

"총통도 바쁘지만 여전히 돌아다니면서 우리에게 손을 흔들어 주잖아요."

"나도 지붕 없는 메르세데스와 경호 차량 두 대를 사야 할 것 같아." 나는 담배에 불을 붙였다. "작은 부탁이 있어, 헤르미네."

"하세요."

"어떤 남자가 전화해서 당신이나 베니타에게 인도 공주가 호텔에 묵고 있느냐고 물으면 그렇다고 해 주겠어? 만약 그가 공주와 통화하고 싶다고 하면 그녀는 아무 전화도 받지 않는다고 해 줘."

"그게 다예요?"

"그래."

"그 공주의 이름이 뭐예요?"

"아는 인도 여자 이름 있어?"

"글쎄요." 헤르미네가 말했다. "저번 주에 인도 여자가 나오는 영화를 봤어요. 그 여자 이름은 무시미였어요."

"그럼 무시미 공주로 하지. 고마워, 헤르미네. 곧 연락할게."

나는 프쇼르 하우스 레스토랑으로 가서 누에콩을 곁들인 베이컨을 먹고 맥주 두 잔을 마셨다. 예쇼벡은 다이아몬드에 대해 아무것도 모르거나 무언가를 숨기고 있었다. 내가 사진을 보여 주며 인도 목걸이라고 말했을 때, 그는 그게 카르티에 제품이라는 것을 알았어야 했다. 그뿐 아니라 내가 그 다이아몬드를 바게트 컷이라고 묘사했을 때 내 말을 반박하지 못했다. 바케트 컷은 자로 잰 듯한 정사각형이나 직사각형 모양이지만 직스의 목걸이는 둥그스름한 브릴리언트 컷이었다. 그리고 무게에 대한 것도 있었다. 나는 알 하나하나가 일 캐럿이라고 했지만 그 알들은 명백히 몇 배는 더 컸다.

크게 의미를 둘 일은 아니었고 실수는 있을 수 있다. 언제나 모든 것을 다 잘 알 수는 없다. 그럼에도 불구하고 나는 다시 예쇼벡을 방문해야 할 것 같다는 예감이 들었다.

8

프쇼르 하우스를 나온 뒤 브루노 슈탈레커를 만나러 수많은 바와 카페뿐 아니라 극장까지 들어서 있는 하우스 파터란트로 갔다.

그곳은 여행자들에게는 인기가 있었지만 내 취향에는 지나치게 구식이었다. 은빛 페인트로 칠해진 거대하고 추한 홀들과 소형 분수와 움직이는 장난감 기차로 꾸며진 술집들. 기계 장치가 들어 있는 장난감, 뮤직홀, 타이츠를 입은 차력사, 훈련받은 카나리아 등 모든 게 진기한 옛 유럽 시대에 속한 것들이다. 색다른 게 있다면 독일에서 유일하게 입장료를 받는 극장식 바가 있다는 점이었다. 슈탈레커는 그 점을 별로 반기지 않았다.

"돈을 두 번이나 내야 했다고." 그가 투덜거렸다. "정문에서 한 번, 여기에서 또."

"지포 신분증을 슬쩍 꺼냈어야지." 내가 말했다. "그럼 공짜로 들어왔을 거야. 그게 그 신분증을 갖고 다니는 이유 아닌가?" 슈탈레커가 멍하니 스크린을 바라보았다.

"아주 웃기는군. 도대체 저 똥 같은 게 뭐야?"

"뉴스 영화. 그래서, 뭘 알아냈지?"

"그 전에 어젯밤의 작은 문제가 남아 있잖아."

"내 명예를 걸고 맹세하는데, 브루노, 난 그 젊은 녀석을 전에 본 적이 없어."

슈탈레커가 지쳤다는 듯이 한숨을 쉬었다. "그 콜브라는 자는 삼류 배우인가 보더군. 한두 편의 영화에서 단역을 맡았고, 몇몇 쇼의 코러스를 맡았지. 어쨌든 리하르트 타우버[42]는 아니었네. 자, 왜 그런 녀석이 자네를 죽이려고 했지? 자네가 평론가로 전직해서 그자에게 뭔가 나쁜 평을 한 게 아니라면 말이야."

"개가 불을 피우는 걸 모르는 것처럼 나도 영화에 대해서는 아무것도 몰라."

"하지만 자네는 왜 그자가 자네를 죽이려 했는지 알아. 그렇지?"

"어떤 부인과 관련된 일이야." 나는 일부만 실토했다. "그녀의 남편이 어떤 일로 나를 고용했네. 그녀는 내가 자신의 뒤를 캐는 일로 고용됐다고 생각했지. 그래서 어젯밤 그녀가 나를 자신의 아파트로 불러 내가 거짓말을 한다고 생각하고 그 일을 그만두라고 하길래 당신이 누구와 자는지 아무 관심 없다고 말해 줬네. 그러자 그녀가 나를 쫓아냈지. 그다음 내가 아는 일이라고는 그 돌대가리가 내 배에 총을 겨누면서 내가 그 부인을 강간했다고 협박하며 우리 집 문간에 서 있다는 것뿐일세. 우린 잠시 현관에서 춤을 췄고 그 와중에 총이 발사됐네. 그 젊은 녀석은 그녀에게 미쳐 있었고, 그녀가 그걸 알고 있었다는 게 내 추측이야."

---

42. 오페라 가수이자 영화배우.

"그래서 그녀가 그를 부추겼다는 건가?"

"그게 바로 내 추측이야. 하지만 할 수 있는 데까지 알아봐 줘."

"나에게 그 부인 이름이나 그녀의 남편 이름을 말해 주겠나?" 나는 머리를 저었다. "아니, 그럴 생각은 없네."

〈더 높은 명령〉이라는 영화가 시작되었다. 선전 부처 녀석들이 상황이 안 좋은 때에 생각해 낸 소소한 오락 영화로 애국심을 고취하는 영화들 중 하나였다. 슈탈레커가 신음을 냈다.

"제발," 그가 말했다. "나가서 술이나 마시자고. 이 똥 같은 걸 참고 볼 수 없을 것 같네."

우리는 카우보이 밴드가 〈언덕 위의 집〉을 연주하고 있는 일층의 와일드 웨스트 바로 갔다. 벽에는 버팔로와 인디언들을 포함한 대초원 풍경이 그려져 있었다. 우리는 바에 몸을 기울이고 맥주 두 잔을 주문했다.

"이번엔 파르 가 사건과 관련된 일인가, 베르니?"

"명목상으로는 화재 건이야." 내가 설명했다. "보험회사에서 의뢰한."

"그렇군." 그가 말했다. "딱 한마디만 충고하지. 충고를 들은 다음 나에게 지옥에나 가라고 해도 좋아. 이 사건은 집어치워. 나에게 지옥에나 가라고 해서 미안하다고 하기에 이 사건은 위험이 커."

"브루노, 지옥에나 가게. 거기에 내 돈이 걸려 있어."

"당국이 자네를 강제수용소를 보낼 때 내가 경고하지 않았다는 말은 하지 말게."

"약속하지. 자, 이제 그 이야기를 해 볼까."

"베르니, 자네는 재산 압류하는 관리에게 빚쟁이가 하는 것보다 더 많은 약속을 해야 하네." 그가 한숨을 쉬고 머리를 절레절레 흔들었다. "그러니까, 이거야. 파울 파르라는 친구는 야심가였어. 1930년에 사법 시험을 패스하고 슈투트가르트와 베를린 지방법원에서 실무를 쌓았네. 1933년 이 특별한 3월의 제비꽃은 나치 돌격대에 가입했고, 1934년에 하필이면 반동 경찰을 심리하는 베를린 경찰 재판소의 배석판사가 되었지. 같은 해에 나치 친위대로 선출되었고, 1935년 지도자 협회원 자격으로 게슈타포, 경제 동맹원 자격으로 독일 노동 전선 DAF에도 가입했네. 그것도 모자라 그해 말, 이번에는 힘러에게 직접 보고를 하는 내무성으로 또 자리를 옮기는데, 제국 정부 직원의 부패를 색출하는 부서에 있었네."

"부패했단 걸 안다니 놀랍군."

"듣자 하니 힘러는 아주 회의적인가 보더군. 어쨌든 파울 파르는 부패의 온상이라는 DAF에 특별히 온 관심을 기울였다는군."

"그래서 파울이 힘러의 심복이라는 건가?"

"바로 그거야. 그리고 그의 상관은 부패 직원을 색출하는 일보다 자신을 위해 일했던 사람이 죽은 것을 더 안 좋게 여기네. 그래서 이틀 전 크리포 경찰국장이 특별 수사반원을 임명했지. 반원들이 인상적이야. 고르만, 쉴트, 요스트, 디에츠. 이 사람들과 엮이면 자네는 유대교 회당의 창문보다 오래가지 못할 걸세."

"그들이 무슨 단서라도 찾았나?"

"내가 들은 건, 그들이 어떤 여자를 찾는다는 거였네. 파르에게 정부情婦가 있었던 것 같아. 유감이지만 이름은 모르네. 그뿐만 아니라 그녀는 사라졌어."

"재밌는 사실을 알려 줄까?" 내가 말했다. "실종이 대유행이야. 모든 사람이 사라지고 있네."

"나도 들었지. 자네가 유행에 따르지 않기를 바라네."

"내가? 나는 이 도시에서 유일하게 제복 하나 없는 사람일걸. 그것만으로도 대단히 유행에 뒤진 사람이지."

알렉산더 광장으로 돌아온 나는, 자물쇠 수리공을 찾아 예쇼넥 사무실 열쇠의 복사본을 만들기 위해 떠 온 점토 본을 맡겼다. 전에도 여러 차례 만났지만 그는 결코 어떤 질문도 하지 않았다. 그런 다음 나는 내 세탁물을 찾고 사무실로 올라갔다. 문을 열고 사무실에 발을 들여놓자 지포의 신분증이 내 얼굴 앞에서 번쩍였다. 그와 동시에 내 시야에 남자의 열려 있던 회색 플란넬 재킷 속에 든 발터 권총이 들어왔다.

"당신이 사냥개로구먼. 당신과 이야기를 나누려고 기다리고 있었지." 남자의 겨자색 머리는 양털 깎는 대회의 우승자가 깎은 것같이 잘 다듬어져 있었고, 코는 샴페인 마개 같았다. 콧수염이 멕시코 모자의 챙보다 더 넓었다. 다른 한 명은 프로이센의 선거 포스터를 복사한 것처럼, 튀어나온 턱과 광대뼈가 아리안 인종의 전형 같았다. 바닷물 속의 홍합처럼 차갑고 참을성이 많아 보이는 두 사람의 눈빛은 방귀를 뀐 누군가를, 유별나게 천박한 농담을 한 누군가를 비웃고 있는 것 같았다.

"이럴 줄 알았다면 영화나 두 편쯤 보고 왔을 텐데 말이야." 신분증을 든 사내와 단정한 헤어스타일 사내가 나를 물끄러미 쳐다보았다.

"디에츠 형사수사관이다."

아마도 상급자일 듯한 디에츠라는 남자는 내 책상 끄트머리에 앉아 다리를 흔들고 대체로 불쾌한 표정을 짓고 있었다.

"사인을 해 달라고 조르지 않는다고 해서 삐치지 않겠지." 나는 그렇게 말하고 프로체 부인이 서 있는 창가 구석으로 걸음을 옮겼다. 그녀는 코를 훌쩍이더니 블라우스 소매에서 손수건을 꺼내 코를 풀었다. 프로체 부인이 손수건을 코에 대고 말했다.

"죄송해요, 귄터 씨. 저분들이 불쑥 들어와서 이곳을 뒤지기 시작했어요. 당신이 어디 있는지, 언제 돌아오는지 모른다고 했더니 성질을 부리더라고요. 저는 경찰이 그렇게 부끄러운 짓을 하는지 몰랐어요."

"이분들은 경찰이 아닙니다." 내가 말했다. "오히려 양복을 입은 주먹에 가깝죠. 이제 당신은 얼른 퇴근하는 게 좋을 것 같군요. 내일 봅시다."

프로체 부인은 조금 더 훌쩍거렸다. "감사합니다, 귄터 씨. 하지만 다시 출근할 것 같지 않아요. 제 신경이 이런 일을 견뎌 낼 것 같지 않아요. 죄송해요."

"괜찮습니다. 오늘 일당은 우편으로 부치겠습니다." 그녀는 고개를 끄덕이고 나를 돌아 발걸음을 옮기더니 거의 뛰다시피 사무실에서 나갔다. 단정한 헤어스타일의 사내가 코웃음을 치고 그녀가 나간 문을 발로 차 닫았다. 나는 창문을 열었다.

"냄새가 나서 말이야." 내가 말했다. "과부를 겁주거나 잔돈푼이나

든 상자를 찾지 않을 때는 뭘 하지?"

디에츠가 내 책상에서 훌쩍 내려와 창가로 다가갔다. "너에 대해 들었다, 귄터." 그가 창밖의 차량 행렬을 바라보며 말했다. "전직 형사였으니 내 수사 권한이 어느 정도인지 알겠지. 그리고 아직 대단히 긴 여정이 남아 있지. 난 오후 내내 네놈의 면상을 밟고 서서 왜 그러는지 이유를 가르쳐 주지도 않을 수 있어. 그러니까 허튼수작 말고 파울 파르에 대해 아는 것을 말해. 그러면 곱게 나가 주지."

"그가 부주의하게 담배꽁초를 버리는 사람이 아니라는 건 알지." 내가 말했다. "발 소리를 울리며 여기서 나가지 않겠다면 보험금 지급이 보류된 화재 조사 건으로 나를 고용한 게르마니아 생명보험회사와의 계약서를 보여 줄 수도 있어."

"오, 그 서류는 이미 찾았어." 디에츠가 말했다. "우린 이것도 찾았지." 그가 재킷 주머니에서 내 총을 꺼내더니 조롱하듯 그것으로 내 머리를 겨누었다.

"허가증이 있는데."

"당연히 갖고 있겠지." 그가 미소를 띠며 말했다. 그런 다음 총구에 대고 코를 킁킁거리고 나서 그의 파트너에게 말했다. "이보게, 마르틴스. 이 총은 깨끗해. 최근에 쓴 적이 없는 것 같군."

"나는 깨끗한 사람이니까. 못 믿겠다면 손톱 조사를 해 보든가."

"발터 PPK 9밀리미터." 마르틴스가 담배에 불을 붙이며 말했다. "불쌍한 파르 씨와 그의 아내를 죽인 총과 같은 종류군."

"내가 들은 것과 다른데." 나는 술이 든 캐비닛으로 다가갔다. 놀랍게도 그들은 내 위스키에 손을 대지 않았다.

"맞아," 디에츠가 말했다. "여전히 알렉스 곳곳에 친구들이 있다는 걸 까먹고 있었군." 나는 내 잔에 술을 따랐다. 세 모금에 마시기엔 너무 많이 따랐다.

"반동분자들은 다 제거된 줄 알았는데." 마르틴스가 말했다. 나는 마지막 한 모금을 들이켤 양이 얼마나 되는지 살폈다.

"당신들이 마신 잔을 버리지 않을 수 있다면 술을 줄 텐데 말이야." 나는 남은 술을 단숨에 비웠다.

마르틴스가 담배를 내던지고 주먹을 쥐며 앞으로 몇 발짝 내디뎠다. "이 놈팡이는 유대인 놈들의 큰 코처럼 주둥이가 특화돼 있군." 마르틴스가 을러댔다. 디에츠는 창밖으로 몸을 내밀었다. 하지만 그가 몸을 돌렸을 때는 눈에 독기가 서려 있었다.

"참을성에 한계가 있어, 이 노새 주둥아리야."

"무슨 말씀이신지. 보험회사에서 보낸 계약서를 본 모양이군. 그게 가짜라고 생각된다면 확인해 보시든가."

"이미 확인했어."

"그렇다면 왜 둘이서 코미디를 하는 거지?" 디에츠가 다가와 신발에 묻은 똥이라도 되는 양 나를 아래위로 훑었다. 그러더니 내 마지막으로 남은 좋은 위스키 한 병을 집어 들어 무게를 가늠하고는 책상 뒤 벽에 던졌다. 계단을 구르는 포크와 나이프 같은 소리가 난 후 갑자기 공기 중에 알코올 향이 퍼졌다. 디에츠가 온몸으로 병을 던진 후 구겨진 재킷을 바로잡았다.

"네가 하는 일을 우리에게 계속 보고하라는 뜻이야, 귄터. 네가 뭐든 알아내면, 뭐든 말이야, 우리에게 보고하는 게 좋을 거야. 우리에게 엉터리 정보를 가져오면 내가 네놈의 귀에서 호각 소리가 울려 퍼질 만큼 빠르게 네놈을 강제수용소로 보내 주지." 그가 내게 몸을 기울이자 그에게서 달콤한 냄새가 났다. "알겠나, 노새 주둥아리?"

"턱이나 치우지그래, 디에츠." 내가 말했다. "아니면 어쩔 수 없이 칠 수밖에 없어."

그가 미소 지었다. "언젠가 그렇게 되길 바라지. 정말이라니까." 디에츠가 그의 파트너에게로 몸을 돌렸다. "어이, 내가 이놈을 차 버리기 전에 여기서 나가지."

엉망이 된 사무실을 막 치웠을 때 전화벨이 울렸다. 《베를리너 모르겐포스트》의 뮐러가 건 전화였다. 그는 내가 맡긴 조사가 수년간 누적된 부고 기사를 조사하는 일 이상으로 힘든 일이었다며 미안해했는데 헤르만 직스에 대해 정말로 내가 관심을 가질 만한 내용은 많지 않았다.

"어쩌자는 거지, 에디? 젠장, 이 양반은 백만장자야. 루르의 반을 소유하고 있다고. 직스가 그의 멍청한 직원에게 손가락만 까딱해도 석유를 찾아낼걸. 흥미를 갖고 그를 염탐하려고 한 기자가 분명히 있을 거야."

"예전에 크루프, 포에글러, 볼프, 티센 같은 루르의 모든 기업가들을 꽤 많이 조사한 기자가 있었어. 당국이 실업 문제를 타결했을 때 그 여자는 실직했지. 그녀가 어디 사는지 알아내면 만나 볼 생각이야."

"고맙네, 에디. 파르 부부에 대해 뭐든 알아낸 게 있나?"

"여자는 정말 스파에 갔었어. 노이하임, 비스바덴, 바트홈부르크. 하여간 거기 어디에서 온천물에 몸을 담갔네. 《디 프라우》에 온천에 대한 기고까지 했어. 게다가 민간요법에도 미쳐 있었더군. 미안하지만 남자에 대한 건 없네."

"가십거리를 알려 줘서 고맙군, 에디. 다음부터는 자네 수고를 덜어 주기 위해 그냥 사회면이나 읽지."

"백 마르크의 가치가 안 된단 말이야?"

"오십 마르크의 가치도 없네. 그 여기자를 찾아내게. 그러면 내가 뭘 할 수 있는지 알겠지."

나는 사무실 문을 닫고 부탁한 열쇠와 내 공작용 점토를 찾으러 열쇠 집으로 갔다. 약간 지나치지 않으냐는 말을 들을지도 모르겠지만, 솔직히 말해 나는 몇 년간이나 이 공작용 점토를 가지고 다녔고, 덕분에 진짜 열쇠를 훔치는 위험을 피했다. 닫힌 문을 여는 데는 이 이상 좋은 방법이 없다고 단언할 수 있었다. 나는 어떤 자물쇠도 우아한 방법으로 열 수 있는 멋진 열쇠를 갖고 있지 않았다. 따기를 체념할 만큼 번드르르하고 복잡한 최신 자물쇠라는 것은 없다는 게 진실이다. 그런 물건은 UFA 영화사의 영화에나 등장하는 것이다. 도둑은 보통 간단히 문에서 튀어나온 볼트 대가리를 톱으로 잘라 내거나 드릴로 뚫어 빌어먹을 문에 구멍을 낸다. 거기까지 생각이 미치자 떠오르는 게 있었다. 조만간 파르 부부의 금고를 열 만한 재주가 있는 금고털이들을 체크해 볼 작정이다. 그러면 어떻게 열렸는지 알 수 있을 터였다. 진작 성악 레슨을 받았어야 할 성대가 상한 테너가 한 명 있었다는 뜻이다.

◆

코트부서토르 지역의 쓰레기 같은 아트미랄 가 아파트에서 노이만을 찾을 수 있을 거라 기대하지 않았다. 코트부서토르 지역은 낡은 뮤직홀 포스터만큼이나 닳고 닳은 지역이었고, 아트미랄 가 43번지는 쥐들이 귀마개를 하고 다닐 만큼 시끄럽고, 바퀴벌레가 심한 기침을 할 만큼 더러운 동네였다. 노이만의 방은 뒷골목 지하에 있었다. 그곳은 눅눅하고 더럽고 악취가 났다. 그리고 노이만은 그곳에 있지 않았다.

관리인은 한물가다 못해, 폐기된 수직갱으로 추락한 창녀였다. 그녀의 머리는 다리를 굽히지 않고 높이 쳐들며 빌헬름 가를 행진하는 나치 군인들 못지않게 부자연스러웠고, 종이 클립 같은 입술은 진홍색 립스틱을 바를 때 복싱 글러브를 낀 게 분명했다. 가슴은 고된 하루를 마친 짐마차 말의 궁둥이 같았다. 지금도 손님을 받고 있는지 모르겠지만, 뉘른베르크의 돼지고기 전문 정육점에 늘어선 줄 맨 앞에 있는 유대인을 목격할 확률이 더 높아 보였다. 그녀는 지저분한 목욕가운 앞섶을 여미지 않아 벌거벗은 몸을 드러낸 채, 반쯤 피우다 만 담배에 불을 붙이며 아파트 출입구에 서 있었다.

"노이만을 만나러 왔소." 나는 나에게 보이려고 풀어헤친 가운 안의 건포도 같은 젖꼭지 두 개와 러시아 귀족의 수염 같은 음모를 무시하려고 최선을 다하면서 말했다. 그녀를 보는 것만으로도 매독에 걸린 것처럼 엉덩이가 간지러웠다. "나는 그의 친구요." 창녀는 따분하다는 듯이 하품을 하고, 그만하면 충분히 공짜로 보여 줬다는 듯이 가운을 여미고 허리띠를 맸다.

"경찰이에요?" 그녀가 킁킁거렸다.

"말했듯이 친구요." 창녀는 팔짱을 끼고 출입문에 몸을 기댔다.

"노이만은 친구가 없는데." 창녀는 자신의 더러운 손톱을 보다가 내게 얼굴을 돌리며 말했다. 그녀에게 일 마르크를 줘야 했다. "아마 나를 빼면요. 나야 그 가여운 미치광이를 안쓰러워할 뿐이지만. 만약 당신이 친구라면 그 사람한테 병원에 가 보라고 말해야 할 거예요. 댁도 알겠지만 그 사람은 머리가 정상이 아니거든요." 그녀는 담배를 오래 한 모금 빨더니 내 어깨 너머로 꽁초를 튕겼다.

"그는 미치지 않았소. 단지 자신과 말을 하는 경향이 있달까. 약간 이상할 뿐이지."

"그게 미친 게 아니면 뭐가 미친 건지 모르겠네." 그녀가 말했다. 이 여자 역시 미친 여자 같았다.

"언제 돌아올지 압니까?"

창녀가 어깨를 으쓱했다. 손가락마다 반지를 낀 푸른 정맥투성이 손이 내 넥타이를 잡았다. 그녀는 수줍게 보이는 미소를 지으려고 했지만 찡그린 것처럼 보일 뿐이었다. "그를 기다려야 할 모양이군요. 이십 마르크면 많은 시간을 살 수 있죠."

넥타이를 그녀의 손에서 떼어 내고 지갑을 꺼내 오 마르크를 주었다. "나도 그러고 싶소. 정말이지. 하지만 가야 할 것 같군. 노이만을 보면 내가 찾고 있다고 말해 주시오. 귄터라는 사람이. 베른하르트 귄터."

"고마워요, 베른하르트. 당신은 진짜 신사군요."

3월의 제비꽃
—
151

"그가 어디에 있을지 짐작 가는 데가 있소?"

"베른하르트, 모르기는 나도 마찬가지예요. 세상 구석구석을 뒤져도 못 찾을 거예요." 그녀는 어깨를 으쓱하고 고개를 저었다. "빈털터리라면 X술집이나 루커 바 같은 데 있을 거예요. 주머니에 돈푼이라도 있다면 페미나나 카사노바 카페에서 여자나 낚아 보려 하겠죠." 나는 계단을 내려가기 시작했다. "그가 이곳들 중 어느 곳에도 없다면 경마장에 있을 거예요." 그녀가 층계참까지 나를 따라오더니 계단 몇 개를 내려왔다. 나는 안도의 숨을 쉬며 차에 올랐다. 건물 안에 있는 창녀에게서 도망치는 건 늘 쉽지 않았다. 그들은 문밖으로 걸어 나와 영업하는 모습을 보이길 싫어하니까.

나는 전문가들에 대한 믿음이 별로 없다. 그 점에 대해서라면 목격자의 증언에 관해서도 마찬가지다. 수사의 경험이 쌓이는 동안 옛날 방식 그대로 정황 증거, 즉 누군가가 어떤 종류의 범행을 저질렀다면 어쨌든 그가 그런 짓을 할 만한 타입이기 때문에 그런 범행을 저질렀다고 말해 주는 정황 증거를 중시하는 일파에 속하게 된 것 같다. 거기에 더하여 사람들에게서 입수한 정보 또한.

노이만 같은 끄나풀을 잡아 두기 위해서는 신뢰와 참을성이 요구된다. 당연히 노이만에게는 전자에 해당 사항이 없기 때문에 당연히 내게는 후자에 해당 사항이 없다. 하지만 그에 관해서만 일 뿐, 내게는 참을성이 많다. 노이만은 내가 겪어 본 최고의 끄나풀로 그의 정보는 대개 정확하다. 나는 그를 지켜 주지 않을 도리가 없었다. 그렇다고 해서 그에게 의존하는 것은 아니다. 다른 모든 끄나풀들처럼 노이만도 자신의 누이의 정조마저 태연히 팔아 치울 부류의 인간이다. 그는 상대의 신뢰를 얻으려고 힘을 다하겠지만 나는 호페가르텐 경마에서 우승할 말을 찍는 정도의 기분으로 정보를 받아들여야 할 것이다.

나는 처음과 마지막에 미국의 히트송을 끼워 연주하는 불법적 재즈 밴드를 고용한 X술집부터 수색을 시작했다. 그 밴드는 아리아인들이 마음에 들어 할, 문화적으로 수용할 만한 무해한 음악은 뭐든 연주했다. 그들은, 어떤 나치에게는 소위 열등하다고 간주될 수도 있는 음악을 연주함으로써 발생할 수 있는 문제를 일으키지 않았다.

때때로 이상한 행동을 하는데도 불구하고 노이만은 내가 본 특징 없는 사람들 중에서도 가장 특징 없는 사람들 중 하나였다. 그것이 그를 그처럼 뛰어난 끄나풀이 되게 한 이유였다. 꼼꼼히 살펴야 했지만 이 특별한 날 밤 X술집에는 그가 있다는 징후를 찾을 수 없었다. 홍등가의 거친 구역에 있는 루커 바나 알라페 어디에도 없었다.

아직 채 어두워지지 않았는데도 마약상들이 보였다. 코카인을 팔다 잡히면 강제수용소로 보내졌는데, 내가 보기에 경찰은 그들 대부분을 잡지 못했다. 하지만 내 경험상 그들을 단속하기가 쉽지 않았다. 마약상들은 절대 코카인을 갖고 다니지 않았다. 그들은 물건을 가까이에 있는 외딴 골목이나 외딴 건물 입구 같은 곳에 숨겼다. 어떤 자들은 담배를 파는 전쟁 불구자인 척했고, 어떤 자들은 담배를 파는 진짜 전쟁 불구자로 바이마르 시대에서부터 이어져 온, 검은 점 세 개가 찍힌 완장을 차고 있었다. 그렇다고 해도 이 완장이 공적인 권한을 나타내는 것은 아니었다. 오직 구세군만이 길모퉁이에서 행상을 할 수

있도록 허가를 받았다. 그러나 부랑자 금지법은 여행자들이 다닐 만
한 도시의 보다 화려한 구역을 제외하면 그 밖의 지역들에서는 그리
강력하게 시행되지 않았다.

"시이가, 담배애." 쉰 목소리가 외쳤다. '코카인을 판다'는 이 친숙한
신호에 구매자들은 크게 코를 훌쩍이는 것으로 답했고, 사고 난 다음
에야 그것이 조리용 소금이거나 아스피린이라는 것을 알게 되는 경
우도 종종 있었다.

뉘른베르거 가에 있는 페미나는, 특별히 풍만하고 화려한 여자를
만나는 데 삼십 마르크를 내는 걸 개의치 않는다면, 여자들을 만나고
싶을 때 가는 곳이었다. 테이블 위에 놓인 전화기가 특징으로 노이만
처럼 수줍음을 타는 타입에게 적합했고, 따라서 페미나는 그가 돈이
있을 때면 거기에 있으리라고 추정되는 곳이었다. 젝트 한 병을 주문
하고 테이블에서 떠나지도 않은 채 여자를 부를 수도 있었다. 그곳에
는 클럽의 반대편 끝에 있는 여자의 손에 작은 선물을 배달할 수 있는
공기 튜브까지 구비되어 있었다. 돈을 빼면 페미나에서 남자에게 필
요한 것은 좋은 눈뿐이었다.

나는 구석 테이블에 앉아 무료하게 메뉴를 힐끗거렸다. 술 메뉴처
럼 튜브를 통해 보낼 수 있는 선물 메뉴가 있었는데, 그것을 웨이터에
게서 살 수 있었다. 파우더 콤팩트 일 마르크 오십 페니히. 성냥 케이
스 일 마르크. 그리고 향수 오 마르크. 돈이야말로 마음에 드는 여자
누구에게든 가장 인기 있을 만한 선물이리라는 생각이 들었다. 노이
만이 있는 기색은 없었지만 그가 나타날 경우를 대비해 잠시 버텨 보
기로 마음먹었다. 나는 웨이터에게 손짓을 해 맥주를 주문했다.

일종의 카바레 같은 곳이었다. 오렌지색 머리 여가수가 현을 튕기는 듯한 목소리로 노래를 부르고 있었고, 눈썹이 맞붙은 왜소한 코미디언이 아이스크림 선디 위에 놓인 과자만큼이나 위태로운 농담을 하고 있었다. 페미나의 손님이 여흥을 즐기고 있을 가능성은 타 버린 의사당이 재건될 공산에도 미치지 못하리라. 노래가 이어질 때에는 웃음이, 코미디언이 떠들고 있는 동안에는 노래가 이어졌다. 미친개가 달려든다 해도 손을 쓸 수 없을 만큼 난잡한 상황이었다.

주위를 둘러보자 너무나 많은 가짜 속눈썹이 나를 향해 깜빡이고 있어서 바람이 부는 것처럼 느껴지기 시작했다. 몇 테이블 너머에 앉은 뚱뚱한 여자가 통통한 손가락을 내게 흔들었고, 내 비웃음을 미소로 오해한 그녀는 안간힘을 쓰며 자리에서 일어나기 시작했다. 나는 신음을 냈다.

"네, 손님?" 웨이터가 대답했다. 나는 지갑에서 구겨진 지폐를 꺼내 그의 쟁반 위로 던졌다. 거스름돈을 무시하고 나는 몸을 돌려 그곳에서 달아났다.

못생긴 여자와 밤을 보내는 것보다 더 불안한 게 있다면 그것은 그 여자와 다음 날 아침을 맞는 것이다.

차에 올라 포츠다머 광장으로 향했다. 따뜻하고 건조한 밤이었지만 자줏빛 하늘이 내는 천둥소리는 날씨가 곧 나빠지리라는 것을 예고했다. 나는 팔라스트 호텔 앞 라이프치거 광장에 주차했다. 그런 다음 호텔 안으로 들어가 아들론 호텔에 전화했다.

전화를 받은 베니타가 헤르미네의 메시지를 전해 주었다. 내가 전화를 하고 삼십 분쯤 후에 어떤 남자가 전화를 걸어 인도 공주에 대해 물었다고 했다. 내가 알고 싶었던 게 그것이었다.

　나는 차에 있는 레인코트와 손전등을 가지러 갔다. 레인코트에 손전등을 숨기고 베를린 선로 회사와 농림부를 지나 콜룸부스 하우스를 향해 포츠다머 광장 쪽으로 오십 미터를 걸었다. 오층과 칠층에는 불이 켜져 있었지만 팔층에는 불이 켜져 있지 않았다. 두꺼운 유리문 안을 들여다보았다. 경비원이 책상에 앉아 신문을 읽고 있었고, 안쪽 복도에서는 어떤 여자가 전동 광택기로 바닥을 청소하고 있었다. 헤르만 괴링 가 쪽으로 모퉁이를 돌았을 때 비가 내리기 시작했다. 나는 콜룸부스 하우스 뒤편에 있는 지하 주차장으로 통하는 좁은 길을 향해 왼편으로 돌았다.

　주차장에는 DKW와 메르세데스 두 대뿐이었다. 경비원과 청소부의 차일 것 같지는 않았고, 여전히 사무실에서 일하고 있는 사람들의 차일 확률이 높았다. 두 대의 자동차 뒤쪽에 있는 격벽 조명 밑에 '직원용'이라고 쓰인 회색 강철 문이 있었다. 문에는 손잡이가 없었고, 잠겨 있었다. 문은 안쪽에서 닫을 때 용수철 달린 빗장이 잠기는 방식으로 밖에서 열쇠로 열어야 하는 게 분명했고, 청소부가 이 문을 통해 건물 밖으로 나갈 때가 절호의 기회라고 생각했다.

　건성으로 주차된 두 자동차의 문들을 체크했는데 메르세데스의 차문이 잠기지 않았다는 것을 알았다. 운전석에 앉아서 라이트 스위치를 더듬었다. 뉘른베르크 정당 대회의 스포트라이트처럼 두 개의 헤드라이트가 어둠을 갈랐다. 나는 기다렸다. 몇 분이 흘렀다. 지루해진 나는 좌석 앞의 사물함을 열었다. 지도와 박하사탕 한 봉지, 최근 스탬프가 찍힌 당원 명부가 들어 있었다. 명부의 소지자는 헤닝 페터 만슈타인이었다. 비교적 당원 번호가 일렀기 때문에 명부 9페이지에 실린 남자의 사진 속 젊은 모습이 믿기지 않았다. 초기 당원 번호의 매매가 왕성하게 이루어지고 있었기 때문에 만슈타인이 그 지위를 어떻게 얻었는지는 의심의 여지가 없었다. 빠른 당원 번호는 빠른 정치적 출세에 필수적이었다. 사진 구석을 가로질러 정당 휘장이 뚜렷하게 돋을새김되어 있었고, 그의 잘생겼지만 탐욕스러운 얼굴 전면에 3월의 제비꽃 스탬프가 찍혀 있었다.

십오 분이 지났을 쯤 '직원용' 문이 열리는 소리가 들렸다. 나는 운전석에서 퉁기듯 몸을 세웠다. 문을 연 사람이 만슈타인이라면 부리나케 도망칠 작정이었다. 헤드라이트 불빛이 주차장 바닥을 비추고 있는 가운데 청소부가 문에서 나왔다.

"문 닫지 말아요." 내가 외쳤다. 나는 헤드라이트를 끄고 차 문을 세게 닫았다. "위에다 뭘 두고 왔군요. 프런트까지 빙 돌아가야 할지 생각중이었소." 내가 다가갈 때까지 그녀는 말없이 문을 잡고 서 있었다. 가까이 다가가자 청소부가 옆으로 비키며 말했다.

"저는 놀렌도르프까지 걸어가야 해요. 집까지 태워 줄 대형차가 없거든요."

내가 만슈타인이라고 상상하며 나는 바보처럼 순하게 미소 지었다. "고맙소." 나는 그렇게 말하고 사무실에 열쇠를 두고 왔다는 말을 웅얼거렸다. 청소부는 잠시 망설이더니 잡고 있던 문을 내게 넘겼다. 나는 건물 안으로 발을 들이고 문에서 손을 떼었다. 내 뒤로 문이 닫히자 볼트가 볼트 구멍으로 들어가며 내는 실린더 자물쇠의 소리가 들렸다.

동그란 창이 나 있는 이중문은 판지 상자가 쌓인 길고 불 밝힌 복도로 통했다. 복도 맨 끝에 승강기가 있었지만 경비원에게 들키지 않고 탈 방법이 없었다. 그래서 나는 계단에 앉아 신발과 양말을 벗은 다음 신발을 먼저 신고 다시 그 위에 양말을 신었다. 딱딱한 바닥 위에서 구두 소리를 죽이는, 도둑들이 선호했던 낡은 속임수다. 나는 몸을 일으키고 긴 등반을 시작했다.

팔층까지 올라왔을 즈음, 숨을 죽이고 계단을 오른 탓에 심장이 거세게 쿵쾅거렸다. 계단 모퉁이에서 기다렸지만 예쇼넥 옆 사무실에서는 어떤 소리도 들리지 않았다. 복도 양 끝을 손전등으로 비춰 보고 그의 사무실 문으로 걸어갔다. 경보기가 설치되어 있을 경우를 대비해 무릎을 꿇고 그와 관련된 전선들을 찾아보았지만 아무것도 없었다. 첫 번째 열쇠로 문이 열리지 않았기 때문에 다음 열쇠로 시도해 보았다. 두 번째 열쇠가 끝까지 돌아가지 않아 열쇠 구멍에서 빼낸 다음 작은 줄로 문제가 있는 부분을 다듬었다. 다시 시도하자 이번에는 성공이었다. 나는 문을 열고 들어가 담당 구역을 순찰하기로 마음을 먹을지도 모를 경비원을 대비해 문을 잠갔다. 손전등 불빛으로 안내 데스크와 그 위에 걸려 있는 그림들을 비춰 보고 예쇼넥의 개인 사무실로 통하는 문으로 갔다. 손안의 열쇠는 어떠한 문제도 일으키지 않고 부드럽게 돌아갔다. 마음속으로 자물쇠 장인의 이름을 축복하며 창가로 걸어갔다. 프쇼르 하우스 꼭대기에서 발하는 네온사인이 예쇼넥의 호화로운 사무실을 빨갛게 물들였기 때문에 손전등 불빛을 더할 필요는 없었다. 나는 손전등을 껐다.

책상 앞에 앉아 뭘 찾아야 할지도 모른 채 찾기 시작했다. 서랍은 잠겨 있지 않았지만 서랍 안에는 내가 흥미 있어 할 만한 게 거의 없었다. 빨간 가죽 장정 주소록을 찾았을 때는 흥분했지만 죽 훑어보니 아는 이름은 하나뿐이었다. 헤르만 괴링으로, 단지 데어플링거 가의 게르하르트 폰 그라이스라는 사람을 거치는 전교[43] 서신이었다. 나는 뚱뚱보 괴링이 가끔 자신을 대신해 값비싼 보석들을 사들이게 하는 대리인을 두었다는 말을 전당포 주인 바이츠만에게서 들은 기억이 났고, 그래서 나는 폰 그라이스의 주소를 적은 다음 그 종이를 주머니에 넣었다.

서류 캐비닛 역시 잠겨 있지 않았지만 역시 이렇다 할 소득이 없었다. 보석과 준보석 관련 카탈로그 뭉치, 루프트한자 비행기 시간표, 환율과 관계된 많은 양의 서류, 청구 서류 몇 장과 생명보험 증서 몇 장이 있었고, 그중 하나는 게르마니아 생명보험회사 것이었다.

그럭저럭 조사하는 동안 사무실 구석에 있는 큼직한 금고가 눈에 띄었다. 금고는 예쇼넥의 비밀을 파헤치려는 나의 꽤 미비한 시도를 조롱하는 듯한 난공불락의 요새 같았다. 그에게 그러한 비밀이 있다면. 금고가 놓인 곳은 경보기가 설치되어 있으리라고 보기 어려웠다. 트럭 한 대분의 다이너마이트가 있지 않는 한 저 금고를 열 수는 없을 것 같았다. 휴지통을 빼고는 조사할 게 그리 많지 않았다. 나는 책상 위에 내용물을 쏟고 종잇조각을 뒤적이기 시작했다. 리글리 추잉껌 종이, 《푈키셔 베오바흐터》 조간지, 레싱 극장표 반 조각, KDW 백화점에서 받은 영수증과 구겨서 뭉친 종이 몇몇 개. 나는 그 종이들을

---

43. 다른 사람을 거쳐서 받게 한다는 뜻으로, 편지 겉봉에 쓰는 말.

퍼 보았다. 그 종이들 중 하나에 아들론 호텔의 전화번호가 적혀 있었고, 그 밑에 물음표가 달린 '무시미 공주'라고 쓴 다음 몇 개의 줄이 쳐져 있었다. 그 옆에는 내 이름이 쓰여 있었다. 내 이름 옆에 또 다른 전화번호가 중세 시대 성경의 화려한 장식 채색처럼 끄적여 있었다. 베를린 서부 지역 쪽 번호라는 것은 알았지만 나에게는 미스터리였다. 나는 전화기를 들고 교환원을 기다렸다.

"번호를 알려 주시겠어요?"

"J 1―90―33."

"연결하겠습니다." 잠시 침묵이 흐른 다음 벨이 울리기 시작했다.

나는 얼굴이나 목소리를 기억하는 특출한 능력이 있었지만 프랑크푸르트 억양이 살짝 섞인 교양 있는 목소리를 생각해 내는 데는 수분의 시간이 걸린 것 같았다. 남자가 전화번호를 확인한 다음 맞는다고 말했을 그때는.

"미안합니다." 나는 티가 나게 우물거렸다. "잘못 걸었군요." 하지만 수화기를 내려놓았을 때는 잘못 건 전화가 아니라는 것을 알았다.

9

그 묘지는 국가사회주의에서 가장 존경받는 순교자 호르스트 베셀의 추모비에서 멀지 않은 프렌츨라우어 가로수 길의 니콜라이 공동묘지 북쪽 담 가까이에 있었다. 몰켄 시장 근처 니콜라이 예배당에서 짧은 예배가 끝난 후 고인들이 차례로 매장되었다.

뚜껑을 연 그랜드피아노처럼 생긴 멋진 검은 모자를 쓴 일제 루델은 침대에서보다 상복을 입은 모습이 더 아름다워 보일 지경이었다. 그녀와 몇 번 눈이 마주쳤지만 그녀는 내 목덜미를 덥석 물어뜯기라도 할 듯 입을 꽉 다물고, 내가 더러운 글라스인 양 나를 노려보았다. 직스는 비탄에 빠졌다기보다 화가 난 표정이었다. 눈썹을 찌푸리고 고개를 숙인 그는 무덤을 내려다보며 초자연적인 의지로 딸을 되살려 내려고 애쓰는 것처럼 보였다. 하우프트핸들러의 모습도 보였다. 그는 다이아몬드 목걸이의 처분 같은, 보다 긴급한 다른 문제들을 떠안은 사람처럼 생각에 골몰해 있는 듯 보였다. 예쇼넥의 휴지통에서 나온 종이 한 장에 적힌 하우프트핸들러의 전화번호, 아들론 호텔의 전화번호, 내 이름, 가짜 공주의 이름은 연쇄적으로 발생 가능한 인과관계를 암시했다. 내 방문에 놀라고, 내 이야기에 당혹스러워한 예쇼넥이 인도 공주의 존재를 확인하기 위해 아들론 호텔에 전화를 걸어서 물은 다음, 나에게서 들은 이야기와 일치하지 않는 보석 절도에 관련된 일과 그 소유주에 관한 사실들을 확인하기 위해 하우프트핸들러에게 전화했다.

아마도. 적어도 일이 그렇게 진행되었을 터였다.

하우프트핸들러가 한순간 냉담한 표정으로 나를 잠시 바라보았다. 하지만 나는 그의 표정에서 아무것도 읽을 수 없었다. 죄책감도, 공포도, 내가 확신하는 예쇼넥과의 관계에 대해 시치미를 떼는 듯한 낌새도, 두 사람의 관계를 내가 눈치챘을지도 모른다는 의심도 읽을 수 없었다. 그가 두 건의 살인을 저지른 사람이 아니라고 생각할 만한 어떤 근거도 없었다. 하지만 그는 분명히 금고털이는 아니었다. 그가 어떻게든 파르 부인에게 금고를 열도록 설득했던 걸까? 그녀의 보석을 취할 목적으로 그녀에게 구애한 걸까? 일제 루델이 내게 한 말처럼 두 사람은 바람을 피웠을지도 모르고, 그것을 한 가지 가능성으로 계산해야 했다.

이곳에는 내가 아는 몇몇 얼굴들이 있었다. 크리포 시절에 알던 얼굴들. 국가형사이사관 아르투르 네베. 크리포 간부 한스 로베. 그리고 게슈타포의 수장이자 SS 국가지도자라기보다 깐깐한 교사처럼 보이는, 무테안경을 쓰고 작은 콧수염을 기른 어떤 얼굴. 바로 그 힘러의 장례식 참석은, 파르가 SS 국가지도자인 그의 수제자이며 그가 살인자를 방관하지 않을 거라던 브루노 슈탈레커의 인상을 확인해 주었다.

브루노가 언급했던 파울 파르의 정부일지도 모를 여자는 이곳에 있는 것 같지 않았다. 정말 그녀를 보기를 기대한 것은 아니지만 모를 일 아닌가.

장례 후 하우프트핸들러가 그의 고용주이자 나의 고용주인 직스의 말을 전했다. "직스 씨는 가족 간의 행사에 당신이 관여하는 걸 마뜩잖아 하십니다. 당신에게 일당이 지불되고 있다는 사실을 상기시켜 드립니다."

나는 검은색 대형차에 오르는 조문객들을 지켜보다가 힘러와 크리포 소속 고위급 경찰들이 차에 오르는 모습을 보았다. "이봐요, 하우프트핸들러 씨." 내가 말했다. "속이 뻔히 들여다보이는 허세는 그만두시죠. 자루 안에 고양이를 넣을 생각이라면 지금 나를 자르라고 당신 고용주에게 전해 주십시오. 나는 상쾌한 공기와 추모 연설이 좋아서 여기에 있는 게 아닙니다."

"그럼 왜 여기에 계시죠, 귄터 씨?"

"『니벨룽겐의 노래』를 읽어 본 적 있습니까?"

"물론이죠."

"그렇다면 니벨룽 전사들이 살해당한 지크프리트의 복수를 원했다는 걸 기억하실 겁니다. 하지만 그들은 누구에게 복수를 해야 할지 몰랐습니다. 그래서 피의 심판이 시작됐죠. 부르군트 전사들이 영웅의 관 앞을 차례로 통과했습니다. 그리고 살인자 하겐의 차례가 왔을 때 지크프리트의 상처에서 다시 피가 흘렀고, 그래서 하겐이 복수의 대상자라는 사실이 드러났죠."

하우프트핸들러가 미소 지었다. "현대 범죄 수사에서는 그런 일이 거의 일어나지 않겠죠?"

"탐정 일은 사소한 의식을 관찰해야 하는 겁니다, 하우프트핸들러 씨, 남들이 보기엔 그게 시대착오적으로 비칠 겁니다. 눈치채셨는지 모르겠지만 이 사건의 단서를 찾기 위해 이 장례식에 참석한 사람은 나뿐만이 아니죠."

"여기에 온 누군가가 정말 파울과 그레테 파르를 죽였을 거라고 말씀하시는 겁니까?"

"그렇게 쉽게 생각하는 건 아닙니다. 물론 그럴 가능성도 있죠."

"그거야말로 말도 안 되는 소리 같군요. 당신 말이 맞다 치고, 여전히 마음에 짚이는 하겐 역이 있습니까?"

"생각중이죠."

"그럼 머지않아 직스 씨에게 그가 누군지 보고하시리라 믿죠. 좋은 하루였길 바랍니다."

한 가지는 인정해야 했다. 하우프트핸들러가 파르 부부를 죽였다면 그는 열 길 물속에 들어 있는 보물 상자만큼이나 태연했다.

나는 프렌츨라우어 가를 따라 알렉산더 광장으로 차를 몰았다. 나에게 온 우편물을 모아 사무실로 올라갔다. 청소부 아줌마가 창문을 열어 놓았지만 여전히 술 냄새가 풍겼다. 그녀는 내가 술을 퍼마셨을 거라고 생각했으리라.

우편물은 수표 두 장, 청구서 그리고 열두시에 크란츨러 카페에서 만나자는, 노이만이 직접 놓고 간 쪽지였다. 나는 손목시계를 보았다. 거의 열한시 삼십분이었다.

독일 전쟁 기념비 앞에서 국방군 일대가 관악대의 연주에 합세하여 손발에 물집을 만드는 데 한창이었다. 가끔 나는 독일에 자동차보다 관악대가 더 많으리라는 확신이 든다. 관악대는 〈대선제후大選帝侯의 기병대 행진〉을 연주하며 브란덴부르크 문을 향해 발걸음을 재촉했다. 지켜보는 모든 이가 팔을 치켜들고 있어서 나는 그들과 맞닥뜨리는 것을 피하기 위해 머뭇거리며 어느 가게 출입구로 물러났다.

적당한 거리를 두고 퍼레이드 뒤를 따라 걸으며 수도에서 가장 유명한 거리의 변화에 대해 곰곰이 생각했다. 당국은 내가 보고 있는 군대 행진을 보다 쉽게 하기 위해 운터 덴 린덴 가[44]가 필요하다고 생각했다. 당국은 거리의 이름에 맞는 가로수 대부분을 뽑아 버리는 데 만족하지 않고 독일 독수리가 위에 앉아 있는 하얀 도리아식 기둥들을 세웠다. 새로운 가로수들이 심겼지만 가로등보다도 키가 작았다. 중앙 도로는 열두 열이 나란히 행진할 수 있도록 넓혀졌고, 군화가 미끄러지지 않도록 붉은 모래가 깔렸다. 임박한 올림픽을 위해 긴 흰색 깃대들이 세워졌다. 운터 덴 린덴 가는 건축 디자인과 스타일의 혼재 속에 많은 조화 없이도 화려했었다. 그러나 그 화려함은 이제 잔악해 보였다. 보헤미아식 페도라는 뿔 달린 철모가 되었다.

프리드리히 가 모퉁이에 있는 크란츨러 카페는 여행자들에게 인기가 많았고, 그에 맞게 가격이 비쌌다. 따라서 만남의 장소로 노이만이 고를 만한 곳이 아니었다. 나는 손도 대지 않은 케이크 한 조각과 모카커피 한 잔을 앞에 두고 초조해하는 그를 발견했다.

"왜 그러지?" 내가 자리에 앉으며 말했다. "입맛이 없나?"

---

44. 가로수 길이라는 뜻.

노이만이 접시를 냉소적으로 바라보았다. "이 나라 정부 같아요. 더럽게 맛있어 보이는데 아무 맛도 없어요. 형편없는 가짜 크림이죠." 나는 웨이터를 손짓해 부르고 커피 두 잔을 주문했다. "저기요, 귄터 씨. 얘기를 빨리 끝낼 수 있을까요? 오늘 오후에 카를쇼르스트에 가 봐야 해요."

"그래? 돈을 딸 만한 정보라도 있나?"

"음, 사실은……,"

나는 웃음을 터뜨렸다. "노이만, 설사 자네가 돈을 걸 말이 함부르크 고속 열차보다 빠르더라도 나는 그 말에 걸지 않을 거야."

"시끄러워요." 그가 잘라 말했다.

어쨌든 노이만을 인류의 일원이라고 한다면 그는 사람들이 가장 탐구해 보고 싶은 대상이 될 터였다. 두 마리 애벌레처럼 꿈틀거리는 눈썹이 형편없이 헝클어진 머리와 맞닿아 있었다. 기름투성이 지문으로 거의 불투명해진 두꺼운 안경 너머, 찔리는 데가 있는 듯한 그의 회색 눈은 마치 어느 순간에라도 누워 버리겠다는 듯이 바닥을 살피고 있었다. 담배 연기가 담뱃진으로 심하게 물든 잇새에서 뿜어져 나왔다. 아래윗니가 두 개의 나무 울타리처럼 보였다.

"곤경에 빠진 건 아니겠지?" 내 질문에 노이만의 얼굴이 침착해졌다.

"어떤 사람한테 빚을 조금 진 것뿐이에요."

"얼마나?"

"이백요."

"그래서 그 빚의 일부를 마련해 보려고 카를쇼르스트에 가겠다는 말인가?"

그가 어깨를 으쓱했다. "그렇다면 어쩔 건데요?" 그는 주머니에서 담배를 꺼낸 다음 성냥을 찾으려고 또 다른 주머니를 뒤졌다. "성냥 있어요? 내 건 다 떨어졌군요." 나는 성냥갑을 테이블 위에 던졌다.

"가져." 내가 그와 내 담배에 불을 붙이며 말했다. "이백이라고, 응? 그 정도는 도와줄 수 있을지도 몰라. 빚을 갚고 남을 수도 있어. 그러니까, 내가 제대로 된 정보를 얻는다면 말이야."

노이만이 눈썹을 추켜세웠다. "어떤 정보요?"

나는 폐 안 깊숙이 담배 연기를 빨아 들였다. "금고털이의 이름. 일주일 전에 일을 치렀을 일급 전문 털이범. 보석 몇 개를 훔쳤지."

그가 입을 오므리고 천천히 머리를 저었다. "들은 게 없는데요, 귄터 씨."

"그럼, 듣게 되면 바로 알려 줘."

"그것보다도," 그가 목소리를 낮추며 말했다. "게슈타포에게 잘 보일 수 있는 정보가 있어요."

"그게 뭐지?"

"유대인 U보트가 숨어 있는 곳을 알아요." 그가 의기양양하게 미소 지었다.

"노이만, 나는 그따위 정보는 필요 없어." 그러나 그렇게 말하고 나자 내 의뢰인 하이네 부인과 그녀의 아들이 생각났다. "잠깐, 그 유대인 이름이 뭐지?" 노이만이 이름을 알려 주며 역겹게 씩 웃었다. 그의 삶이란 석회 해면[45]보다 더 나을 게 없었다. 나는 손가락으로 그의 코를 똑바로 가리켰다. "만약 내가 그 U보트가 연행됐다는 이야길 듣는다면 누가 밀고했는지 조사할 필요도 없을 거야. 약속하지, 노이만. 그렇게 되면 너를 찾아내서 네 눈꺼풀을 찢어 버릴 테니까."

"당신과 무슨 상관인데요?" 그가 징징거렸다. "골트베르크 갑옷을 입은 기사라도 되셨어요?"

"그의 어머니가 내 의뢰인이야. 그에 대해 들은 걸 잊어버리기 전에 그가 있는 주소를 알려 주면 내가 어머니에게 전하지."

"좋아요, 좋아요. 그래도 그 정보가 어느 정도 값어치는 있지 않겠어요?" 나는 지갑을 꺼내 그에게 이십 마르크를 주었다. 그런 다음 노이만이 준 주소를 받아 적었다.

"너라면 쇠똥구리도 역겨워할 거야. 이제 금고털이에 대해 말해 볼까?"

그가 내게 눈살을 찌푸리며 분노했다. "이봐요, 아무것도 들은 게 없다고 말했잖아요."

"거짓말하지 마."

"정말로, 귄터 씨, 아무것도 모른다고요. 안다면 말하겠죠. 내가 돈이 필요하다는 걸 몰라요?" 그가 침을 삼키고 공중위생상 유해 물질로 인정받을 만한 손수건으로 이마의 땀을 닦았다. 그가 내 눈을 피하며 반쯤 피운 담배를 비벼 껐다.

"네 태도는 아무것도 모르는 사람이 아니야. 뭔가에 겁을 먹고 있군."

"아니에요." 그가 잘라 말했다.

45. 얕은 바다에 사는 해면 동물류.

"변태과에 대해 들어 본 적 없나?" 그가 머리를 저었다. "그들은 내 동료들이었다고도 말할 수 있지. 내가 알아낸 네 비밀을 그들에게 귀띔을 해 줄까 생각중이야. 네가 175조항[46] 악취를 풍긴다고 말이야." 그가 분노와 경악이 섞인 얼굴로 나를 보았다.

"내가 남자 거시기를 빨 것처럼 보여요? 난 호모가 아니에요. 아니라는 걸 알잖아요."

"그래. 하지만 그들은 모르지. 그리고 그들이 누구 말을 믿겠나?"

"설마 그런 짓은 하지 않겠죠." 그가 내 손목을 잡았다.

"들은 바에 의하면 호모들은 강제수용소에서 그리 좋은 시간을 갖지 못한다던데." 노이만이 자신의 커피 잔을 침울한 표정으로 응시했다.

"당신은 악마의 새끼야." 그가 한숨을 쉬었다. "당신이 말한 이백에 조금 더 주면 말하죠."

"백은 지금, 그리고 정보가 확인되면 이백 더." 그가 씰룩이기 시작했다.

"당신이 묻는 말이 얼마나 위험한 말인지 모를 겁니다, 귄터 씨. 링이 연관돼 있다고요. 내가 밀고한 걸 그들이 알면 분명히 날 죽일 거예요." 링은 공식적으로는 범죄자들의 갱생에 전념하는 전과자 조합들을 뜻했다. 그들의 단체 명칭들은 훌륭했고, 그들의 원칙과 규칙은 정당한 활동과 친목을 증명했다. 어떤 링은 호화로운 만찬을 자주 주

---

46. 1871년에서 1994년까지 시행된 독일 형사법 규정으로 남자 동성 간의 섹스 행위 금지법.

최했고(그들은 모두 상당한 부자였다), 변호사들과 경찰들이 주빈으로 초대됐다. 하지만 그 훌륭한 외관 이면의 링은 독일 내 조직범죄 협회일 뿐이었다.

"어느 링이지?"

"'독일의 힘'요."

"뭐, 그들은 알아내지 못할 거야. 어쨌든 어느 링도 전만큼 힘이 있지 않아. 요즘 잘나가는 링은 하나뿐이야. 나치당 말이야."

"매춘과 마약 사업에 약간의 타격을 입었는지 모르겠지만," 노이만이 말했다. "링들은 여전히 도박, 위조지폐, 암시장, 여권 사업, 고리대금, 장물 취급을 하고 있다고요." 그가 담배에 불을 붙였다. "정말이에요, 귄터 씨. 그들은 여전히 힘이 있단 말이에요. 그들을 건드리지 않는 편이 좋을걸요." 노이만은 목소리를 낮추고 내게 몸을 기울였다. "나는 그놈들이 수상을 위해 일하던 어떤 노귀족을 죽였다는 소문까지 들었어요. 어때요, 그 소문? 경찰들은 아직 그가 죽은지도 몰라요."

나는 머리를 쥐어짠 끝에 게르트 예쇼넥의 주소록에서 베낀 이름을 생각해 냈다. "그 귀족 이름이 폰 그라이스 아닌가?"

"이름은 듣지 못했어요. 내가 아는 건 그가 죽었다는 것과 경찰이 아직 그를 찾고 있다는 것뿐이에요." 그가 재떨이에 담뱃재를 부주의하게 떨었다.

"이제 금고털이에 대해서 얘기해 봐."

"글쎄요, 뭔가 들은 것 같긴 해요. 한 달 전쯤 쿠르트 무트슈만이라는 녀석이 테겔 감옥에서 이 년간의 복역을 마쳤어요. 듣기로 무트슈만은 진짜배기 금고털이죠. 그는 사후경직이 시작된 수녀의 다리도 벌린다더군요. 하지만 짭새들은 그가 금고털이인 줄 몰라요. 차를 훔치다 감방에 갔으니까요. 본업과는 상관없이. 여하튼 그는 '독일의 힘' 조직원이고 그가 감방에서 나오자 그 링이 그를 돌봐 줬어요. 얼마 후에 그들이 무트슈만에게 첫 일거리를 알선해 줬죠. 그 일이 뭐였는지는 몰라요. 하지만 재미있는 대목은 이거예요, 귄터 씨. '독일의 힘' 보스 레드 디터가 지금 살인 청부업자를 고용해 무트슈만을 쫓고 있고, 그가 행방불명이란 거요. 그 말인즉 무트슈만이 배반자라는 거죠."

"무트슈만이 전문가라 이거지."

"최고 가운데 한 명이죠."

"살인도 그의 본업 중 하나인가?"

"글쎄요, 나야 모르죠. 하지만 들은 바에 따르면 그는 예술가예요. 살인이 그의 전문은 아닌 것 같은데요."

"레드 디터는 어떤 자야?"

"그놈은 제대로 된 개새끼죠. 사람 죽이는 걸 코 후비는 정도로 아는 놈이에요."

"그를 만나려면 어디로 가야 하지?"

"그놈에게 내가 얘기했다는 말은 하지 않을 거죠, 귄터 씨? 목에 칼이 들어와도요."

"안 해." 나는 거짓말을 했다. 의리는 거기까지다.

"그럼, 포츠다머 광장에 있는 라인골트 레스토랑으로 가 보세요. 아니면 게르마니아 루프나요. 조언을 드리자면 총을 갖고 가는 게 좋을 거예요."

"내 걱정을 해 주다니 감동이군, 노이만."

"돈을 잊으신 건 아니겠죠." 그가 나를 일깨웠다. "내 말이 진짜면 이백 더 준다고 했잖아요." 그는 잠시 말을 끊었다가 다시 이었다. "그리고 지금 백." 지갑을 꺼내 그에게 오십 마르크 지폐 두 장을 건넸다. 그가 지폐 두 장을 창가에 대고 세심히 살폈다.

"농담이겠지."

노이만이 나를 물끄러미 쳐다보았다. "뭐가요?" 그가 돈을 잽싸게 주머니에 쑤셔 넣었다.

"아니야." 나는 자리에서 일어나 테이블에 동전 몇 개를 던졌다. "한 가지 더. 무트슈만이 쫓기고 있다는 이야기를 들은 게 언제인지 기억하나?" 노이만은 그럭저럭 생각하는 것처럼 보였다. "글쎄요. 그 귀족이 살해당했다고 들었던 지난주였나."

나는 운터 덴 린덴 가를 따라 서쪽으로 파리저 광장과 아들론 호텔을 향해 걸었다.

호텔에 도착한 나는 당당한 출입구를 지나쳐 검고 누르스름한 정사각형 기둥들이 떠받치고 있는 호화로운 로비로 들어갔다. 도처에 고상한 예술 장식품들이 있었다. 그리고 어느 구석에서나 대리석이 중후한 빛을 발하고 있었다. 나는 외국 기자들과 대사관 직원들로 꽉 찬 바로 가서 오랜 친구인 바텐더에게 맥주를 주문한 다음 전화를 쓰겠다고 말했다. 알렉스의 브루노 슈탈레커에게 전화를 걸었다.

"여보세요, 나야. 베르니."

"원하는 게 뭐지, 베르니?"

"게르하르트 폰 그라이스에 대해서는 어때?" 긴 침묵이 흘렀다. "그에 대해서 뭐?" 브루노의 목소리가 몰라도 될 것을 왜 파헤치느냐는 듯 막연한 도전처럼 들렸다.

"마침 내가 보고 있는 종이에 그 이름이 있어서 말이야."

"그게 다야?"

"음, 그가 사라졌다는 이야기를 들었네."

"어떻게 들은 거지?"

"왜 그래, 브루노. 왜 그 일을 그렇게까지 숨기려 드는 거지? 이봐, 내 귀여운 새가 나한테 지저귀어 주었네, 됐나? 조금만 더 알면 도움이 될 텐데 말이야."

"베르니, 지금 우리 부서에 중심이 되는 두 사건이 있는데, 자네는 두 사건 모두에 관련되어 있는 것 같군. 걱정스러운데."

"폐를 끼치지 않도록 오늘은 일찍 잠자리에 들지. 적당히 해 둬, 브루노."

"이걸로 일주일에 두 건이야."

"빚을 졌군."

"제대로 갚아야 해."

"그러니까 어떻게 된 거야?"

슈탈레커가 목소리를 낮췄다. "발터 푼크에 대해서 들어 봤나?"

"푼크? 아니, 들은 적 없는 것 같은데. 잠깐, 재계 거물 아닌가?"

"그는 히틀러의 경제 고문이었네. 지금은 독일 문화원 부원장을 맡고 있어. 그와 폰 그라이스 씨는 훈훈한 관계처럼 보였지. 폰 그라이스는 푼크의 남자 친구였어."

"총통은 호모들을 못 견뎌 한다고 알았는데?"

"그는 장애인도 못 참아. 그런데 요이 괴벨스가 절름발이인 걸 알았을 때 어땠겠나?" 옛 농담이었지만 어쨌든 나는 웃음을 터뜨렸다.

"그럼 푼크가 곤란한 지경에 빠지면 당국도 곤란해지기 때문에 쉬쉬하는 건가?"

"그뿐이 아니야. 폰 그라이스와 괴링은 오랜 친구야. 그들은 전쟁터에서 함께 복무했네. 괴링은 폰 그라이스가 첫 직업으로 I. G. 파르벤 화학 회사에 들어가게 도왔지. 그리고 최근에는 괴링의 중개상으로 활약했네. 예술품을 사는 것 같은 일 말이야. 국가형사이사관은 가능한 한 빨리 폰 그라이스를 찾아내길 열망하고 있어. 찾기 시작한 지 벌써 일주일이 넘었는데 흔적조차 없네. 그와 푼크는 프리파트 가에 밀회 장소를 갖고 있었지. 푼크의 아내도 몰라. 하지만 폰 그라이스는, 요즘에는 오지 않았어." 나는 주머니에서 예쇼넥의 책상 서랍에 들어 있던 주소록에서 주소를 베낀 종잇조각을 꺼냈다. 데어플링거 가에 있는 주소였다.

"프리파트 가라고 했나? 다른 주소는?"

"내가 아는 한 없네."

"자네가 조사중인가, 브루노?"

"이제는 아니야. 디에츠가 맡았어."

"하지만 그는 파르 사건을 수사중이잖아?"

"그럴걸."

"뭔가 냄새가 나는 것 같은데."

"모르겠네, 베르니. 나는 자네처럼 진짜 탐정이 되기엔 당구 큐가 코에 박힌 사내의 이름을 알아내는 데도 너무 바쁘네."

"강에서 건져 낸 사내 말인가?"

브루노가 짜증이 난다는 듯 한숨을 쉬었다. "언젠가 자네가 미처 모르는 걸 말할 때가 있겠지."

"일만이 그에 대해 얘기해 줬지. 요전 날 밤 우연히 마주쳤어."

"그래? 어디에서?"

"시체 안치소에서. 거기서 자네 고객을 만났네. 잘생긴 친구더군. 아마 그가 폰 그라이스겠지."

"아니, 아닐 거야. 폰 그라이스는 오른쪽 팔뚝에 독수리 문신이 있네. 어이, 베르니, 이제 끊어야 해. 수백 번 말하지만 나에게는 뭐든 감추지 마. 뭔가 들으면 알려 주게. 위에서 조여 와서 나도 정보가 필요하다고."

"아까도 말했다시피, 브루노. 빚을 하나 졌군."

"두 개야. 나한테 두 가지 빚을 졌어, 베르니."

나는 전화를 끊고 이번에는 테겔 형무소 소장에게 전화를 걸었다. 그와 만날 약속을 잡고 난 다음 맥주를 한 잔 더 시켰다. 맥주를 마시는 동안 나는 생각을 보다 명확하게 할 수 있길 바라며 종이 위에 대수학적인 무언가를 끄적였다. 끄적이길 마쳤을 때 나는 전보다 더욱 혼란스러워졌다. 대수학은 결코 내가 좋아하는 과목이 아니었다. 나는 내가 어딘가로 접근해 가고 있다는 사실을 알았지만 내가 도착할 곳이 어딘지 걱정스러웠다.

10

데어플링거 가는 라이프치거 가의 모퉁이와 빌헬름 가 남단에 위치한 새 항공성과 가까웠고, 라이프치거 광장에 있는 수상 관저와는 더욱 가까웠다. 폰 그라이스가 자신이 모시는 프로이센의 수상이자 공군 대장을 위해 대기하기에 편리했다.

폰 그라이스의 집은 깔끔한 아파트 건물의 삼층이었다. 관리인이 있는 기미가 보이지 않아 곧장 올라갔다. 노커로 문을 두드리고 기다렸다. 몇 분의 시간이 흘렀고, 나는 우편함을 들여다보려고 허리를 숙였다. 강한 스프링이 달린 우편함 뚜껑을 밀자 놀랍게도 문이 열렸다. 아파트가 샅샅이 파헤쳐졌다는 것을 깨닫는 데 셜록 홈즈의 사냥 모자까지는 필요 없었다. 긴 현관 복도의 쪽모이 마룻바닥에는 책, 서류, 편지 봉투와 빈 파일 들이 널려 있었고, 잔뜩 흩어져 있는 깨진 유리들은 유리문이 달린 큼직한 책장에서 나온 것이었다.

두 개의 문을 지나고 나서 앞에 있는 어느 방에선가 의자가 삐걱거리는 소리가 들렸을 때 발걸음을 멈추었다. 본능적으로 재킷 안의 총을 찾았다. 유감스럽게도 총은 차 안에 있었다. 벽에 걸려 있던 기병대 군도軍刀를 가지러 갈 때 뒤에서 유리를 밟는 소리가 들렸고, 뒷덜미를 찌르는 듯한 일격이 나를 거꾸러뜨렸다.

단지 몇 분이었겠지만, 몇 시간이 흐른 것처럼 느껴지는 동안 나는 깊은 우물 바닥에 누워 있었다. 의식을 찾아 가면서 주머니에 무언가가 들락거린다는 것과 멀리서 목소리가 들린다는 것을 의식했다. 이윽고 누군가가 내 겨드랑이 밑에 손을 넣고 몸을 일으켜 삼 킬로미터쯤 끌고 가 내 얼굴을 흐르는 물에 밀어 넣는 것이 느껴졌다.

나는 머리를 흔들고 나를 친 남자를 보기 위해 찡그린 눈으로 올려다보았다. 그는 빵 조각들을 입에 잔뜩 쑤셔 넣은 것처럼 입과 볼이 불룩 튀어나온 거인이었다. 그의 목을 둘러싸고 있는 옷은 이발소 손님의 목에 두르는 천이라고 하면 적절할 것 같았고, 그 목에는 쟁기를 거는 게 맞을 것 같았다. 감자 수 킬로그램이 들어 있는 것 같은 재킷 안의 두 팔은 생각보다 짧았고, 드러난 손목과 주먹의 크기와 색깔은 두 마리의 삶은 바닷가재 같았다. 심호흡을 하며 나는 고통스럽게 머리를 흔들었다. 나는 천천히 일어나 앉아 두 손으로 목을 만졌다.

"젠장, 무엇으로 날 친 거지? 철로 궤도?"

"미안하군." 나를 친 사내가 말했다. "하지만 당신이 군도를 집으러 가는 걸 봤을 때 살짝 치기로 마음먹었지."

"날 때려눕히기로 마음먹지 않은 걸 다행으로 여겨야겠군. 안 그랬으면……," 나는 그 거인이 거대한 손에 쥐고 있는 내 신분증을 향해 머리를 끄덕였다. "당신은 내가 누군지 아는 것 같군. 당신은 누구지? 내가 알아야 할 것 같은데."

"리에나커. 볼프 리에나커. 게슈타포. 당신은 전직 형사 아닌가? 알렉스의 형사 경찰."

"맞아."

"그리고 지금은 탐정이고. 여기서 뭘 찾았지?"

"폰 그라이스 씨를 찾으러 온 거야." 나는 실내를 힐끗 둘러보았다. 실내는 엉망진창이었지만 없어진 게 많아 보이지 않았다. 탁자 위의 은 장식대는 흐트러짐 없이 서 있었고, 빈 서랍들이 마루 위에 굴러다니고 있었다. 유화 수십 점이 벽에 나란히 기대 서 있었다. 이곳을 뒤진 누군가는 돈이 아닌 특별한 무언가를 찾은 게 분명했다.

"좋아." 그가 천천히 고개를 끄덕였다. "이 아파트의 주인이 누군지는 알겠지?"

나는 어깨를 으쓱했다. "폰 그라이스 씨라고 생각했는데."

리에나커가 양동이만 한 머리를 흔들었다. "가끔씩 왔지. 아니야. 이 아파트는 헤르만 괴링 소유야. 몇몇 사람만 알고 있지. 아주 극소수만." 그가 담배에 불을 붙이고 담뱃갑을 내게 던졌다. 나는 담배 한 개비를 꺼내 불을 붙이고 기꺼운 마음으로 담배를 빨았다. 손이 떨리고 있었다.

"그러니까 첫 번째 의문은," 리에나커가 말을 이었다. "당신이 그걸 어떻게 알았는가 하는 점이야. 두 번째는 왜 당신이 폰 그라이스와 만나고 싶어 했느냐. 당신도 먼저 온 놈들과 같은 것을 노렸나? 세 번째 의문은 현재 폰 그라이스의 소재야. 아마 숨어 있거나 누군가가 납치했거나 죽었겠지. 모르겠군. 이 집은 일주일 전에 이미 이렇게 됐어. 놓친 게 있는지 몰라서 다시 한 번 보려고 이곳에 왔지. 뭔가 생각이 떠오를까 싶어서. 그때 당신이 저 문을 열고 들어온 거야." 그가 담배를 길게 빨았다. 거대한 손에 들린 담배가 갓난아이의 이처럼 보였다.

"이 사건의 첫 실마리다운 실마리 같은데 말이야. 그럼, 당신이 어떤 말을 하는지 들어 볼까?"

나는 고쳐 앉아 넥타이를 바로 하고 흠뻑 젖은 깃을 펴려고 애썼다. "생각 좀 해 보지." 내가 말했다. "알렉스에 있는 친구가 경찰도 이곳은 모른다고 했는데 당신은 여기서 잠복근무중이었군. 당신이든 당신 상관이든 이렇게 일하는 방식을 좋아하는 모양이야. 폰 그라이스를 찾든가 적어도 그를 이토록 인기 있게 만든 것을 손에 넣는 게 좋을 거야. 경찰이 그렇게 하기 전에. 그건 은도 아니고 유화도 아니겠지. 그것들은 다 여기 있으니까."

"계속해."

"여기는 괴링의 아파트니까 당신은 괴링의 사냥개겠군. 괴링이 힘러에게 경의를 표할 이유는 없지. 결국 힘러가 그에게서 경찰과 게슈타포의 지배권을 빼앗은 셈이니까. 그러니까 괴링이 가능한 한 힘러의 부하들의 간섭을 배제하고 싶어 하는 이유가 이치에 맞겠지."

"뭔가 잊은 게 없나? 나는 게슈타포에서 일해."

"리에나커, 나는 패기 쉬운 사람인지 몰라도 바보는 아니야. 괴링에게 게슈타포 친구들이 많다는 걸 당신도 알고 나도 알아. 놀라운 일은 아니지. 그가 게슈타포를 창설했으니까."

"당신은 더 빨리 탐정이 됐어야 했군."

"내 의뢰인도 자신의 사업에 대해 경찰이 개입하는 것과 관련해서는 당신 대장과 거의 같은 생각을 갖고 있지. 그게 내가 당신한테 다 털어놓을 수 있는 이유야, 리에나커. 내 의뢰인은 정당하지 않은 경로로 손에 넣은 그림 한 점을 잃어버렸어. 유화를. 그러니까 경찰이 모르는 게 최선이지." 덩치가 잠자코 있어서 나는 계속 말을 이었다.

"어쨌든 이 주 전에 그 그림을 그의 집에서 도난당했어. 그 일에 내가 나서게 된 거지. 중개상 몇 명을 만났는데 헤르만 괴링은 예술품을 엄청나게 사 모으는 구매자로 카린할 깊숙한 어딘가에 옛 거장들의 예술품을 수집해 놓았다더군. 모두 정당하지 않은 경로로 손에 넣은 것들이라던데. 나는 그에게 중개상이 있다고 들었지. 폰 그라이스 씨 말이야. 예술품 구매와 관련된 모든 것들을 도맡아 한다더군. 그래서 나는 여기 와서 그를 만나기로 마음먹었지. 혹시 모르지. 내가 찾고 있는 그림이 벽에 늘어서 있는 그림들 중 하나일지."

"그럴지도 모르지." 리에나커가 말했다. "내가 당신이 한 말을 다 믿는다면 말이야. 누가 그렸고, 뭘 그린 거지?"

"루벤스." 내가 창의력을 즐기며 말했다. "두 여자가 강가에서 벌거벗고 있는 그림이야. 〈멱 감는 여인〉이라고 하지. 그 비슷한 이름이든가. 사무실에 사진이 있는데."

"의뢰인이 누구야?"

"미안하지만 말할 수 없어."

리에나커가 천천히 주먹을 들었다. "말하도록 설득해 볼 수도 있지."

나는 어깨를 으쓱했다. "그래도 말 못해. 난 의뢰인의 좋은 평판과 나쁜 평판 모두를 보호하는 명예로운 사람이니까. 상당한 사례비가 걸린 일이야. 이번 건은 나에게 아주 중요해. 멍이 좀 들고 갈비뼈가 몇 대 부러진다고 해도 말이야."

"좋아." 리에나커가 말했다. "그림을 살펴봐도 좋아. 그 그림이 거기에 있다면 먼저 나한테 알려 줘." 나는 후들거리는 다리에 힘을 주고 그림들이 세워진 곳으로 갔다. 그림에 조예가 깊지 않았지만 좋은 그림은 알아볼 수 있었다. 괴링의 아파트에 있는 대부분의 그림은 진품이었다. 다행히도 그 그림들 중에는 벌거벗은 여자를 그린 그림이 없었기 때문에 루벤스의 그림인지 아닌지 알아맞히기를 강요당할 일이 없었다.

"여기에는 없어." 내가 마침내 말했다. "어쨌든 살펴보게 해 줘서 고맙군." 리에나커가 끄덕였다. 현관 복도에서 나는 내 모자를 주워 욱신거리는 머리 위에 다시 올려놓았다. 그가 말했다. "나는 하를로텐 슈트라세 게슈타포 경찰서에 있어. 프란최지셰 가 모퉁이에 있는."

"그래. 어딘지 알아. 루터 앤드 베그너 레스토랑 위쪽에 있는 것 말인가?" 리에나커가 끄덕였다. "알았네. 뭐라도 듣게 되면 알려 주지."

"두고 보지." 그가 으르렁거리더니 나를 아파트에서 내보내 주었다.

알렉산더 광장의 사무실로 돌아오니 대기실에 방문객이 있었다.

그녀는 매우 키가 컸고, 입고 있는 검은 정장이 날씬한 스페인 기타 같은 인상적인 몸매를 잘 드러나게 해 주었다. 짧고 꽉 끼는 스커트가 그녀의 풍만한 엉덩이를 팽팽하게 감쌌고, 허리 윗부분을 강조한 재킷은 큰 가슴을 돋보이게 했다. 윤기 있는 검은 머리에는 전체적으로 챙이 위로 들린 검은 모자가 씌워져 있었고, 한쪽 손에는 흰색 손잡이와 걸쇠가 달린 검은 백이 들려 있었다. 내가 대기실로 들어서자 그녀는 다른 손에 들고 있던 책을 내려놓았다.

푸른 눈과 흠잡을 데 없이 완벽하게 립스틱을 칠한 입술이 경계심을 무너뜨리게 할 만큼 친근하게 미소를 지었다.

"귄터 씨겠군요." 내가 말없이 끄덕였다. "저는 잉게 로렌츠예요. 에두아르트 뮐러의 친구죠. 《베를리너 모르겐포스트》아시죠?" 우리는 악수했다. 나는 내 잠긴 사무실 문을 열었다.

"들어와서 편하게 앉으시죠." 내가 말했다. 그녀는 사무실 안을 둘러보고 잠시 코를 쿵쿵거렸다. 안에서는 여전히 바텐더의 앞치마 같은 냄새가 났다.

"냄새를 사과드립니다. 유감이지만 약간의 사고가 있었죠." 나는 창가로 가서 창문을 밀어 열었다. 몸을 돌리자 그녀가 내 옆에 서 있었다.

"경치가 좋군요." 그녀가 창밖을 내다보았다.

"나쁘지 않죠."

"베를린 알렉산더 광장이네요. 되블린[47]의 작품을 읽어 보셨나요?"

"요즘은 책을 읽을 시간이 나지 않아서요. 어쨌든 읽은 만한 게 그리 많지 않군요."

"당연히 그 책은 금서예요." 그녀가 말했다. "다시 유통되는 동안 꼭 읽어 보세요."

"무슨 말인지 모르겠군요."

"오, 모르셨어요? 금서 작가들의 책이 서점에 다시 들어오고 있어

---

47. 알프레트 되블린. 독일의 소설가, 정신과 의사. 유대인으로 1933년 파리에 망명하여 시민권을 얻었다. 주요 저서로 『산, 바다와 거인』, 『베를린 알렉산더 광장』 등이 있다.

요. 올림픽 때문이죠. 그래야 관광객들이 여기가 보기보다 탄압이 심하지 않다고 생각할 테니까요. 물론 올림픽이 끝나자마자 다시 서점에서 사라지겠지만 금서라는 이유만으로도 꼭 읽으셔야 해요."

"고맙군요. 명심하죠."

"담배 있어요?"

나는 책상 위의 은빛 상자를 젖혀 열고 그녀가 담배를 집도록 뚜껑을 들고 있었다. 그녀가 한 개비를 집었고, 나는 그녀에게 불을 붙여주었다.

"요전 날, 쿠르퓌어슈텐담 카페에서 멍하니 담배에 불을 붙이고 있자니까 어떤 참견하기 좋아하는 노인이 제게 다가와 아내나 어머니로서의 독일 여자의 의무를 일깨워 주더군요. 내가 그렇게 될 가능성은 거의 없다고 생각했지만요. 저는 거의 서른아홉이에요. 나치당의 신입 당원의 생산을 시작하기엔 많은 나이죠. 저는 그들이 말하는 우생학적 불발탄이에요."

잉게는 안락의자에 앉아 아름다운 다리를 꼬았다. 나는 그녀가 우생학적 불발탄이라고는 전혀 생각할 수 없었다. 그녀가 자주 가는 그 카페에서만 모르는 사실이겠지만. "지금은 창녀라고 할까 봐 약간의 화장도 하고 나가서는 안 될 세상이에요."

"당신은 사람들이 뭐라고 하든 크게 걱정할 타입은 아닌 것 같군요." 내가 말했다. "그리고 공교롭게도 나는 헤센 지방의 젖 짜는 여자보다는 숙녀처럼 보이는 여자를 좋아합니다."

"고마워요, 귄터 씨." 그녀가 웃으며 말했다. "매우 다정하시군요."

"뮐러 말로는 《도이치 알게마이네 차이퉁》의 기자셨다고요."

"네, 맞아요. 나치당의 '노동 여성 일소-掃' 캠페인 기간에 일자리를 잃었죠. 독일의 실업 문제를 해결할 기발한 방법이라고 생각하지 않으세요? 여자는 이미 집안과 가족을 돌보는 직업을 갖고 있다고들 말하죠. 남편이 없다면 남편을 구하려고 노력해야 해요. 끔찍한 논리죠."

"지금은 어떻게 생계를 꾸려 가십니까?"

"프리랜서로 조금 일을 했어요. 뭐 솔직히 말하자면, 귄터 씨, 빈털터리예요. 그게 지금 제가 여기 있는 이유죠. 밀러 말로는 당신이 헤르만 직스에 관한 정보를 캐고 있다던데요. 제가 아는 걸 팔면 어떨까 싶군요. 그를 조사중인가요?"

"아니요. 정확히 말하면 그는 내 의뢰인입니다."

"오." 그녀는 그 말에 살짝 놀란 듯했다.

"그가 나를 고용한 방식에 좀 걸리는 게 있어서 그에 대해 더욱 많이 알아 두고 싶다고 생각했습니다." 내가 설명했다. "그가 다녔던 학교 같은 것 따위를 알고 싶은 게 아닙니다. 나를 거슬리게 하는 게 있죠. 누가 나에게 이래라 저래라 하는 걸 좋아하지 않으니까요."

"요즘 같은 세상에 그리 건전한 태도는 아니군요."

"그럴 겁니다." 나는 그녀를 보고 싱긋 웃었다. "당신이 아는 것을 말해 주는 가격으로 오십 마르크면 어떻습니까?"

"백이어도 당신이 실망하지 않을 정보일 텐데요?"

"칠십오에 저녁 식사는?"

"좋아요." 그녀가 손을 내밀었고, 우리는 악수를 했다.

"파일 같은 걸 갖고 있습니까, 로렌츠 양?"

그녀가 자신의 머리를 가볍게 두들겼다. "잉게라고 불러 주세요. 그리고 사소한 것 하나까지 다 여기 들어 있어요."

그런 다음 그녀가 이야기를 시작했다.

"헤르만 직스는 우리의 총애하는 총통이 태어나기 팔 년 전인 1881년 4월에 독일에서 가장 부유한 사람 가운데 한 명의 아들로 태어났어요. 학교를 언급하셨으니 드리는 말씀인데 그는 베를린에 있는 빌헬름 왕립 학교를 다녔어요. 졸업 후 증권회사에 들어갔다가 이내 아버지의 회사, 당연히 직스 철강 회사에 들어갔죠.

또 다른 거부 집안의 상속자 프리츠 티센과 마찬가지로 열렬한 민족주의자였던 젊은 직스는 1923년 프랑스의 루르 지역 점령에 저항하는 세력을 조직했죠. 이것 때문에 그와 티센 둘 다 체포되어 감옥에 갔어요. 하지만 두 사람의 뜻이 맞은 것은 거기까지로 티센과 달리 직스는 결코 히틀러를 좋아하지 않았어요. 그는 국가사회주의자가 아닌 보수 민족주의자였고, 기회주의적이라고까지는 말할 수 없어도 나치당에 대한 지지는 순전히 실용적인 면에서만 국한되었죠.

그는 베를린 국립극장 소속 여배우였던 리자 포에글러와 결혼했어요. 두 사람 사이에는 1911년에 태어난 그레테라는 딸아이가 하나 있죠. 1934년에 리자가 폐결핵으로 죽은 뒤 직스는 배우인 일제 루델과 결혼했어요." 잉게 로렌츠는 자리에서 일어나 이야기를 이어 가며 사무실 안을 걷기 시작했다. 그녀를 눈으로 쫓자니 집중하기가 어려웠다. 그녀가 내게서 돌아섰을 때 내 눈은 그녀의 엉덩이를 향했고, 다시 나를 향했을 때 내 시선은 그녀의 배를 향했다.

"직스가 나치당을 좋아하지 않는다고 한 제 말은 사실이에요. 노동조합 운동에 대해서도 비슷한 반감을 갖고 있어서 나치당이 처음 정권을 장악한 후 노동조합을 무효화한 수법에는 높은 평가를 내렸죠. 하지만 그는 소위 당의 사회주의라는 것을 정말 탐탁지 않게 여겼죠. 당의 경제 정책 말이에요. 직스는 1933년 초 수상 관저에서 열린 비밀 회의에 참석한 몇몇 선도 기업가 중 한 명이었고, 그 회의에서 히틀러와 괴링이 미래 국가사회주의 경제 정책에 대해 설명했어요. 결국 기업가들은 히틀러가 볼셰비키를 제거하고 군사력 재건을 꾀한다는 약속에 나치당의 금고에 수백만 마르크를 넣어 주겠다고 답했죠. 이 기업가들에 대한 구애는 오래 가지 않았어요. 독일의 수많은 기업가들처럼 직스는 무역을 확대하고 통상을 증진시키길 원했죠. 특히 철강 산업과 관련해서는 해외에서 원자재를 사 오는 걸 선호했어요. 더 싸기 때문에요. 그러나 괴링은 이에 동의하지 않고 다른 모든 것과 마찬가지로 독일이 철광석을 자급자족해야 한다고 믿었죠. 괴링은 소비와 수출을 적절히 통제할 수 있다고 믿었어요. 이유를 쉽게 추측할 수 있겠죠."

그녀는 말을 멈추고 내가 그 쉬운 추측에 대해 말하기를 기다렸다.

"그래요?" 내가 말했다.

그녀는 혀를 차고 한숨을 쉬는 동시에 머리를 흔들었다. "음, 당연히 그래요. 그 간단한 사실은 독일이 전쟁을 준비중이라는 것이고, 따라서 전통적인 경제 정책은 국정에 맞지 않는다는 거죠."

내가 현명하게 머리를 끄덕였다. "네, 무슨 말인지 알겠군요." 그녀가 안락의자 팔걸이에 걸터앉아 팔짱을 꼈다.

"《도이치 알게마이네 차이퉁》에서 근무하는 사람한테 이 얘길 했어요. 그랬더니 그가 두 달 안에 괴링이 2차 4개년 계획을 통제할 거라는 소문이 있다고 말하더군요. 철광석 같은 전략적 원자재 공급을 보장하는 원자재 국유화 산업 정책을 수립하겠다는 그의 흥미로운 공표를 고려해 볼 때, 한 가지 상상이 가능해요. 직스가 그 가능성에 대해 불쾌해한다는 걸요. 아시겠지만 철강 산업은 불경기 동안 상당한 생산 과잉에 시달렸어요. 직스는 독일이 철광석을 자급자족해야 한다는 요구에 투자하길 망설이고 있어요. 왜냐하면 재군비 붐이 일자마자 자신이 엄청난 자본을 투자해 비싼 철과 강철을 생산해야 한다는 걸 알기 때문이죠. 그것이 국산 철강을 사용하는 데 따르는 생산의 고비용이라는 결과로 이어지겠죠. 비싼 가격 때문에 직스는 독일에서 생산한 강철을 해외에 팔 수 없을 거예요. 직스가 독일 경제에서 주도권을 쥘 수 있는 사업을 원한다는 건 말할 필요도 없죠. 그리고 내 생각에 그는 괴링에 반대하는 다른 선도 기업가들을 자신 쪽에 끌어들이려고 최선을 다할 거예요. 그게 통하지 않는다면 어떤 비책을 내놓을지는 몰라요. 비열한 수법도 불사하겠죠. 내 느낌은 그래요. 그리고 내 생각일 뿐이지만 직스는 지하 범죄 조직과 연결돼 있어요."

독일 경제 정책은 따위는 별로 중요하지 않았지만 직스와 지하 범죄 조직에 관한 것은 정말 내 관심을 끌었다.

"그건 무슨 말입니까?"

"그러니까, 우선 철강 파업 기간 동안 파업을 진압한 일이 있었죠." 잉게가 설명했다. "노동자를 두들겨 팬 남자들 중 어떤 부류는 암흑가와 연결돼 있었죠. 그들 가운데 많은 수가 전과자였고, 당신도 알겠지만 범죄자 갱생 집단인 어느 링의 일원이었어요."

"그 링의 이름을 기억합니까?" 그녀가 머리를 저었다.

"'독일의 힘' 아니었습니까?"

"기억이 안 나요." 그녀는 조금 더 생각했다. "도움이 되신다면 연루된 사람들의 이름을 알아볼 수 있을 거예요."

"그래 준다면 좋죠. 그리고 괜찮다면 파업 진압에 관한 모든 걸요."

듣고 싶은 정보가 더 있었지만 나는 이미 칠십오 마르크어치의 정보를 얻었다. 내 비밀스러운 의뢰인에 대해 더 많이 알수록 내가 이일에 적임자라는 것이 느껴졌다. 그리고 그녀의 말을 끝까지 들은 지금 나는 그녀를 잘 이용할 수 있겠다는 생각이 들었다.

"여기서 나와 일하는 게 어떻겠습니까? 나를 도와줄 사람이 필요합니다. 공공 기록들을 조사하고 가끔 사무실을 지킬 사람이. 당신에게 잘 맞을 것 같군요. 보수를 지급하죠. 그러니까, 일주일에 육십 마르크. 현금으로. 세금 신고는 할 필요 없겠죠. 일이 잘 풀리면 더 주는 걸로. 어떻습니까?"

"뭐, 당신이 좋다면요……." 그녀가 어깨를 으쓱했다. "분명히 돈이되는 일이겠죠."

"그럼 이것으로 이야기는 끝난 겁니다." 나는 잠시 생각했다. "지금도 신문사나 관청에 연줄이 닿겠죠?" 그녀가 끄덕였다. "독일 노동 전선 DAF에 아는 사람이 있습니까?"

잉게는 잠시 생각하며 재킷 단추를 만지작거렸다. "있어요." 고심하다 말을 이었다. "전 남자 친구요. 나치 돌격대원이죠. 왜요?"

"그에게 전화해서 오늘 밤 데리고 나가 달라고 하세요."

"하지만 한 달 동안 그를 본 적도, 얘기해 본 적도 없어요." 그녀가 말했다. "게다가 헤어졌을 때 더 이상 귀찮게 하지 말라고 욕을 했을 만큼 거머리 같은 놈이죠." 그녀의 푸른 눈이 걱정스럽게 나를 힐끗거렸다.

"직스의 사위 파울 파르가 일주일에 몇 차례 그 건물에 있었다는 사실이 아주 흥미롭습니다. 나는 그에 관해 당신이 뭐든 알아내 줬으면 합니다."

"그렇다면 속바지를 몇 겹 껴입는 게 낫겠군요." 잉게가 말했다. "그 남자는 자신의 손을 두고 산파가 되었어야 했다고 생각하는 사람이니까요." 그녀에게 치근거리는 그를 상상하자 아주 잠깐이지만 격렬한 질투심이 일었다. 조만간 나도 같은 짓을 하지 않을까.

"그에게 쇼에 데려가 달라고 할게요." 그녀가 에로틱한 몽상에서 나를 끌어내듯 말했다. "그를 약간 취하게 할지도 모르겠어요."

"좋은 생각입니다." 내가 말했다. "그게 실패하면 빌어먹을 돈이라도 주세요."

11

베를린 북서쪽에 있는 테겔 교도소는 작은 호수와 보르지크 기관차 회사 사택 단지에 면해 있다. 자이델 가로 차를 몰고 갔을 때 교도소의 붉은 벽돌 벽이 혹투성이 공룡의 진흙투성이 옆구리처럼 시야에 들어왔다. 육중한 나무문이 내 뒤에서 쿵 하고 닫히자 전깃불이 꺼진 듯 푸른 하늘이 시야에서 사라져, 독일에서 가장 엄하다는 교도소 가운데 하나인 이곳의 수감자들에게 연민이 느껴졌다.

야생동물처럼 정문 홀을 어슬렁거리고 있는 교도관들 가운데, 석탄산 비누 냄새를 풍기며 자동차 타이어만 한 열쇠 꾸러미를 차고 있는 퍼그를 닮은 사내가, 미로 같은 복도를 통해 작은 자갈이 깔리고 중앙에 단두대가 놓인 마당으로 나를 안내했다. 무시무시한 단두대를 다시 한 번 쳐다보자 등골이 오싹해졌다. 나치당이 정권을 잡은 이래 단두대가 꽤 자주 작동했고, 지금 이 단두대도 테스트를 하는 중이었다. 의심할 여지 없이 몇 건의 처형이 준비중이었다. 내일 새벽으로 잡힌 일정이 문에 게시되어 있었다.

교도관이 떡갈나무 문을 지나 카펫이 깔린 계단을 오른 후 어떤 복도로 나를 데려갔다. 복도 끝 광택이 나는 마호가니 문 앞에 선 교도관이 문을 노크했다. 그는 잠시 서 있다가 나를 안으로 안내했다. 교도소장 콘라트 슈피델 박사가 나를 맞기 위해 책상에서 몸을 일으켰다. 몇 년 전 쾰른 근처 브라우바일러 교도소의 소장이었던 그를 만난 적이 있었는데, 그는 그때의 만남을 잊지 않았다.

"선생은 어느 제소자의 감방 동료에 대한 정보를 구하는 중이었지." 그가 안락의자를 향해 머리를 끄덕이며 기억해 냈다. "은행 강도와 관계된 일이었던가."

"기억력이 좋으시군요, 박사님."

"고백하건대 내 기억력은 순전히 우연이오." 박사가 말했다. "그 남자가 지금 이 안에 있소. 다른 죄로." 슈피델은 키가 크고 어깨가 넓은 오십대 남자였다. 그는 쉴러 타이를 매고 올리브그린 색 바바리안 재킷을 입고 있었다. 단춧구멍이 있는 자리에 흑백 명주실로 수놓인 활과 X자로 놓인 검은 그가 퇴역 군인임을 나타냈다.

"그거 묘하군요. 그와 비슷한 일로 왔습니다. 최근까지 쿠르트 무트슈만이라는 자가 이곳에서 복역했다고 알고 있습니다. 그에 관한 이야기를 들을 수 있을까 합니다만."

"무트슈만. 그래, 기억나는군. 여기 있는 동안 문제를 일으키지 않았고, 꽤 분별 있어 보이는 녀석이었다는 걸 빼면 별로 할 말이 없는데." 자리에서 일어난 슈피델이 서류 캐비닛으로 가 정리된 서류를 뒤적거렸다. "그래, 여기 있군. 쿠르트 헤르만 무트슈만, 나이 서른여섯. 1934년 4월 자동차 절도로 2년 금고형. 주소는 키케로 가 할렌제 29번지."

"출소한 후 그가 간 곳이 거깁니까?"

"모르긴 나도 마찬가지요. 무트슈만에게는 아내가 있는데 기록상 복역 기간 동안 한 번 찾아왔소. 겉으로 보기에 그가 바깥 세상에 기대하는 게 많은 것 같진 않았소."

"또 다른 방문자가 있었습니까?"

슈피델이 파일을 뒤적였다. "딱 한 번, 우리가 복지후생 조직이라고 믿는 전과자 조합에서 어떤 사람이 왔었소. 그 조직이 진짜 그런 조직인지는 의심스럽지만. 카스퍼 틸레센이라는 남자가 왔었군. 그가 무트슈만을 두 번 방문했소."

"무트슈만에게 감방 동료가 있었습니까?"

"그렇소. 죄수 번호 788319, H. J. 보크라는 자와 같은 감방을 썼소." 그가 서랍에서 또 다른 파일을 꺼냈다. "한스 위르겐 보크, 서른여덟. 1930년 3월 철강 노동조합원을 폭행해 불구로 만들어 6년 형을 받았소."

"파업 진압자였다는 말씀입니까?"

"그렇소."

"그 사건에 대한 조서는 여기에 없습니까?"

슈피델이 머리를 저었다. "미안하지만 그렇소. 그 사건 파일은 알렉스의 범죄 기록실로 보냈지." 그가 잠시 말을 멈췄다. "흠, 이게 도움이 될지도 모르겠군. 석방 후 보크가 머물지도 모른다는 곳의 주소를 남겼소. '샤미소 광장 크로이츠베르크 17번지 틸레센 펜션'. 그뿐 아니라 같은 이름의 카스퍼 틸레센이라는 자가 전과자 조합을 대표해 보크를 면회 왔소."

슈피델은 나를 모호한 표정으로 바라보았다. "대충 그 정도인 것 같군."

"그 정도면 충분한 것 같군요." 내가 밝게 말했다. "시간을 내주셔서 감사합니다."

슈피델이 신실한 표정을 지으며 장중하게 말했다. "고르만을 정의의 심판대에 서게 한 남자에게 도움을 주게 되어 기쁘오, 선생."

적어도 십 년간은 고르만을 장사 수단으로 삼을 수 있으리라 예상했다.

이 년간의 복역 생활중 단 한 차례만 남편을 방문한 아내는, 남편이 출소한 날 축하용 스펀지케이크를 굽지 않았다. 그런 무트슈만이 석방 후 아내를 두들겨 팰 목적으로 그녀를 찾아갔을 가능성도 있었기 때문에, 어쨌든 그녀를 만나 보기로 마음먹었다. 언제나 확실한 것부터 소거해 나가야 한다. 그것이 조사의 기본 원칙이다.

무트슈만도 그의 아내도 더 이상 키케로 가의 주소지에서 살지 않았다. 찾아간 집에서 만난 여자가 무트슈만 부인이 재혼하여 지멘스 주택 지구가 있는 옴 가에서 산다고 말해 주었다. 누구든 무트슈만 부인을 찾아온 사람이 있었느냐고 물었지만 그녀는 없었다고 말했다.

내가 지멘스 주택 지구에 도착한 시간은 일곱시 삼십분이었다. 지멘스 전자 직원 가족에게 제공된 수천 채의 회반죽 벽돌집들은 모두 똑같았다. 모든 사람이 똑같이 생긴 각설탕 같은 집에서 사는 것보다 더 마뜩잖은 걸 상상하기 어려웠다. 그러나 나는 제3제국에서 진보라는 명목으로 노동자들의 균질한 주거 형태보다 더 나쁜 일들이 행해졌다는 걸 알고 있었다.

현관문 밖에 서 있자 안에서 고기를 요리하는 냄새가 났다. 돼지고기 같았고, 갑자기 내가 얼마나 배가 고픈지, 얼마나 지쳤는지 깨달았다. 집에서 잉게와 함께 바보 같은 쇼나 보고 있었으면 했다. 문을 연, 부싯돌처럼 생긴 얼굴의 흑갈색 머리 여자와 대면하느니 다른 어떤 곳에라도 있었으면 했다. 그녀가 더러운 앞치마에 얼룩덜룩한 핑크빛 손을 닦으며 수상쩍은 표정으로 나를 보았다.

"부버츠 부인이십니까?" 나는 그녀가 당사자가 아니길 바라며 당사자가 새로 결혼하여 얻은 성을 붙여 물었다.

"네," 그녀가 딱딱하게 말했다. "그런데 누구시죠? 물을 것도 없지만요. 귀를 틀어막고 사는 형사겠죠. 한 번만 말할 테니 썩 가 주세요. 나는 일 년 반 동안 그 사람을 본 적이 없어요. 그리고 그 사람을 만나거든 날 찾지 말라고 전해 주세요. 그는 괴링의 똥구멍에 박힌 유대인의 거시기만큼이나 여기서 환영받지 못하는 사람이에요. 그리고 당신도 마찬가지고요."

그녀의 대응은 내 일을 가치 있게 해 주는 일상적인 소소한 유머의 발현이자 당연한 예의였다.

밤 열한시에서 열한시 반 사이에 현관문을 세게 두드리는 소리가 들렸다. 술을 마시지 않았지만 술에 곯아떨어졌다는 생각이 들 만큼 깊은 잠에 빠져 있었다. 비척비척 현관 입구로 걸어갔다가, 마루 위 발터 콜브의 시체가 있던 자리에 남은 희미한 분필 자국을 보고 잠이 달아나 방으로 가서 여분의 총을 갖고 왔다. 다시 한 번 더 세게 문을 두드리는 소리가 났고, 이번에는 남자의 목소리가 그 뒤를 이었다.

"헤이, 귄터. 나야, 리에나커. 얼른 문 열어. 할 얘기가 있으니까."

"지난번 우리의 잡담 사건 이후의 통증이 아직도 남아 있는데."

"오, 그 일로 아직도 화가 나 있는 건 아니겠지?"

"그건 괜찮아. 하지만 내 목에 관해서라면 당신은 전혀 달갑지 않은 사람이야. 특히 이 밤에는."

"헤이, 이제 그만 풀자고, 귄터." 리에나커가 말했다. "이봐, 중요한 일이야. 돈이 걸린 일이라고." 긴 침묵이 있은 후 리에나커가 다시 입을 열었을 때 그의 굵고 낮은 목소리에는 짜증이 섞여 있었다.

"얼른, 귄터. 문 열어. 열 거지? 뭐가 그렇게 두려운 건가? 내가 체포할 마음이었다면 지금쯤 문이 작살났을 거라고." 그 말도 일리가 있다는 생각에 문을 열자 그의 거대한 몸집이 모습을 드러냈다. 그는 내 손에 든 권총에 차분하게 눈길을 주더니 이 순간 내게 주도권이 있다는 것을 인정한다는 듯 고개를 끄덕였다.

"나일 거라는 생각은 못했겠지." 그가 건조하게 말했다.

"분명히 당신인 줄 알았지, 리에나커. 계단이 울리는 소리가 들렸거든."

담배 연기처럼 코에서 웃음소리가 새어 나왔다. 이내 그가 입을 열었다. "차 타게 옷 입어. 그 총은 넣어 둬."

나는 주저했다. "무슨 일이지?"

그가 혼란스러워하는 나를 보고 씩 웃었다. "내가 못 미덥나?"

"무슨 말이야? 게슈타포에서 온 신사가 한밤중에 문을 두드리고 번쩍거리는 검은 대형차를 타자고 하는데. 당연히 '심문실' 레스토랑 특별석을 예약해 놓았다는 걸 알고 다리에 힘이 빠졌을 뿐이야."

"중요한 사람이 당신을 보고 싶어 해." 그가 하품을 했다. "아주 중요한 누군가가."

"그들이 올림픽 똥 던지기 선수로 날 뽑은 건가?" 리에나커의 얼굴색이 바뀌었고, 뜨거운 물이 든 두 물병에서 물이 빠져나간 것처럼 두 콧구멍이 빠르게 수축하더니 이완했다. 그는 안달하고 있었다.

"알았네, 알았어. 좋든 말든 가야겠지. 옷을 입어야겠군." 나는 침실로 갔다. "훔쳐보기 없기야."

차는 검은색 대형 메르세데스였고, 나는 잠자코 차에 올랐다. 앞 좌석에 두 명의 가고일[48]이 앉아 있었고, 뒷좌석 바닥에 반쯤 의식이 없는 남자가 등 뒤로 수갑을 찬 채 누워 있었다. 차 안은 어두웠지만 신음 소리로 그가 몹시 두들겨 맞았다는 사실을 알 수 있었다. 리에나커가 나를 따라 차에 올랐다. 차가 움직이자 바닥에 누운 남자가 움직거리더니 몸을 일으키려고 했다. 리에나커가 부츠 끝으로 그의 귀를 눌렀다.

"이 사람이 무슨 짓을 했지? 바지 지퍼를 안 올렸나?"

"이놈은 빌어먹을 빨갱이야." 리에나커가 상습 아동 성추행범을 체포하기라도 한 것처럼 격분하며 말했다. "염병할 야간 우편배달부지. 빨갱이를 위해 이 동네 우편함에 공산당 선전 전단을 넣는 걸 현장에서 잡았네."

나는 머리를 저었다. "그 직종이 원래 위험한 일이라는 걸 알고 있었지."

---

48. 교회 같은 건물 처마 등을 장식하는 괴물 석상.

그가 내 말을 무시하고 운전사에게 소리쳤다. "이 개새끼를 내려놓고 곧장 라이프치거 가로 가. 각하를 기다리게 해서는 안 되니까."

"어디에 내려놓을까요? 쉐네베르거 다리에요?"

리에나커가 웃음을 터뜨렸다. "그래도 되겠지." 그가 코트 주머니에서 휴대용 술병을 꺼내 길게 한 모금 마셨다. 요전 날 밤 내 우편함에 딱 그런 전단이 들어 있었다. 그런 전단은 다른 누구도 아닌 수상을 조롱하는 내용이 대부분이었다. 올림픽이 가까워 오면서 게슈타포들은 베를린에서 암약하는 공산주의자를 모조리 잡아내느라 분투 중이었다. 수천 명의 공산주의자들이 체포되어 오라니엔부르크, 콜룸비아 하우스, 다하우, 부헨발트 같은 강제수용소로 보내졌다. 이런저런 사실을 종합해 보니 언뜻 내가 누구를 만나러 가는지 깨달았고, 그 사실이 충격으로 다가왔다.

그롤만 가에 있는 경찰서 앞에 차가 멈췄고, 가고일 중 하나가 우리의 발밑에서 죄수를 끌어내렸다. 나는 그에게 따를 운이 그다지 많지 않을 거라 생각했다. 늦은 밤 란트베어 운하에서 수영 강습을 받을 운명에 처한 사람을 보게 된다면, 바로 이 사람이 그 주인공일 터였다. 그런 다음 우리는 베를리너 가 동쪽으로 차를 몰아 베를린을 동서로 횡단하는 하를로텐부르거 가도로 접어들었다. 가도는 곧 있을 올림픽을 축하하기 위해 수많은 검은색, 흰색, 붉은색 깃발들로 장식되어 있었다. 리에나커가 찌푸린 얼굴로 그것을 바라보았다.

"염병할 올림픽이라니." 그가 비웃었다. "빌어먹을 돈만 낭비하는 짓이지."

"동의하지 않을 수 없군." 내가 말했다.

"뭣 때문에 개최하는 거야. 우리는 우리들인 채로 좋은데 왜 우리가 아닌 척을 해야 하는 거지? 이 모든 가식이 지겹군. 비상시국이라 베를린에는 접대부들이 모자라 뮌헨과 함부르크에서 데려오기까지 한다는군. 그리고 흑인 재즈가 다시 합법이 됐어. 어떻게 생각하나, 귄터?"

"겉과 속이 다르지. 이 정부 자체가 그래."

그가 나를 주의 깊게 살폈다. "내가 당신이라면 그런 말을 하면서 돌아다니지 않을걸."

나는 머리를 저었다. "내가 무슨 말을 하든 문제 될 게 없을 텐데, 리에나커. 알면서 그러나. 당신 보스에게 내가 도움이 되는 한은 말이야. 내가 카를 마르크스이자 모세라고 해도 내가 쓸모가 있다면 그는 개의치 않을걸."

"그럼 그 기회를 최대한 이용하는 게 좋을 거야. 이 양반만큼 영향력 있는 의뢰인은 결코 만날 수 없을 테니까."

"내 말이 그 말이지."

차는 브란덴부르크 문을 못 미쳐 헤르만 괴링 가를 향해 남쪽으로 방향을 바꿨다. 영국 대사관의 모든 창문에는 불이 밝혀 있었고, 건물 입구에는 수십 대의 리무진이 서 있었다. 천천히 움직이던 차가 대저택 옆 진입로로 들어섰을 때 보초병에게 우리의 신분을 확인시키기 위해 운전사가 창을 내렸고, 우리는 잔디밭 저쪽 큰 파티의 떠들썩한 소음을 들었다.

리에나커와 나는 테니스 코트만 한 방에서 기다렸다. 잠시 후 독일 공군 장교 제복을 입은 호리호리한 남자가 나타나 괴링이 옷을 갈아

입는 중이며 십 분 안에 우리를 만나러 올 것이라고 말했다.

음울한 관저였다. 고압적이고 거창하며 도시 속 전원에 있는 것 같은 느낌을 주었다. 리에나커가 중세 시대 것으로 보이는 의자에 앉아 주위를 둘러보는 나를 아무 말 없이 주의 깊게 보았다.

"아늑하군." 내가 사냥 장면들을 묘사한 고블랭직[49] 앞에 서서 그렇게 말했다. 그 고블랭직은 어마어마한 크기의 힌덴부르크 비행선의 실제 윤곽을 쉽게 수용할 만큼 컸다. 방을 비추는 유일한 빛은 거대한 르네상스식 책상 위에 놓인, 두 방향으로 갈라진 나뭇가지 형태의 등에 양피지 갓을 씌운 램프에서 나왔다. 그 빛이 작은 신전처럼 꾸며 놓은 사진들을 비추었다. 거기에는 갈색 셔츠를 입고 가죽 엑스 벨트를 착용한, 적잖이 보이스카우트처럼 보이는 히틀러 사진이 있었다. 그리고 괴링의 죽은 아내 카린과 현재 아내 에미로 추정되는 두 여자의 사진이 있었다. 사진 옆에 놓인 가죽 정장 책의 표지에는 괴링의 것으로 여겨지는 문장紋章이 있었다. 무력을 상징하는 쇠도리깨 문장으로 국가사회주의를 상징해 온 스바스티카보다 훨씬 적절해 보였다.

나는 담배를 꺼내고 있던 리에나커 옆에 앉았다. 우리는 한 시간, 어쩌면 그 이상을 기다린 후에야 문 밖에서 들리는 목소리와 문이 열리는 소리를 듣고 자리에서 일어났다. 공군 제복을 입은 두 남자가 방으로 들어오는 괴링의 뒤를 따랐다. 놀랍게도 괴링은 새끼 사자를 들고 있었다. 그는 그 새끼 사자의 머리에 키스하고 귀를 잡아당긴 다음

---

49. 여러 가지 색깔의 실로 무늬를 짜 넣어 만든 장식용 벽걸이.

명주 깔개에 내려놓았다.

"나가서 착한 꼬마 친구들과 놀아라, 무키." 새끼 사자가 행복하다는 듯이 으르렁거리더니 창턱으로 뛰어올라 육중한 커튼에 달린 술을 가지고 놀기 시작했다. 괴링은 내가 상상했던 것보다 작아서 더욱 땅딸막해 보였다. 그는 흰색 플란넬 셔츠, 소매가 없는 녹색 가죽 사냥 재킷과 흰색 리넨 바지 차림에 흰색 테니스 운동화를 신고 있었다.

"반갑소." 그가 활짝 웃으며 나와 악수하면서 그렇게 말했다. 냉정하고 총명해 보이는 눈빛을 한 그에게서 살짝 동물적인 감각이 느껴졌다. 손가락에 낀 반지 몇 개 중 하나는 큼직한 루비였다. "와 줘서 고맙군. 기다리게 해서 미안하오. 나라의 일이란 게 그렇지." 나는 지당하신 말씀이라고 말했지만, 사실 뭐라고 말해야 할지 몰랐다. 가까이에서 본 그의 얼굴이 거의 아기 피부처럼 부드러워 보여 깜짝 놀랐고, 그게 파우더를 바른 덕분인지 궁금했다. 우리는 자리에 앉았다. 그는 몇 분 동안 거의 아이처럼 내가 와서 기쁘다는 말을 늘어놓더니 잠시 후에 심중을 털어놓았다.

"난 항상 진짜 탐정을 만나고 싶었지. 대실 해밋의 탐정소설을 읽어 봤소? 미국인이지만 훌륭하더군."

"못 읽어 봤습니다, 각하."

"오, 그러면 읽어 보시오. 독일어판 『피의 수확』을 빌려주지. 좋아할 거야. 총을 갖고 다니시오, 귄터 씨?"

"필요하다고 생각될 때 가끔 가지고 다닙니다, 각하."

괴링이 신이 난 학생처럼 활짝 웃었다. "지금도 갖고 있소?"

나는 머리를 저었다. "여기 있는 리에나커가 저 고양이를 무섭게 하면 안 된다고 생각한 것 같습니다."

"유감이군. 진짜 탐정의 총을 보고 싶었는데." 괴링은 교황이 앉는 의자만큼이나 큰 의자에 몸을 기대며 손을 저었다.

"그럼 본론으로 들어갈까." 보좌관 한 명이 파일을 가져와 주인 앞에 놓았다. 괴링이 파일을 펼치더니 잠시 내용을 살폈다. 내 신상에 관한 파일이리라 짐작했다. 나에 관한 파일이 매우 두꺼워서, 나는 그게 병력 기록처럼 느껴지기 시작했다.

"전직 경찰이었군. 경력이 아주 인상적이오. 지금쯤은 경감이 되었을 텐데. 왜 그만두었지?" 괴링은 내 대답을 기다리며 재킷에서 옻칠이 된 작은 약상자를 꺼내 분홍색 알약을 통통한 손바닥 위에 올려놓았다. 그러고는 물과 함께 그 약을 먹었다.

"경찰 구내매점이 별로더군요, 각하." 그가 웃음을 터뜨렸다. "대단히 죄송하지만 수상 각하, 제가 그만둔 이유를 잘 아시리라 생각합니다. 그때부터 경찰을 지휘해 오셨으니까요. 저는 부적격으로 판명된 경찰의 퇴출에 대한 제 불만을 감춘 기억이 없습니다. 그들 중 많은 사람이 제 친구였습니다. 그들 중 많은 수가 연금을 잃었습니다. 두 사람은 목이 잘렸죠."

괴링이 느긋하게 미소 지었다. 나는 그의 넓은 이마, 냉혹한 눈, 낮게 으르렁대는 목소리, 포식 동물 같은 웃음과 늘어진 배를 보고, 크고 살진 사람을 잡아먹는 식인 호랑이를 연상했다. 그는 내가 받은 인상을 텔레파시를 통해 안 것처럼 의자에서 몸을 내밀어 깔개에서 새끼 사자를 들어 올린 다음 소파 크기만 한 무릎 위에 내려놓았다. 새끼 사자는 졸린 듯이 눈을 껌뻑거리며 주인이 머리를 쓰다듬고 귀를 만지작거려도 미동조차 하지 않았다. 친자식을 어루만지는 것처럼 보였다.

"알겠냐, 무키. 이 남자는 누구의 그림자도 아니야. 게다가 자기 생각을 말하는 걸 두려워하지 않아. 그야말로 자영업자의 큰 미덕이랄까. 이 남자가 나에게 봉사할 이유는 도대체가 없군. 보통 사람이라면 입을 다물고 있을 텐데 내 앞에서 자기 생각을 말하는 배짱도 있어. 이런 남자라면 믿을 수 있지."

나는 책상 위에 놓인 파일을 향해 머릿짓을 했다. "저걸 디엘스가 만들었다는 데 내기라도 할 수 있을 것 같군요."

"맞아. 그가 양계장 출신 애송이[50]에게 게슈타포 대장 자리를 뺏겼을 때 내가 당신 파일을 포함한 많은 파일을 인계받았지. 그가 마지막으로 나를 위해 한 큰 봉사였소."

"그가 어떻게 됐는지 여쭤 봐도 되겠습니까?"

"물론이오. 그는 아직 내 밑에 있소. 쾰른에 있는 헤르만 괴링 제작소의 국내 수송 감독관으로 좌천됐지만." 괴링이 일말의 머뭇거림이나 어색함 없이 자신의 이름을 쓰는 제작소를 언급했다. 공장에 자신의 이름을 붙이는 것이 세상에서 가장 자연스러운 일이라고 생각하는 게 분명했다.

"그러니까," 그가 자랑스럽게 말했다. "나는 나에게 봉사한 사람들을 보살피고 있지. 그렇지 않나, 리엔나커?"

덩치가 총알 같은 속도로 대답했다. "네, 수상 각하. 확실히 그렇습

---

50. 양계장 집 아들이었던 하인리히 힘러를 뜻한다.

니다." 내가 만점짜리 대답이라고 생각했을 때 하인 한 명이 수상을 위한 커피, 모젤[51], 에그 베네딕트를 담은 커다란 쟁반을 받쳐 들고 방 안으로 들어왔다. 괴링은 하루 종일 굶은 사람처럼 열심히 먹었다.

"난 더 이상 게슈타포의 수장이 아니지만, 여기 있는 리에나커처럼 게슈타포 내 많은 비밀경찰이 여전히 힘러보다 내게 더 충성하고 있지."

"아주 많습니다." 리에나커가 충성스럽게 큰 목소리로 말했다.

"게슈타포가 무슨 일을 하고 있는지 내게 끊임없이 정보를 알려 준다오." 괴링은 냅킨으로 큰 입을 우아하게 두드렸다. "자 그럼," 그가 운을 뗐다. "리에나커가 오늘 오후에 당신을 데어플링거 가에 있는 내 아파트에서 만났다고 하던데. 리에나커가 이미 말했겠지만 그 아파트는 어떤 문제로 비밀 대리인 역할을 하는 어떤 남자에게 빌려주고 있었소. 그의 이름은, 당신이 알고 있다고 생각하지만, 게르하르트 폰 그라이스고, 일주일 넘게 행방불명이오. 리에나커에게 들으니 당신은 그가 장물 그림을 팔 목적으로 누군가와 접촉했을 거라고 생각한다지? 정확히 말해서 루벤스의 누드화 말이야. 무엇 때문에 내 대리인을 만날 생각이 들었고, 어떻게 그의 존재를 알고 저 특별한 아파트를 찾아냈는지 모르겠군. 하지만 인상적이오, 귄터 씨."

"대단히 감사합니다, 수상 각하." 약간의 연습만으로도 리에나커 같은 말씨를 쓸 수 있으리라고 누가 알았겠는가.

"경찰로서의 당신 기록이 훌륭하다는 사실은 분명하고, 탐정으로

---

51. 독일 모젤 지방의 백포도주.

서의 자질 역시 유능하다는 것을 믿어 의심치 않소." 식사를 마치고 괴링은 한 잔 가득 담긴 모젤을 들이켠 다음 엄청나게 큰 시가에 불을 붙였다. 두 보좌관과 리에나커와 달리 그에게는 피곤의 징후가 보이지 않아 그 분홍색 알약들이 무엇인지 궁금해지기 시작했다. 괴링이 실제 크기의 도넛 모양 담배 연기를 내뿜었다. "귄터, 당신의 의뢰인이 되고 싶군. 당신이 게르하르트 폰 그라이스를 찾아 주길 바라오. 가급적이면 지포가 찾기 전에. 알겠지만 그는 어떤 범죄도 저지르지 않았소. 그는 내가 힘러의 손에 떨어지길 원치 않는 어떤 비밀 정보의 관리인일 뿐이야."

"어떤 종류의 비밀 정보입니까, 수상 각하?"

"유감이지만 말할 수 없군."

"저, 각하. 제가 보트를 저어야 한다면 보트에 어떤 구멍들이 있는지 알고 싶습니다. 그게 제가 경찰과 다른 점입니다. 경찰은 이유를 묻지 않습니다. 이건 자영업자의 특권이죠."

괴링이 끄덕였다. "난 단순 명쾌한 게 좋아. 난 뭔가를 할 생각이라고 말하지 않고, 그냥 실행하지. 그것도 제대로. 당신이 내 비밀을 철저히 지키지 않는다면 당신을 고용할 수 없소. 하지만 당신에게 분명한 의무가 부과된다는 것을 틀림없이 알아야 하오, 귄터 씨. 내 믿음을 배반하는 값은 매우 비쌀 테니까."

나는 한시도 그것을 의심하지 않았다. 요즘 잠이 매우 부족해서 괴링이 경찰과 나의 다른 점을 인정한다 해도 잠이 더 줄어들 것 같지는 않았다. 발을 뺄 수 없었다. 게다가 돈이 좀 될 성싶었고, 내가 도움이 된다면 돈을 마다하지 않으려고 애썼다. 그는 작은 분홍색 알약 두 개를 또 삼켰다. 내가 담배를 피우는 것만큼이나 자주 알약을 삼키는 것 같았다.

"각하, 리에나커에게 들었다면 아시겠지만 오늘 오후 각하의 아파트에서 만난 리에나커가 루벤스 누드화의 소유주인 제 의뢰인의 이름을 대라고 하더군요. 저는 대지 않았습니다. 저를 위협했는데도 말입니다. 지금도 그는 그 이름을 모릅니다."

리에나커가 몸을 내밀었다. "사실입니다, 수상 각하."

나는 계속해서 피치를 올렸다. "제가 의뢰인에게 주는 패는 모두 똑같습니다. 저의 자유재량권과 의뢰인에 관한 비밀 엄수. 그러지 못했다면 저는 이 일을 오래 할 수 없었을 겁니다."

괴링이 끄덕였다. "솔직해서 좋군. 그럼 나도 솔직해야겠지. 나는 제3제국 요직의 서임권을 쥐고 있소. 따라서 종종 작은 편의를 봐 달라는 이전 동료나 사업상 관계자들이 접촉해 오지. 나는 성공하려고 애쓰는 사람들을 탓하지 않아. 내가 도울 수 있다면 그들을 돕지. 하지만 물론 나도 그에 대한 답례를 요구하오. 그게 세상이 돌아가는 방식이니까. 동시에 나는 많은 정보를 비축해 왔소. 내가 일을 도모하는 데 의지하는 정보의 비축이랄까. 나만큼의 정보량이 있다면 내 관점을 이해하도록 사람들을 설득하기가 더 용이하지. 조국의 영광을 위해 큰 관점을 가져야 하오. 지금도 영향력과 힘을 가진 많은 사람은 우리의 이 훌륭한 나라 독일이 세계에서 정당한 위치를 차지할 수 있는, 성장에 우선적으로 필요한 것들에 대해 총통과 내 의견에 동의하지 않소." 그가 잠시 말을 멈췄다. 아마 그는 내가 벌떡 일어나 히틀러식 경례를 하고 호르스트 베셀이 작곡한 노래라도 부르기를 기대했는지 모르지만 나는 자리에 가만히 앉아서 참을성 있게 고개를 끄덕이며 그가 요점을 말하기를 기다렸다.

"폰 그라이스는 내 의지의 도구였소." 그가 부드럽게 말했다. "내 약점이기도 하지. 그는 내 구매 대리인이자 기금 조성자였지."

"그러니까 고급품 시장을 쥐어짜는 예술가였군요."

괴링이 움찔하는 동시에 미소를 지었다. "귄터 씨, 당신은 칭찬받을 만큼 정직하고 객관적이지만 너무 그러려고 강박적이지 않으면 좋겠군. 나도 직설적인 사람이지만 그게 장점이라고는 할 수 없지. 이걸 이해하시오. 국가를 위한 봉사라면 모든 것이 정당하다. 때로는 강한 수단도 필요한 법이지. 괴테의 말이었던 것 같은데, 정복해서 지배하든가 그렇지 않으면 시중을 들고 조아리든가, 고통을 당하든가 승리를 거두든가, 모루가 되든가 쇠망치가 되든가. 이해하겠소?"

"네, 각하. 저, 폰 그라이스가 누구를 상대했는지 안다면 도움이 될 것 같습니다."

괴링이 머리를 저었다. "그건 절대로 말할 수 없소. 이제 내가 자유재량권과 비밀 엄수에 관해 말할 차례요. 당신은 예비지식 없이 일을 해야 할 거요."

"좋습니다, 각하. 최선을 다하겠습니다. 그 사람 사진을 갖고 계십니까?"

그가 서랍에서 작은 스냅사진을 꺼내 건넸다. "오 년 전 사진이오. 그렇게 많이 변하지 않았소."

나는 사진 속의 남자를 바라보았다. 많은 독일 남자가 그러듯 넓은 이마를 장식하고 있는 우스꽝스러운 키스 컬[52]을 제외하고는 금발머리를 두피에 가까울 만큼 가차 없이 깎은 모습이었다. 오래된 담뱃갑처럼 여기저기 일그러진 얼굴에 왁스로 고정한 콧수염. 전체적으로 오래된《유겐트》잡지에서 흔히 볼 수 있는 전형적인 독일 귀족의 모습이었다.

"문신도 있소." 괴링이 덧붙였다. "오른쪽 팔뚝에. 제국의 국장國章인 독수리 문신."

"매우 애국적이군요." 나는 사진을 주머니에 넣고 담배 한 개비를 청했다. 괴링의 보좌관 중 한 명이 그 대단한 은 상자에서 한 개비를 꺼내 건네며 자신의 라이터로 불을 붙여 주었다. "경찰은 그가 사라진 이유를 그가 호모인 것과 관련이 있다고 보고, 그 방향으로 수사중인 것 같더군요." '독일의 힘'에 의해 살해된, 이름을 모르는 귀족과 관련한 노이만의 정보에 대해서는 아무 말도 하지 않았다. 으뜸패가 될지도 모를 그 이야기를 확인하기 전까지는 던질 때가 아니었다.

"확실히 가능한 일이지." 그 사실을 인정하는 괴링은 불편해 보였다. "사실상 그의 동성애 성향이 그를 사지로 내몰았고, 어느 순간부터 경찰의 주목까지 끌게 되었소. 뭐, 그때는 기소가 취하되긴 했지만. 그런 경험을 했는데도 게르하르트는 그만두지 않았소. 어떤 주요 관료와도 관계가 있었소. 바보 같게도 게르하르트가 조심할 거라는 생각에 나는 그 관계를 용인했지."

나는 이 정보를 나름대로 해석해서 머리에 넣었다. 괴링이 자신보다 지위가 낮은 정적政敵 푼크의 약점을 뒷주머니에 넣어 둘 목적으로

---

52. 이마에 납작하게 붙인 곱슬머리.

그 관계를 지속하도록 허락했을 확률이 높다고 생각했다.

"폰 그라이스에게 남자 친구가 더 있었습니까?"

괴링은 어깨를 으쓱하고 살짝 진저리를 치는 리에나커를 본 다음 입을 열었다. "우리가 아는 한 특별히 그런 사람은 없소. 하지만 확실히 말하긴 어렵지. 그 열띤 사내들 대부분이 비상 통치권 이후 지하 세계로 숨어들었으니까. 그리고 엘도라도 같은 낡은 호모 클럽들 대부분이 문을 닫았소. 그럼에도 불구하고 폰 그라이스 씨는 태평스러운 정사를 이어 갔지."

"그 점에 대해 한 가지 가능성이 있습니다." 내가 말했다. "섹스를 위해 밤에 도시의 구석진 외곽으로 갔다가 지역 크리포에게 잡혀서 두들겨 맞고 강제수용소로 보내졌을 가능성 말입니다. 그럴 경우 수 주간 연락이 없어도 이상할 게 없습니다."

수많은 이들의 실종 과정을 설계한 이 사내 앞에서 그의 심복의 실종에 관해 논의하고 있는 이 상황이 아이러니했다. 그 역시 그 사실을 알고 있는지 궁금했다. "솔직히 말씀드려서, 각하, 요즘 베를린에서 누군가 일이 주 동안 사라지는 건 그리 긴 시간이 아닙니다."

"그 방향에 관한 조사는 이미 끝났소." 괴링이 말했다. "하지만 옳은 지적을 했군. 그쪽을 제외하면 이제 당신한테 달린 일이지. 리에나커가 당신에 관해 조사한 보고에 따르면 실종자 수색이 당신 전문인 것 같더군. 여기에 있는 내 보좌관이 당신에게 비용을 지불할 거요. 그 밖에 당신이 원하는 것도. 더 필요한 게 있소?"

나는 잠시 생각했다. "전화를 도청하고 싶습니다."

나는 괴링의 수하에서 도청을 관리하는 과학 연구부서 포숭잠트[53]

를 알고 있었다. 옛 항공성 건물에 있는 기관으로, 누군가를 도청하기 위해서는 힘러조차 괴링의 허가를 얻어야 한다는 말을 들었다. 그리고 디엘스가 이전 주인에게 남긴 '비축된 정보'에 괴링은 이 특별한 기관을 통해 계속 새로운 정보를 더해 왔으리라는 확신이 들었다.

괴링이 미소 지었다. "정보가 빠르군. 좋을 대로 하시오." 그가 몸을 돌려 보좌관에게 말했다. "그가 원하는 대로 해 주게. 우선적으로 처리해. 그리고 일일 통화 기록을 귄터 씨에게 알려 주게."

"네, 각하." 보좌관이 대답했다. 나는 메모지에 전화번호 두 개를 적어 보좌관에게 건넸다. 이내 괴링이 자리에서 일어났다.

"이 건이 당신에게는 가장 중요한 사건이오." 그가 내 어깨에 손을 가볍게 올리며 말했다. 그러고 나서 나를 데리고 문을 향해 걸었다. 리에나커가 가까이에서 뒤를 따랐다. "만약 성공한다면 관용이 부족한 나를 만나지 않아도 될 테지."

실패한다면? 당장은 그 생각을 접어 두기로 했다.

---

53. 제3제국 항공성의 연구 기관.

12

내가 아파트로 돌아온 때는 동이 틀 무렵이었다. 거리에는 풍기 단속반이 도시가 깨어나기 전 야밤에 공산당이 '붉은 전선이 승리하리라'와 '탤만[54]과 토르글러[55] 만세'라고 쓴 낙서를 지우기 위해 열심히 일하고 있었다.

사이렌과 호각 소리가 단잠을 거칠게 깨우기 전까지 나는 두어 시간 동안 수면을 취하고 있었다. 공습 훈련 소리였다.

나는 베개 밑에 머리를 파묻고 현관문을 두드리는 지역 감시원을 무시하려고 애썼다. 하지만 문을 열지 않으면 나중에 집에 없었던 이유를 설명해야 하고, 그 이유를 입증할 만한 설명을 하지 못하면 벌금을 내야 했다.

삼십 분 후, 공습경보 해제를 알리는 호각 소리와 짜증나는 사이렌 소리가 울렸을 때는 다시 잠을 청할 시점이 지난 것 같았다. 그래서 우유 배달부에게 여분의 우유를 사 특대형 오믈렛을 만들었다.

---

54. 에른스트 탤만. 바이마르 공화국 시절 독일 공산당 의장.
55. 제3제국 독일 공산당의 마지막 의장.

아홉시가 막 지났을 때 잉게가 출근했다. 그녀는 별다른 격식을 차리지 않고 내 책상 맞은편에 앉아 업무일지의 작성을 마치는 나를 바라보았다.

"친구를 만났습니까?" 잠시 뒤에 그녀에게 물었다.

"같이 극장에 갔어요."

"그래요? 뭘 봤죠?" 내 자신이 모든 것을 알고 싶어 한다는 것에 놀랐다. 파울 파르에 관한 정보와 상관없이 자질구레한 사항까지 포함하여.

"〈야비한 남자〉요. 그다지 재미없었지만 오토는 즐기는 것 같더군요. 그가 극장표를 사겠다고 해서 비용은 들지 않았어요."

"그런 다음?"

"바르츠 레스토랑에 갔어요. 내가 싫어하는 곳이에요. 진짜 나치 소굴이죠. 라디오에서 호르스트 베셀의 노래와 〈위대한 독일〉의 연주가 흘러나오자 모두가 일어나서 히틀러식 경례를 하더군요. 나도 해야 했어요. 죽기보다 싫었지만요. 그럴 때마다 손을 들어 택시를 잡는 기분이에요. 꽤 취하니까 오토가 말이 많아지더군요. 나도 고래가 되도록 마셨어요. 덕분에 오늘 아침에 좀 힘들었죠." 그녀가 담배에 불을 붙였다. "어쨌든 오토는 파르와 막연히 아는 사이였어요. 그의 말로 파르는 독일 노동 전선에서 고무장화 속에 든 흰담비족제비만큼이나 인기가 많았대요. 파르는 노동조합 내 부패와 부정행위를 조사 중이었다는군요. 그가 조사한 후에 운수 노동조합 회계 담당자 둘이 쫓겨나 강제수용소로 보내졌어요. 그런 일이 줄줄이 이어졌죠. 울슈타인 대형 출판사의 회장이자 코흐 가 상가위원회장이 기금을 착복한 죄로 처형됐어요. 금속 노동조합의 출납원 롤프 토고체스는 다하우로 보내졌고요. 그 밖에도 많아요. 노동 전선에게 걸림돌이 되는 누군가가 있다면 그건 파울 파르였어요. 듣자 하니 파르가 죽었다는 사실이 알려졌을 때 노동 전선 본부에서 웃는 얼굴들이 많았다더군요."

"죽었을 당시 그가 어떤 조사를 하고 있었는지 압니까?"

"아니요. 비밀리에 일을 추진하는 사람이었나 봐요. 정보 제공자를 통해 충분히 증거를 수집하고 정식 기소를 단행하길 좋아했어요."

"동료가 있었습니까?"

"마를레네 잠이라는 속기사뿐이었어요. 내 친구, 당신이 그렇게 부르시겠다면요, 오토는 그녀에게 홀딱 반해서 두어 번 데이트를 신청했나 봐요. 결과는 시원찮았나 보더군요. 그게 그의 삶이죠. 그래도 그 여자의 주소를 기억하고 있었어요." 잉게가 핸드백을 열고 작은 공책을 찾았다. "놀렌도르프 가 23번지. 그녀라면 파르가 무엇을 조사하고 있었는지 알 거예요."

"여자들과 노닥거리길 좋아하는 타입 같군요. 당신 친구 오토 말입니다."

잉게가 웃음을 터뜨렸다. "파르에 대해 바로 그렇게 말하던데요. 그는 파르가 아내 몰래 바람을 피우는 상대가 있다고 확신해요. 몇 차례 똑같은 나이트클럽에서 어떤 여자와 함께 있는 걸 봤다더군요. 파르는 그 모습을 들킬 때마다 당황해하는 것 같았대요. 오토는 그 여자가 매우 아름다웠다고 했어요. 이름이 베라, 에바, 그 비슷한가 봐요."

"그가 경찰에게 그 이야길 했습니까?"

"아니요, 경찰이 그런 건 물은 적 없다고 했어요. 필요가 없는 한 게 슈타포와 엮이고 싶어 하지 않는 사람이죠."

"그러니까 심문을 받지 않았다는 건가요?"

"아마 그럴 거예요."

나는 머리를 저었다. "경찰이 일을 제대로 하는지 모르겠군." 나는 잠깐 생각한 다음에 덧붙였다. "어쨌든 고맙습니다. 피곤한 일이 아니었길 바랍니다."

잉게가 머리를 저었다. "당신은 어때요? 피곤해 보이는데."

"늦게까지 일했습니다. 잠을 제대로 자지 못했죠. 그런 데다 오늘 아침 빌어먹을 공습 훈련이 있어서." 나는 머리를 문질렀다. 괴링에 대해서는 말하지 않았다. 그녀가 알아야 할 것 이상을 알게 할 필요는 없었다. 그러는 편이 그녀에게 좋았다.

오늘 아침 그녀는 프릴 칼라와 나팔 모양 소매에 뻣뻣한 흰 레이스가 달린 암녹색 면 드레스 차림이었다. 아주 잠깐 나는 그녀의 드레스를 걷어 올리고 엉덩이의 곡선과 깊숙한 음부를 음미하는 판타지를 상상했다.

"이 여자, 파르의 정부 말이에요. 우리가 찾아볼까요?"

나는 머리를 저었다. "경찰이 분명히 알게 될 겁니다. 그러면 곤란해지겠죠. 그들은 그녀를 찾는 데 혈안이 되어 있을 테고, 이미 한 손가락이 들어가 있는 콧구멍에 손가락을 넣고 싶지 않습니다." 나는 전화기를 들어 교환수에게 직스의 집을 연결해 달라고 했다. 파라즈 집사가 전화를 받았다.

"직스 씨나 하우프트핸들러 씨가 있습니까? 베른하르트 귄터입니다."

"죄송하지만 두 분 모두 오늘 아침 회의 때문에 나가셨습니다. 회의 후에 올림픽 오프닝에 참석하시는 걸로 알고 있습니다. 두 분께 메시지를 남겨 드릴까요, 선생님?"

"네, 그래 주십시오. 두 사람에게 거의 다 왔다고 전해 주십시오."

"그렇게만 전하면 됩니까, 선생님?"

"네, 그렇게 전하면 알 겁니다. 꼭 두 사람에게 전해야 합니다, 파라즈."

"네, 선생님."

나는 전화기를 내려놓았다. "좋아. 우리가 나설 때군."

동물원 역으로 가는 지하철 요금은 십 페니히였다. 올림픽 기간 이 주 동안 특별히 깔끔하게 보이기 위해 역사驛舍를 새로 칠했다. 역사 뒤편에 있는 집들의 벽마저 새로 흰 페인트칠을 했다. 하지만 도시 위 높은 곳, 힌덴부르크 비행선이 시끄러운 소리를 내며 오륜기를 매달고 선회하는 하늘에는 먹구름이 깡패처럼 모여 있었다. 역에 내렸을 때 잉게가 하늘을 올려다보며 말했다. "비가 오면 꼴좋겠는데요. 이 주 내내 비가 오면 더 좋겠군요."

"당국이 통제 못하는 유일한 일이죠." 내가 말했다. 우리는 쿠르퓌어슈텐 가에 다다랐다. "자 그럼, 하우프트핸들러 씨가 고용주와 나가 있는 동안 난 그의 방을 뒤져 볼 겁니다. 아셍거 레스토랑에서 기다려요." 잉게가 항의하려고 했지만 내가 말을 이었다. "절도는 심각한 범죄고, 일이 심각해지면 당신이 옆에 없는 게 좋습니다. 알겠습니까?"

그녀가 얼굴을 찌푸리더니 고개를 끄덕였다. "무뢰한." 내가 발걸음을 옮기자 그녀가 중얼거렸다.

120번지는 흑인 재즈 밴드 탈의실에서 거울로 사용해도 될 만큼 광택이 나는 육중한 검은색 현관문이 있는, 비싸 보이는 아파트들이 늘어선 블록의 오 층 건물이었다. 나는 등자 모양의 거대한 놋쇠 노커를 두드려 왜소한 관리인을 불러냈다. 그는 마약에 취한 나무늘보처럼 보였다. 나는 그의 물기 어린 작은 눈앞에 게슈타포 신분증을 내비쳤다. 그와 동시에 "게슈타포"라고 내지르듯 말하며 그를 거칠게 밀치고 잽싸게 홀 안으로 들어섰다.

관리인은 창백한 얼굴의 모든 땀구멍에서 공포를 발산했다.

"하우프트핸들러 씨의 아파트가 어디지?"

체포되어 강제수용소로 보내지는 게 자신이 아니란 걸 깨달은 관리인이 다소 안정을 되찾았다. "이층 5호입니다. 하지만 그는 지금 집에 없습니다."

나는 그에게 손가락을 튀겼다. "마스터키 내놔." 그는 머뭇거리지도 않고 열정을 다해 작은 열쇠고리에서 열쇠 다발 중 하나를 뺐다. 나는 그의 떨리는 손에서 열쇠를 잡아챘다.

"하우프트핸들러 씨가 돌아오면 전화벨을 한 번 울린 다음 끊도록. 알았나?"

"네, 선생님." 그가 침 삼키는 소리를 내며 대답했다.

하우프트핸들러의 아파트는 두 아파트를 튼 것처럼 인상적일 만큼 넓은 아파트로 아치형 출입구에, 빛나는 목재 바닥에는 동양풍 양탄자가 깔려 있었다. 모든 것이 단정하고 먼지 하나 없어서 사람이 거의 살지 않는 아파트 같았다. 침실에는 두 개의 큼직한 침대와 화장대, 두툼한 쿠션이 놓여 있었다. 방의 전체적인 색채 조합은 복숭앗빛을 기반으로 한 비취색과 담황색이었다. 내 취향은 아니었다. 각 침대 위에는 여행 가방이 열린 채로 놓여 있었고, 바닥에는 C&A, 그룬펠트, 게르존, 티에츠를 포함한 몇몇 대형 백화점의 빈 쇼핑백이 있었다. 나는 두 여행 가방을 살펴보았다. 처음 살펴본 가방은 여성용으로 가방 안에 든 모든 것이 새것이거나 적어도 새것처럼 보인다는 사실이 인상적이었다. 어떤 옷은 가격표가 그대로 붙은 채였고, 구두는 밑바닥이 닳지도 않았다. 이와 대조적으로 하우프트핸들러의 것으로 추정되는 가방에는 세면도구류를 제외하면 새것이 전혀 담겨 있지 않았다. 다이아몬드 목걸이는 들어 있지 않았다. 화장대 위에는 월요일 저녁발 런던 크로이던행 루프트한자 비행기 표가 든 지갑 크기의 서류철이 놓여 있었다. 타이히뮐러 부부의 이름으로 예매한 왕복표였다.

하우프트핸들러의 아파트에서 나오기 전 나는 아들론 호텔에 전화했다. 전화를 받은 헤르미네에게 무시미 공주와 관련한 건을 도와준 것에 감사를 표했다. 포슝잠트 소속 괴링의 수하들이 이 전화에 도청 장치를 설치했다는 말은 할 수 없었다. 딸가닥거리는 소리도 들리지 않았고, 헤르미네의 목소리가 특이하게 울리지도 않았다. 하지만 나는 그들이 하우프트핸들러의 전화에 도청 장치를 설치했다는 사실을 알고 있었고, 나중에 헤르미네와의 대화를 기록한 통화 일지를 볼 생각이었다. 수상의 협조의 정도를 시험해 보기에 아주 좋은 방법이었다.

나는 하우프트핸들러의 아파트에서 나와 일층으로 내려왔다. 관리인이 사무실에서 황급히 뛰쳐나와 마스터키를 회수했다.

"내가 여기 왔다는 말을 아무에게도 하지 않겠지. 만약 누군가에게 말을 하면 좋지 않을 거야. 알았나?" 그가 말없이 끄덕였다. 나는 게슈타포가 좋아하는 히틀러식 경례를 가능한 한 남의 이목을 끌지 않고, 게슈타포라면 절대 그러지 않을 만큼 재빨리 했다. 하지만 게슈타포라는 인상을 확실히 남기기 위해 과장된 동작을 취했다.

"하일 히틀러."

"하일 히틀러." 관리인이 용케 열쇠 꾸러미를 떨어뜨리지 않고 복창하며 경례를 돌려주었다.

"월요일 밤까지 뭔가 하지 않으면 안 될 것 같군요." 잉게가 앉아 있는 테이블에 앉으며 말했다. 나는 비행기 표와 여행 가방 두 개에 대해 설명했다. "재미있는 건 여자의 가방은 새것들로 가득하다는 겁니다."

"당신의 하우프트핸들러 씨는 여자를 어떻게 대해야 하는지 아는 것 같군요."

"죄다 새것이더군요. 가터벨트, 핸드백, 구두. 그 가방 안에 사용했던 걸로 보이는 물건은 하나도 없었습니다. 자, 그게 뭘 뜻할까요?"

잉게가 어깨를 으쓱했다. 그녀는 아직도 자신을 남겨 두고 간 것에 대해 약간 토라져 있었다. "여자 옷 방문 판매 일을 새로 잡았나 보죠."

나는 눈썹을 추켜세웠다.

"알았어요. 그럼," 그녀가 말했다. "그가 런던으로 데려가는 여자는 좋은 옷이 하나도 없나 보죠."

"차라리 옷이 하나도 없다고 하는 편이 맞을 거요. 정말 이상한 여자라고밖에 할 수 없을 것 같군요."

"베르니, 나와 우리 집에 가 보시겠어요? 정말 옷이 없는 여자를 보여 주죠."

아주 잠깐 이 여자의 집에 가는 상상을 즐겼다. 하지만 나는 말을 이었다. "아니, 나는 하우프트핸들러의 수수께끼의 여자 친구가 머리부터 발끝까지 새 옷으로 차려입고 여행에 나서려 한다고 확신합니다. 과거가 없었던 여자처럼."

"아니면, 새롭게 다시 시작하는 여자거나." 그 말을 입 밖으로 낸 순간 그 이론이 마음속에서 구체화된 것처럼 잉게가 더 큰 확신을 갖고 덧붙였다. "그 전까지의 자신의 삶을 끊어 버려야 했던 여자거나요. 집으로 돌아가 짐을 챙길 만큼의 시간적 여유도 없는 여자. 아니에요, 그럴 리 없겠죠. 어쨌든 월요일 밤까지는 시간이 있으니까요. 그렇다면 누군가가 기다리고 있을지도 몰라 집으로 가기 두려운 걸 거예요." 나는 동의한다는 표시로 고개를 끄덕이고, 이 추리의 방향을 발전시켜 보려는 참에 그녀가 앞질렀다. "아마, 그 여자는 경찰이 쫓고 있는 사람, 파르의 정부일 거예요. 베라 혹은 에바, 어느 쪽인지 잊어버렸어요."

"하우프트핸들러가 그 여자와 여기에 있다고? 그렇군." 내가 골똘히 생각하며 말했다. "그게 아귀가 맞을 것 같군요. 파르는 아내가 임신한 걸 알고 에바라는 여자를 무시했을 가능성이 있습니다. 아버지가 된다는 생각이 들면 남자들은 정신을 차린다더군요. 하지만 야망을 갖고 파르 부인에게 접근한 하우프트핸들러에게 있어서는 안 될 일이죠. 아마 하우프트핸들러와 에바는 부당한 대접을 받은 애인 역할을 하기로 마음먹었을 겁니다. 이를테면 제휴랄까. 그리고 작은 자금까지 마련했을 가능성이 있죠. 파르가 에바에게 아내의 보석에 대해 말했을지도 모릅니다." 나는 잔을 들이켜고 자리에서 일어났다.

"그렇다면 하우프트핸들러가 에바를 어딘가에 숨겨 놨을 가능성이 있어요."

"가능성이 세 가지군요. 점심 식사 자리에서 듣기에는 이야기가 지나치게 많아요. 계속 이러다간 소화불량에 걸리겠습니다." 나는 손목시계를 힐끗 보았다. "갑시다. 가면서 더 생각하기로 하고."

"어디로 가는데요?"

"크로이츠베르크."

그녀가 매니큐어를 곱게 칠한 손가락으로 나를 가리켰다. "이번엔 당신 혼자 재미를 보는 동안 안전한 곳에서 심심하게 있지 않을 거예요. 알겠어요?"

나는 그녀에게 싱긋 웃어 보이고 어깨를 으쓱했다. "알겠습니다."

십자가 언덕이라는 뜻의 크로이츠베르크는 도시 남쪽 템펠호프 공항 근처 빅토리아 공원 내에 있었다. 베를린의 화가들이 그림을 팔기 위해 모이는 곳이다. 공원에서 한 블록 떨어져 있는 샤미소 광장은 요새 같은 높은 회색 공동주택들이 둘러싸고 있었다. 17번지 모퉁이에 자리 잡은 틸레센 펜션은 비스마르크가 콧수염을 기른 이래 손님을 한 번도 받지 않은 것처럼, 닫힌 셔터가 공산당 낙서와 나치당 포스터들로 도배되어 있었다. 현관문은 잠겨 있었다. 허리를 숙여 문에 달린 우편함 입구를 통해 안을 살폈지만 사람이 사는 흔적은 보이지 않았다.

'독일인' 회계사 하인리히 빌링거라는 간판이 달린 옆집에서 석탄 배달부가 제과점 쟁반처럼 보이는 것에 갈색 조개탄을 배달중이었다. 나는 그에게 펜션이 언제 문을 닫았는지 아느냐고 물었다. 그가 더러워진 이마를 닦고 침을 뱉으며 기억을 더듬었다.

"이곳은 흔히들 말하는 펜션이 아니었습니다." 배달부가 마침내 선언하듯 말했다. 그가 잉게의 눈치를 보더니 신중하게 고른 말을 덧붙였다. "평판이 안 좋은 집이라고 해야 할까요. 아시겠지만 일반적인 매음굴은 아니고요. 이 주변 창녀들이 잠깐 일 보는 데 사용하는 장소 같은 거죠. 바로 이 주 전에 이 집에서 나오는 남자 몇 명을 봤습니다. 이 집 주인은 정기적으로 석탄을 들인 적이 없어요. 이따금씩 주문할 뿐이죠. 그래서 언제 문을 닫았는지는 모르겠군요. 일을 그만둔 건지 아닌지도 모르겠습니다. 모르지만 어쨌든 그런 것 같군요. 내가 보기엔 언제나 저 상태인 것 같았으니까요."

나는 펜션을 돌아 차고로 통하는 자갈이 깔린 좁은 길로 잉게를 이끌었다. 불결해 보이는 도둑고양이들이 벽돌담 위에 앉아 있었고, 차고 입구에는 스프링이 튀어나온 매트리스가 버려져 있었다. 누군가가 매트리스를 태운 흔적 때문에 일만이 보여 준 검게 탄 침대 프레임 감식 사진이 떠올랐다. 펜션에 딸린 차고 옆에 서서 더러운 유리창을 통해 차고 안을 들여다보았지만 무언가를 보기가 불가능했다.

"금세 돌아오겠습니다." 나는 그렇게 말하고 차고의 홈통을 기어올라 물결 모양의 양철 지붕으로 올라갔다.

"정말 돌아와야 해요." 잉게가 외쳤다.

나는 감히 일어설 수 없어서 체중이 실린 발에 집중하며 몹시 녹이 슨 지붕을 조심조심 기어서 가로질렀다. 지붕에서 펜션에 딸린 작은 뜰을 내려다보았다. 방의 창문들은 더러운 그물 커튼으로 가려져 있었고, 어느 창문에서도 사람이 사는 흔적을 느낄 수 없었다. 내려갈 방법을 찾았지만 이쪽에는 홈통이 없었고, 독일인 회계사 건물의 벽이 인접해 있었지만 벽이 너무 낮아 소용이 없었다. 따분한 회계 장부를 들여다보다가 고개를 든 사람이 펜션 뒤쪽의 차고를 보기가 어렵다는 점은 행운이었다. 사 미터가 넘는 높이였지만 뛰어내릴 수밖에 없었다. 뛰어내리자 긴 고무호스로 맞은 것처럼 잠시 동안 발바닥에 찌르는 듯한 고통이 밀려왔다. 차고로 통하는 뒷문은 잠겨 있지 않는데 폐타이어 더미를 빼면 아무것도 없었다. 나는 이중문의 빗장을 벗기고 잉게를 안으로 들였다. 그러고 나서 다시 빗장을 질렀다. 우리는 잠시 어둑한 차고 안에 서서 말없이 서로를 바라보았고, 나는 거의 그녀에게 키스할 뻔했다. 미인에게 키스할 장소로 크로이츠베르크의 폐차고보다 나은 곳은 없을 터였다.

우리는 마당을 가로지른 다음 펜션의 뒷문으로 가 손잡이를 돌려보았다. 문은 잠겨 있었다.

"이제 어쩌죠?" 잉게가 말했다. "만능열쇠나 곁쇠라도?"

"비슷한 게 있죠." 나는 문을 걷어찼다.

"쥐도 새도 모를 방법이군요." 그녀가 경첩에 매달린 채 활짝 열린 문을 바라보며 말했다. "여기에 아무도 없다고 생각한 모양이군요."

나는 그녀를 보고 싱긋 웃었다. "우편함을 통해 들여다봤을 때 개봉하지 않은 편지가 매트 위에 쌓여 있더군요." 나는 안으로 들어갔다. 그녀는 내가 돌아볼 만큼 오랫동안 머뭇거렸다. "그래요. 여긴 아무도 없습니다. 당분간은. 장담하죠."

"이제 우린 여기서 뭘 하죠?"

"그냥 둘러볼 겁니다."

"그룬펠트 백화점에라도 있는 것처럼 요란하게 말이죠." 잉게가 나를 따라 어두운 색 돌바닥으로 내려섰다. 들리는 소리라고는 우리의 발소리뿐으로, 목적의식이 드러나는 내 발걸음에서는 힘이 느껴지는 반면 까치발을 한 그녀의 발걸음에서는 불안이 느껴졌다. 복도 끝에 멈춰 서서 독한 냄새를 풍기는 큰 부엌을 힐끗 보았다. 더러운 접시들이 어수선하게 쌓여 있었다. 식탁 위에 놓인 치즈와 고기에 파리가 들끓었다. 배가 불러 터질 것 같은 파리가 내 귀에서 붕붕거렸다. 주방 안으로 한 발짝 내딛자 악취가 주위를 압도했다. 뒤에서 잉게가 거의 토할 것처럼 구역질을 하는 소리가 들렸다. 나는 급히 발걸음을 옮겨 창문을 열었다. 우리는 잠시 창 앞에 서서 신선한 공기를 음미했다. 이윽고 바닥을 내려다보자 난로 앞에 종이 몇 장이 흩어져 있었다. 석탄을 넣는 창이 열려 있어서 허리를 굽혀 안을 살펴보았다. 난로 안쪽은 타 버린 종이로 가득했고, 대부분 재가 되었지만 여기저기에 불꽃에 휩싸이지 않은 종이 끄트머리가 남아 있었다.

"건져 낼 게 있는지 봐요." 내가 말했다. "누군가가 급하게 종적을 감춘 것 같군요."

"특별한 게 있나요?"

"읽을 수 있는 게 특별한 거겠죠." 나는 부엌 입구 쪽으로 걸어갔다.

"어디 가요?"

"위층을 둘러보겠습니다." 나는 요리 운반용 승강기를 가리켰다. "내가 필요하면 저 통로에 대고 소리쳐요." 잉게는 말없이 끄덕이며 소매를 걷었다.

현관문과 같은 층에 있는 위층은 더욱 엉망이었다. 접수대 뒤에 빈 서랍들이 흩어져 있었고, 내용물이 올이 다 드러난 카펫 위에 떨어져 있었다. 그리고 선반에 달린 모든 문의 경첩이 떼어진 채였다. 엉망진 창이 된 괴렁의 데어플링거 가 아파트가 떠올랐다. 침실 마룻널은 대부분 뜯겨 있었고, 굴뚝을 빗자루로 훑은 흔적이 보였다. 나는 식당으로 갔다. 엄청난 상처에서 뿜어져 나온 것 같은 피가 흰 벽지에 튀어 있었고, 양탄자에는 정찬용 접시만 한 얼룩이 있었다. 발밑에 단단한 뭔가가 느껴져 허리를 숙이고 총알처럼 보이는 것을 주웠다. 납덩어리로 피가 묻어 있었다. 나는 그것을 손바닥에 떨어뜨린 다음 재킷 주머니에 넣었다.

요리 운반용 승강기의 나무 문턱에는 더욱 많은 피가 얼룩져 있었다. 승강기 통로로 몸을 들이밀고 잉게를 불렀을 때 부패한 냄새가 너무 심해 구역질이 났다. 나는 비틀거리며 통로에서 물러났다. 통로에는 뭔가가 들러붙어 있었는데 늦은 아침 식사 따위는 아니었다. 손수건으로 코와 입을 막고 통로 안으로 다시 머리를 밀어넣었다. 내려다보니 승강기가 층과 층 사이에 끼여 있었다. 흘깃 위를 보자 도르래가 보였고, 로프 하나에 나뭇조각이 끼여 있어 승강기를 지탱하고 있었다. 승강기 나무 문턱에 앉아 통로 안으로 몸의 반을 집어넣고 팔을 뻗어 나뭇조각을 떼어 냈다. 로프가 내 얼굴을 스쳐 지나갔고, 내 밑에 있던 승강기가 주방으로 곤두박질치더니 쿵 소리를 냈다. 깜짝 놀란 잉게의 비명이 들렸다. 이윽고 다시 비명이 들렸는데 이번 비명은 조금 전보다 더 컸고, 더 오래 지속됐다.

거실에서 뛰쳐나가 아래층 지하로 내려가자 잉게가 주방 밖 복도 벽에 힘없이 기댄 채 서 있었다. "괜찮습니까?"

그녀가 비명을 삼켰다. "끔찍해요."

"뭐가?" 나는 부엌 입구로 향했다. 뒤에서 잉게가 하는 말이 들렸다. "들어가지 마요, 베르니." 하지만 그러기엔 너무 늦었다.

나이아가라 폭포에서 무모하게 뛰어내릴 준비를 하며 맥주 통 안에서 몸을 움츠리고 있는 사람처럼, 시체가 승강기 안쪽 구석에 태아처럼 몸을 옹송그리고 앉아 있었다. 자세히 보니 머리가 없는 것 같았는데, 그게 아니라 머리가 구더기로 뒤덮여 있다는 것을 깨닫는 데는 시간이 걸렸다. 검게 변색한 얼굴을 파먹는 벌레들로 이루어진 빛나는 마스크. 나는 몇 차례 침을 삼켰다. 손수건으로 코와 입을 다시 덮고 가까이에서 보기 위해 앞으로 다가갔다. 촉촉한 잎사귀들을 스치는 미풍처럼 수백 개의 입들이 사각거리는 소리가 들릴 만큼 가까이. 내 빈약한 법의학적 지식에 따르면 사후 머지않아 파리들은 눈이나 입 같은 시체의 축축한 부위뿐 아니라 벌어진 상처에 알을 깐다. 머리 윗부분과 오른쪽 관자놀이를 파먹고 있는 구더기의 밀집도로 보건대 피해자는 맞아 죽었을 공산이 컸다. 입은 옷으로 보아 남자였고, 양질의 구두로 판단하건대 대단히 부유한 사람임을 알 수 있었다. 나는 오른쪽 재킷 주머니를 뒤졌다. 동전 몇 개와 바닥에 떨어져 있는 것과 같은 종잇조각이 들어 있었지만 그의 신원을 알 만한 것은 전혀 없었다. 가슴 주머니 언저리를 더듬었지만 아무것도 들어 있는 것 같지 않았다. 그렇다고 신원을 알기 위해 그의 무릎과 구더기가 들끓는 머리 사이를 손으로 훑고 싶지도 않았다. 뒷걸음질해서 창가로 다가가 참았던 숨을 내쉬었을 때 한 가지 생각이 떠올랐다.

"뭐 해요, 베르니?" 이제 잉게의 목소리가 더 커진 듯했다.

"거기 그냥 있어요. 오래 있진 않을 거요. 우리의 친구가 누군지 알고 싶을 뿐입니다." 그녀의 한숨 소리와 담배에 불을 붙이기 위해 성냥을 켜는 소리가 들렸다. 나는 가위를 찾은 다음 승강기로 돌아가 남자의 팔뚝을 감싸고 있는 재킷을 세로로 길게 잘랐다. 조그만 파리와 구더기 들과 경쟁하듯 머리를 파먹느니 썩어 가는 팔뚝을 혼자 즐기기로 한 크고 검은 벌레처럼 크고 검은 문신이 팔뚝에 있었다. 맞아서 녹색과 자주색 대리석 무늬를 띤 피부색에 반해 문신은 여전히 명확하게 식별이 가능했다. 나는 왜 남자들이 문신을 하는지 결코 이해할 수 없었다. 자신의 몸을 훼손하는 것보다 더 나은 자기표현이 있을 터였다. 하지만 덕분에 비교적 간단히 신원 파악이 가능했고, 독일 시민이 의무적으로 문신을 하게 될 날이 그리 멀지 않을 거라는 생각이 들었다. 어쨌든 지금 당장은 정당 카드와 신분증을 손에 넣은 것만큼이나 확실히, 그 제국 국장인 독일 독수리 문신이 그가 게르하르트 폰 그라이스라는 것을 증명했다.

잉게가 문가에서 힐끔거렸다. "누군지 알겠어요?" 나는 소매를 걷어붙이고 난로 안으로 팔을 집어넣었다. "그래요." 내가 차가운 재를 더듬으며 말했다. 길고 단단한 무언가에 손이 닿았다. 나는 끄집어낸 것을 응시했다. 거의 타지 않았다. 쉽사리 타는 나무가 아니었다. 두꺼운 쪽 끝이 갈라진 곳에 납덩어리가 드러나 있었고, 위층 식당 양탄자에서 발견한 것이 있었을 부분은 비어 있었다. "그는 게르하르트 폰 그라이스라는 사람이고 고급품 시장을 쥐어짜는 예술가였죠. 그는 쥐어짤 만큼 쥐어짠 모양입니다. 영원히. 누군가가 그의 머리를 이걸로 빗겼군요."

"그게 뭐예요?"

"부러진 당구 큐입니다." 나는 그것을 난로 안으로 다시 밀어 넣었다.

"경찰에게 말해야 하지 않아요?"

"우린 느려 터진 그들의 수사 방법을 도울 시간이 없습니다. 어쨌든 지금은. 그랬다간 바보 같은 질문에 대답하면서 남은 주를 보내야 할 뿐이죠." 괴링에게서 이삼일 치 보수를 더 챙기는 것도 나쁘지 않겠다는 생각이 들었지만 그 생각은 마음속에 넣어 두었다.

"이 남자는 어쩌죠? 죽은 사람 말이에요."

나는 구더기투성이 폰 그라이스를 돌아보고 어깨를 으쓱했다. "이 사람이야 바쁠 거 없죠. 게다가 소풍 온 기분을 망치고 싶은 생각은 없겠죠?"

우리는 잉게가 난로 안에서 그럭저럭 구조해 낸 종잇조각을 모아서 택시를 잡아타고 사무실로 돌아왔다. 나는 잉게와 내 글라스에 코냑을 가득 따랐다. 잉게는 레모네이드에 탐욕스러운 꼬마처럼 양손으로 글라스를 잡고 고마워하며 들이켰다. 나는 잉게 옆에 앉아 그녀의 떨리는 어깨에 팔을 둘러 그녀를 끌어당겼다. 폰 그라이스의 죽음이 점점 가까워질 필요가 있는 우리의 관계를 가속화했다.

"시체에 익숙하지 않아요." 그녀가 쑥스럽다는 듯이 미소를 지으며 말했다. "특히 요리 운반용 승강기에서 발견된, 심하게 부패된 시체에는요."

"그래요, 충격적이었을 겁니다. 그걸 보게 해서 미안합니다. 폰 그라이스가 약간 지각이 없었다는 걸 인정해야겠군요."

그녀가 살짝 몸서리를 쳤다. "그게 사람이었다는 게 믿기지 않아요. 그건 마치…… 마치 채소처럼 보였어요. 썩은 감자 포대 같았다고나 할까요." 나는 또 다른 천박한 표현을 쓰고 싶은 유혹을 참았다. 대신 내 책상으로 가서 틸레센의 부엌 난로에서 나온 종잇조각을 배열한 다음 죽 훑어보았다. 대부분 청구서였지만 거의 불길이 닿지 않은 한 조각이 꽤 흥미를 끌었다.

"그게 뭐죠?" 잉게가 물었다.

내가 엄지와 검지로 그 종잇조각을 집어 들었다. "급여 명세서." 그녀가 자세히 보기 위해 자리에서 일어났다. "국영 자동차 도로 회사의 고속도로 건설 노동자 월급봉투에서 나온 거군요."

"누구 건데요?"

"한스 위르겐 보크라는 친구. 최근까지 그는 금고털이 쿠르트 무트슈만이라는 사람과 감방에 있었습니다."

"당신은 그 무트슈만이라는 사람이 파르의 금고를 연 사람이라고 생각해요?"

"그와 보크 둘 다 같은 링 멤버죠. 우리가 조금 전에 방문한 호텔의 주인도."

"그런데 무트슈만과 틸레센과 함께 같은 링 소속이라면, 그 보크란 사람은 대체 고속도로 건설 회사에서 무슨 일을 하고 있는 거죠?"

"좋은 질문입니다." 나는 어깨를 으쓱하고 덧붙였다. "누군들 알겠습니까. 아마 똑바로 살려고 애썼나 보죠. 그가 무슨 일을 하든 우리는 그를 만나야 합니다."

"그가 무트슈만을 어디서 찾을 수 있는지 말해 줄지도 몰라요."

"가능하죠."

"그리고 틸레센도요."

나는 머리를 저었다. "틸레센은 죽었습니다. 폰 그라이스는 부러진 당구 큐에 맞아서 살해됐습니다. 며칠 전 경찰 시체 안치소에서 부러진 나머지 당구 큐로 무슨 일이 일어났는지 봤습니다. 그게 틸레센의 코를 통해 뇌까지 들어가 있었죠."

잉게가 불편한 기색으로 얼굴을 찌푸렸다. "하지만 그게 틸레센인지 어떻게 알죠?"

"확실한 건 아니에요." 나는 인정했다. "하지만 무트슈만이 숨어 있다는 것과 출소 후에 그가 틸레센의 거처에 몸을 의탁했다는 것을 압니다. 틸레센이 자신의 펜션에 시체를 내팽개쳐 두었을 것 같지 않아요. 가능한 한 숨기려고 했겠죠. 최근 들은 바에 의하면 경찰은 아직 적극적으로 시체의 신원 파악을 하지 않고 있습니다. 그래서 난 그게 틸레센이라고 생각하죠."

"하지만 무트슈만일 수도 있잖아요?"

"그런 것 같진 않군요. 며칠 전 내 정보원에게 들은 말에 의하면 무트슈만에게 살인 청부업자가 붙었는데, 그때쯤에는 이미 코에 당구 큐가 꽂힌 시체가 란트베어 운하에서 인양되었죠. 아니에요, 그건 틸레센입니다."

"그리고 폰 그라이스는? 그도 그 링의 일원이에요?"

"그 링은 아니지만 또 다른 조직에 있었고, 훨씬 막강한 조직이죠. 그는 괴링을 위해 일했습니다. 그래도 왜 그가 그 펜션에 있었는지는 설명이 안 되는군요." 나는 브랜디를 구강 청결제 삼아 입을 헹군 다음 꿀꺽 삼키고 전화기를 들어 국유 자동차 도로 회사에 전화를 걸었다. 나는 총무부 직원을 찾았다.

"내 이름은 리에나커요. 게슈타포의 리에나커 형사수사관이오. 우리는 도로 건설 노동자 한스 위르겐 보크라는 자의 행방을 쫓고 있소. 봉급 수급자 번호는 30-4-232564요. 그가 제3제국의 적을 체포하는 일에 도움이 될지도 모르오."

"알겠습니다." 직원이 고분고분하게 대답했다. "어떤 걸 알고 싶으십니까?"

"그가 일하고 있는 고속도로의 정확한 구간과 그가 오늘 거기에 있었는지 알고 싶소."

"일 분만 기다려 주시면 제가 가서 기록을 확인하겠습니다." 몇 분이 흘렀다.

"게슈타포가 하는 짓 그대로인데요." 잉게가 말했다.

나는 송화구를 가렸다. "게슈타포라고 밝힌 사람에게 협조를 거부할 자는 없죠."

직원이 돌아와 보크가 베를린과 하노버를 연결하는 '대☆베를린' 고속도로 경계 저편 작업반에 있다고 말했다. "정확히 말씀드리면 브란덴부르크와 레닌 사이 구간입니다. 브란덴부르크에서 이 킬로미터 떨어진 현장 사무소를 방문해 보십시오. 시내에서 칠십 킬로미터 거리입니다. 포츠담에서 체펠린 가로 가십시오. 거기서 사십 킬로미터쯤 가시다가 레닌에서 고속도로를 타시면 됩니다."

"고맙소. 오늘 그는 일을 나왔소?"

"죄송하지만 모르겠습니다." 직원이 말했다. "대부분 토요일 날도 일합니다. 그가 오늘 일을 하지 않더라도 일꾼 막사에서 찾으실 수 있을 겁니다. 아시겠지만 그들은 현장에서 먹고 자니까요."

"큰 도움이 됐군." 나는 그렇게 말하고 모든 게슈타포들이 그러듯 거드름을 피우며 덧붙였다. "당신의 적극적인 협조에 관한 내용을 당신 상관에게 전하지."

13

"개 같은 나치의 전형적인 특징이군요." 잉게가 말했다. "국민차를 만들기보다 국민 도로를 만드는."

우리는 아부스 고속도로를 타고 포츠담으로 이동중이었고, 잉게는 KdF 바겐 사업[56]이 너무 지체되고 있다는 말을 하고 있었다. 이에 관해 그녀는 확고한 의견을 갖고 있는 것 같았다.

"말도 없는데 수레를 갖다 놓는 꼴이에요. 이 엄청난 고속도로가 무슨 소용이죠? 지금 도로 사정이 나쁜 것도 아니고. 독일에 차가 많다면 모를까." 그녀가 말을 이으며 나를 더 잘 보기 위해 자리에서 몸을 돌렸다. "당국이 폴란드 회랑[57]을 바로 가로지르는 고속도로를 건설 중이라고 말해 준 친구가 있어요. 그 도로를 체코슬로바키아까지 낼 계획이라더군요. 군대 이동 이외의 목적이 있는 걸까요?"

나는 대답하기 전에 목을 가다듬었다. 그 행동이 생각할 시간을 벌

---

56. 독일 노동자를 위한 KdF의 가장 야심적인 프로그램은, 후에 폭스바겐 비틀이 된 국민차 KdF 바겐의 생산이었다.
57. 1차 세계대전 후에 베르사유 조약으로 폴란드령이 된 서프로이센과 포즈난(Poznań)의 북부 지방으로, 영유권 문제가 나치스의 폴란드 침략에 구실이 되었다.

어 주었다. "그 고속도로는 군사적인 가치가 별로 없는 데다 프랑스로 향하는 라인 강 서쪽으로는 아예 나 있지 않죠. 어쨌든 길게 쭉 뻗은 도로의 트럭 수송은 공습의 쉬운 표적이 될 겁니다."

내 마지막 말이 동반자에게서 짧은 비웃음을 이끌어 냈다. "당국이 독일 공군을 창설한 이유로 딱이군요. 호송대를 보호하기 위해서요."

나는 어깨를 으쓱했다. "아마도. 알고 보면 히틀러가 이 도로를 건설하는 이유는 더 간단하죠. 실업률 수치를 낮추기 쉬운 방법이니까. 당국의 구호물자를 받는 사람이 고속도로를 건설하는 일자리를 거부하면 그걸 받지 못할 위험이 있습니다. 그래서 받아들이는 겁니다. 보크에게 그런 일이 일어난 건지도 모르죠."

"언젠가 베딩과 노이쾰른에 가 보면 좋을 거예요." 잉게가 아직 남은 공산당 지지 지역을 언급했다.

"아, 물론 그곳 사람들은 고속도로 공사 현장의 열악한 임금과 노동 조건에 대해 압니다. 그들 중 많은 사람이 도로 건설 현장으로 보내지는 위험을 무릅쓰니 구호물자의 신청을 포기하는 게 낫다고 생각할 겁니다." 우리는 노이쾨니히 가의 포츠담으로 접어들었다. 포츠담. 오래전부터 이곳에서 살아온 주민들이 조국의 지나간 날들의 영광과 자신들의 청춘의 영광을 기억하며 불을 밝히는 곳. 적막하게 버려진 프로이센 왕국의 껍데기. 독일이라기보다 프랑스에 더 가까워 보이는 곳으로 도시 자체가 박물관 같은 곳. 말투와 정서가 옛 방식 그대로 보존된 매우 보수적인 곳. 집들의 창문이 황제의 사진이 든 액자 유리처럼 잘 닦인 곳.

레닌 방향으로 이 킬로미터쯤 내려가자 그 그림 같은 풍광은 갑작스레 나타난 혼돈에 사라져 버렸다. 베를린 외곽에서 가장 아름다웠던 이곳 전원지대는 이제 토공 기계들 천지였고, 반쯤 진행된 레닌-브란덴부르크 간 고속도로 공사로 파헤쳐진 골짜기가 갈색 몸통을 드러내고 있었다. 브란덴부르크에 근접해 목조 막사와 멈춰 서 있는 굴삭기들이 군집한 곳에 차를 세우고 내 쪽으로 곧장 다가오는 일꾼에게 현장감독의 막사가 어딘지 물었다.

"현장감독은 저 막사에 있습니다." 나는 고맙다는 인사를 하고 주차한 다음 차에서 내렸다.

다부진 붉은 얼굴의 현장감독은 중키에 만삭인 여자보다 배가 더 튀어나온 사내로, 그 배가 등산가의 배낭 같은 바지 둘레에서 흘러넘쳤다. 우리가 다가가자 그는 우리 쪽으로 고개를 돌리더니 마치 나와 맞붙을 준비가 되었다는 듯이 바지를 끌어올리고, 삽만 한 손등으로 다박나룻투성이 턱을 훔친 다음 체중의 대부분을 한쪽 발에 실었다.

"여봐요." 우리가 가까이 다가가기 전에 내가 불렀다. "당신이 현장감독입니까?" 그는 아무 말도 하지 않았다. "귄터라고 합니다. 베른하르트 귄터. 나는 탐정이고, 이쪽은 내 조수 잉게 로렌츠 양입니다." 나는 그에게 신분증을 내밀었다. 현장감독은 잉게에게 고개를 끄덕인 다음 내 면허증으로 시선을 돌렸다. 그의 행동은 문자 그대로 거의 원숭이 같았다.

"페터 벨저요. 뭘 도와 드리면 되겠소?"

"보크 씨와 얘기를 나누고 싶습니다. 우리에게 도움이 될지도 모를 사람입니다. 우리는 실종된 사람을 찾고 있습니다."

벨저는 싱긋 웃고 다시 바지를 추켜올렸다. "맙소사, 이상한 일이다 있군." 그가 머리를 젓더니 땅에 침을 뱉었다. "이번 주에만 일꾼 세 명이 사라졌소. 그들을 찾으려면 내가 당신을 고용해야겠군. 어떻소?" 그가 다시 웃었다.

"보크가 그들 중 하납니까?"

"다행히도 아니오. 보크는 꽤 괜찮은 일꾼이오. 정직하게 살려고 하는 전과자지. 댁들이 그걸 망치지 않길 바라오."

"벨저 씨, 나는 그에게 한두 가지 질문을 하고 싶을 뿐이지 트렁크에 넣어 테겔 교도소로 데려가려는 게 아닙니다. 그가 여기 있습니까?"

"그래요, 여기 있소. 막사에 있을 거요. 그곳으로 안내하지." 우리는 이제 고속도로가 될 운명이자 예전에는 숲이었던 곳에 지어진 길쭉한 단층 목재 막사 가운데 한 곳으로 향하는 그의 뒤를 따랐다. 막사의 계단 끝에서 그가 몸을 돌렸다. "여기 있는 녀석들은 조금 거친 사내들이오. 여자분은 들어가지 않는 편이 더 나을지도 모르겠소. 당신이 들어가겠다면 안에 있는 녀석들을 있는 그대로 받아들여야 할 거요. 어떤 녀석들은 옷을 벗고 있을 테니까."

"차에서 기다릴게요, 베르니." 잉게가 말했다. 나는 그녀에게 미안하다는 뜻으로 어깨를 으쓱한 다음 벨저를 따라 계단을 올랐다. 그가 나무 걸쇠를 들어 올렸고, 우리는 안으로 들어갔다.

실내의 벽과 바닥은 연노랑으로 칠해져 있었다. 열두 개의 침대가 벽을 따라 놓여 있었는데 그중 세 개에는 매트리스가 없었고, 속옷만 입은 남자들이 그중 세 침대를 차지하고 있었다. 막사 한가운데에 놓인 검은색 주철 배불뚝이 난로의 연통은 곧장 천장으로 이어져 있었다. 난로 옆에 놓인 커다란 나무 테이블에는 네 남자가 앉아 몇 페니 히씩 걸고 카드놀이를 하는 중이었다.

"이 양반은 베를린에서 오셨다." 벨저가 설명했다. "몇 가지 질문을 하고 싶으시다는군."

나무 밑동만 한 머리의 단단한 사내가 넓적한 손바닥에 쏠려 있던 주의 깊은 시선을 현장감독에게로 향하더니 곧 의심스러운 눈초리로 나를 보았다. 한 남자가 침대에서 일어나 관심 없다는 듯이 빗자루로 바닥을 쓸기 시작했다.

내 소개를 하지 않았기 때문에 보크가 방심을 한다 해도 놀랍지는 않았다. 벨저의 말을 보충하려고 내가 입을 열었을 때 보크가 의자에서 튀어 오르듯 일어났고, 퇴로를 막고 있던 내 턱이 제대로 돌아갔다. 주먹이 그리 세진 않았지만 눈에 불꽃이 튈 만큼 나를 놀라게 했다. 1, 2초 뒤, 수프 국자로 양철 쟁반을 두드린 것처럼 짧고 둔한 소리가 들렸다. 정신을 차리고 주위를 둘러보니 벨저가 반쯤 정신 나간 보크 옆에 서 있었다. 벨저는 손에 부삽을 들고 있었는데 그걸로 저 덩치 큰 사내의 머리를 후려갈긴 게 분명했다. 보크의 카드 친구들이 자리에서 벌떡 일어나자 의자와 테이블의 다리가 바닥을 긁는 소리가 났다.

"모두 진정해." 벨저가 소리쳤다. "이 양반은 염병할 경찰이 아니라 탐정이야. 한스를 체포하러 온 게 아니라고. 그에게 몇 가지 질문을 하고 싶은 게 다야. 이 양반은 실종된 사람을 찾고 있어." 벨저가 카드 게임을 하고 있던 사내들 중 한 명을 가리켰다. "이봐, 자네. 저 녀석 을 일으켜." 그런 다음 나를 보았다. "괜찮소?" 내가 멍한 표정으로 끄덕였다. 벨저와 사내들이 허리를 숙여 문가에 쓰러져 있는 보크를 일으켜 세웠다. 거구인 그 사내를 일으키는 게 쉬워 보이지 않았다. 사내들이 그를 의자에 앉힌 후, 나는 보크가 머리를 흔들며 정신을 차리는 모습을 지켜보았다. 그럭저럭 보크가 정신을 차리는 동안 현장감독이 막사에 있는 사내들에게 십 분 동안 밖에 나가 있으라고 했다. 침대에 있던 사내들은 군말이 없었고, 나는 벨저가 사람들을 다루는 데 익숙한 데다 상황 판단이 빠른 사람이라는 걸 깨달았다.

보크가 정신이 들자 벨저는 그에게 막사 안 사내들에게 했던 말을 다시 했다. 처음부터 그렇게 말했다면 좋았겠지만.

"밖에 있을 테니 필요하면 부르시오." 벨저가 막사 안에 남아 있던 마지막 사내를 밖으로 밀치며 우리 둘만 남겨 놓고 밖으로 나갔다.

"짭새가 아니라면 레드 디터의 부하 중 하나겠군." 보크가 웅얼거리듯 말했고, 나는 그의 혀가 입에 비해 너무 크다는 것을 알았다. 혀끝이 볼 안쪽 어딘가에 묻혀 있어서 내 눈에 보이는 것은 혀의 가장 두꺼운 부분인 큼직한 분홍빛 살덩어리뿐이었다.

"이봐, 난 바보가 아니야." 그가 보다 격렬하게 말했다. "난 쿠르트를 보호하려다 죽음을 당할 만큼 멍청하진 않다니까. 정말 그가 어디 있는지 몰라." 나는 담배 케이스를 꺼내 그에게 담배 한 개비를 내밀었다. 나는 잠자코 우리 둘의 담배에 불을 붙였다.

"잘 들어. 우선, 나는 레드의 부하가 아니야. 난 정말, 좀 전에 저 남자가 말한 것처럼 탐정이야. 하지만 지금은 턱이 아픈 데다 내 모든 질문에 네놈이 대답하지 않으면, 알렉스 녀석들에게 네 이름을 틸레센 펜션에서 고기 통조림을 만들려고 했던 놈으로 갖다 바칠 거야."

보크가 의자에서 몸을 도사렸다. "그리고 장담하건대 네놈이 그 의자에서 움찔거리기만 해도 네 염병할 목을 부러뜨릴 거야." 나는 의자 하나를 끌어와 그 위에 한 발을 올린 다음 그를 주시하며 무릎에 체중을 싣고 앞으로 몸을 기울였다.

"내가 그 근처에 있었다는 걸 입증하지 못할 텐데." 보크가 말했다.

나는 씩 웃었다. "오, 그래?" 나는 길게 담배 한 모금을 빨아 그의 얼굴에 대고 뿜었다. "틸레센 펜션에 마지막으로 방문했을 때 네놈은 친절하게도 월급봉투를 놓고 갔더군. 난로 안에 있던 흉기 옆에서 그걸 발견했지. 네놈을 쫓아 그럭저럭 여기까지 온 것도 그것 덕분이야. 당연히 명세서는 지금 거기에 있지 않지만 난 쉽게 다시 제자리에 갖다 놓을 수도 있어. 경찰은 아직 시체를 발견하지 못했어. 그건 내가 그들에게 얘기할 시간이 없었기 때문일 뿐이지. 월급봉투 때문에 곤란한 상황에 놓였군그래. 그게 흉기 옆에 있었다는 사실은 네놈을 감옥으로 보내기에 충분하다는 뜻이야."

"원하는 게 뭐야?"

나는 그의 맞은편에 앉았다. "대답. 이봐, 친구. 내가 몽골의 수도가 어딘지 물으면 그에 대한 대답을 하는 게 좋을 거야. 그렇지 않으면 네놈의 모가지를 갖다 바칠 거니까. 알았나?" 그가 어깨를 으쓱했다. "하지만 쿠르트 무트슈만부터 시작하지. 그리고 네가 테겔 교도소에서 나온 다음 둘이서 무엇을 했는지 하고."

보크가 한숨을 내쉰 다음 고개를 끄덕였다. "난 거기서 나와 바르게 살기로 마음먹었어. 이 일은 대단한 직업은 아니지만 그래도 직업이야. 다시 감옥으로 돌아가고 싶지 않아. 난 홀수 주말에는 베를린으로

3월의 제비꽃
—
237

가곤 했어, 알겠어? 틸레센의 펜션에 머물렀다고. 틸레센은 뚱쟁이야. 지금은 아닌지 모르지만. 가끔은 내게도 여자를 알선해 줬지." 그는 입꼬리로 담배를 물고 정수리를 문질렀다. "어쨌든 내가 나오고 몇 달 뒤에 형기를 마친 쿠르트가 틸레센이 있는 곳으로 갔어. 내가 그 친구를 보러 갔더니 링이 작은 절도 건을 알선해 주려 한다고 하더라고.

　내가 그를 본 그날 밤 레드 디터와 부하 두 명이 찾아왔어. 알겠지만 그는 링의 우두머리라고도 할 수 있지. 그놈들은 좀 나이 먹은 사람을 데리고 왔는데 식당에서 그를 두들겨 패기 시작하는 거야. 나는 그냥 방에 있었어. 잠시 후에 레드가 들어오더니 쿠르트에게는 금고 하나를 열어 줬으면 한다고 하고, 나한테는 운전을 하라더군. 우리 둘 다 그리 내키지 않았지. 나는 그런 일은 이제 그만하고 싶었으니까. 그리고 알겠지만 쿠르트는 금고털이가 전문이라서 폭력적이고 지저분한 일은 좋아하지 않아. 감옥에서 나온 지 얼마 되지 않아서 서두르고 싶어 하지도 않았지. 확실한 계획 없이 일을 막무가내로 하고 싶지 않았던 거야."

　"레드 디터가 식당에서 두들겨 팬 남자에게서 그 금고에 대해 알아냈나?" 보크가 끄덕였다. "그런 다음 어떻게 됐지?"

　"난 그 일에 얽이지 않겠다고 마음먹었어. 그래서 창문으로 도망친 다음 프로베 가에 있는 싸구려 여인숙에서 그날 밤을 보내고 이리로 돌아왔어. 놈들이 두들겨 팬 그 양반은 내가 도망쳤을 때까진 살아 있었어. 놈들은 그가 사실을 말했는지 확인할 때까지는 그를 살려 뒀어." 보크는 입에서 담배꽁초를 빼 나무 바닥에 던지고 뒤꿈치로 뭉갰다. 나는 그에게 새 담배를 내밀었다.

"뭐, 그 후에 나는 그 일이 잘못됐다고 들었어. 듣자 하니 틸레센은 도망친 것 같더군. 후에 레드의 부하들이 그를 죽였고. 쿠르트도 도망치지 않았다면 죽였을 거야."

"그들이 레드를 배신했나?"

"아무도 그렇게 바보 같은 짓은 하지 않아."

"넌 지금 그러고 있는 것 같은데?"

"테겔 감옥에 있을 때 많은 사람이 단두대 위에서 죽는 걸 봤어." 그가 차분히 말했다. "차라리 레드에게 죽는 편이 나아. 머리가 붙은 채로 죽고 싶다고."

"그 일에 대해서 더 말해 봐."

"레드가 '금고를 여는 것뿐'이라고 했어. 쿠르트 같은 남자에겐 쉬운 일이지. 그는 진짜 전문가니까. 히틀러의 마음도 열 거야. 그 일은 한밤중에 한댔어. 금고를 열고 종잇조각을 꺼내 오는 게 다라더군."

"다이아몬드는?"

"다이아몬드? 그런 말은 안 했는데."

"확실해?"

"당연하지. 꺼내 올 건 서류뿐이라고 했어."

"그 서류들이 뭔지 알아?"

보크가 머리를 흔들었다. "그냥 서류지."

"누굴 죽이라는 얘기는?"

"아무도 살인에 대해서는 말하지 않았어. 누군가를 죽여야 한다는 걸 알았다면 쿠르트는 거절했을 거야. 그런 친구는 아니었으니까."

"틸레센은 어때? 침대에 누워 있는 사람들을 쏘는 타입이었나?"

"어림없지. 전혀 그의 스타일이 아니야. 틸레센은 염병할 뚜쟁이일 뿐이야. 여자나 두들겨 패는 정도지. 그에게 총을 보여 주면 토끼처럼 사라질걸."

"혹시 욕심이 생겨서 둘이서 자기들 몫 이상을 가로챘는지도 모르지."

"나야 모르지. 염병할 탐정은 당신이니까."

"그 후로 쿠르트를 보거나 그에 대해서 들은 적 있나?"

"나에게 연락할 만큼 멍청한 놈이 아니야. 조금이라도 머리가 있다면 지금쯤 U보트가 됐을 테지."

"그에게 친구는 없나?"

"조금. 하지만 난 몰라. 그리고 아내한테는 버림받았으니까 그 여자는 제쳐 놔도 돼. 그 여자는 그가 버는 족족 써 버린 데다 끝났을 땐 이미 다른 놈을 꿰찼지. 그년한테 도와 달라느니 죽는 게 나아."

"벌써 죽었는지도 몰라."

"쿠르트는 아니야." 그렇게 말했지만 그의 표정은 말과 달랐다. "영리한 놈이니까. 꾀가 많아. 궁지에서 벗어날 길을 찾을 거야."

"어쩌면." 내가 그렇게 말하고 덧붙였다. "내가 이해할 수 없는 한 가지가 착하게 사는 너야. 결국 이런 데서 일하면서 말이지. 일주일에 얼마를 벌지?"

보크가 어깨를 으쓱했다. "사십 마르크쯤." 그가 내 얼굴에 떠오른 놀란 표정을 보았다. 내 추측보다 훨씬 적은 금액이었다. "많진 않지?"

"그래서 할 만한가? 왜 레드의 머리통을 날려 버리지 않지?"

"내가 그런 짓을 하는 사람이라고 누가 그러던가?"

"철강 노동자를 두들겨 패다 감방에 간 거 아닌가?"

"그건 실수였어. 돈이 필요했다고."

"그 돈을 누가 지불했나?"

"레드."

"녀석의 목적은 뭐지?"

"돈. 나와 똑같아. 액수가 더 많다는 게 다를 뿐이지. 그런 놈은 절대 잡히지 않아. 나는 감옥에서 죗값을 치렀어. 가장 나쁜 건 내가 이제 착하게 살려고 마음먹었더니 나라가 비뚤어질 마음을 먹은 것처럼 보인다는 거야. 교도소에 들어갔다 나왔더니 멍청한 개자식들이 깡패들을 당선시켰더군. 마음에 드시나?"

"내 탓은 마, 친구. 나는 사회민주주의자에게 투표했으니까. 철강 파업을 막으라고 레드에게 돈을 준 자가 누군지 아나? 혹시 어떤 이름이라도 못 들었어?"

그가 어깨를 으쓱했다. "보스들이겠지. 추리를 하면서 일하진 않아. 어쨌든 어떤 이름도 들은 적 없어."

"하지만 분명히 조직적으로 이루어진 일이야."

"오, 그래. 조직적인 일이었고말고. 게다가 잘 굴러갔지. 조합 녀석들은 이제 파업을 그만두지 않았나?"

"너는 교도소로 갔고."

"잡혔어. 운이 따른 적이 없더라고. 당신이 여기 나타난 게 그 증거지."

나는 지갑을 꺼내 그에게 오십 마르크를 내밀었다. 그가 입을 열어 고맙다는 말을 하려고 했다.

"인사는 됐어." 나는 몸을 일으켜 문으로 향했다. "네 친구 쿠르트는 금고를 열어 둔 채 자리를 뜨는 타입이었나?"

보크가 돈을 주머니에 챙기며 머리를 저었다. "쿠르트 무트슈만만큼 일처리가 깔끔한 사람은 본 적이 없어."

나는 머리를 끄덕였다. "나도 그렇게 생각했지."

"내일 아침이면 눈이 볼만하겠는데요." 잉게가 광대뼈 근처에 난 멍을 자세히 보기 위해 내 턱을 잡고 얼굴을 돌렸다. "그 위에 뭔가 올려놓는 게 좋겠어요." 그리고는 욕실로 갔다. 우리는 브란덴부르크에서 돌아오는 길에 내 아파트에 들렀다. 한동안 수도꼭지에서 물이 흐르는 소리가 들렸고, 욕실에서 나온 그녀가 내 얼굴에 차가운 수건을 댔다. 잉게가 옆에 서서 수건을 대고 있을 때 그녀의 숨결이 내 귀를 간지럽혔고, 나는 운무처럼 그녀를 휘감은 향수 냄새를 가슴 깊이 들이마셨다.

"이게 붓기를 가라앉히는 데 도움이 될 거예요."

"고맙군요. 더러운 인상은 사업상 안 좋죠. 반면에 끈질긴 타입으로 보일지도 모르겠군. 어떤 상황에서도 물러서지 않는 부류 말이오."

"계속 대고 있어요." 잉게가 참다못해 말했다. 그녀의 배가 닿은 순간 내가 발기했다는 사실을 깨닫고 약간 당혹스러웠다. 그녀가 곧 눈을 깜빡거려서 나는 그녀도 그것을 눈치챘으리라 생각했다. 하지만 그녀는 몸을 빼지 않았다. 대신 그녀는 모른 체하고 다시 한 번, 조금 전보다 더 나에게 밀착했다. 나는 손을 들어 그녀의 풍만한 가슴을 부드럽게 잡았다. 잠시 그러고 있다가 엄지와 검지로 그녀의 젖꼭지를 건드렸다. 찾기 어렵지 않았다. 그것은 주전자 뚜껑의 튀어나온 손잡이처럼 단단해지고 커지고 있었다. 이내 그녀가 몸을 뺐다.

"이쯤에서 그만해야 할 것 같군요."

"단단해지는 걸 멈출 생각이라면 이제 늦었소." 내가 그렇게 말하자 그녀가 슬며시 눈을 피했다. 약간 상기된 그녀가 가슴 위로 팔짱을 끼고 긴 목을 뒤로 젖혔다.

심사숙고해서 행동하는 나 자신을 즐기며 그녀에게 다가가 그녀의 얼굴을 지나 가슴, 배, 녹색 면 치마 속에 감춰진 허벅지를 천천히 눈으로 훑었다. 나는 손을 내려 치마를 움켜잡았다. 치마를 허리께까지 들춰올린 순간 그녀가 내가 쥔 옷자락을 빼내려 하다 우리의 손이 얽혔다. 이내 그녀 앞에 무릎을 꿇은 나는 한동안 그녀의 속옷을 바라보다 손을 뻗어 그것을 발목까지 내렸다. 한 손을 내 어깨에 대고 중심을 잡고 있던 그녀가 속옷 밖으로 빠져나오는 순간 길고 부드러운 허벅지가 그녀의 움직임에 따라 살짝 흔들렸다. 나는 내가 갈망했던 모습을 올려다보았고, 더 위쪽의 미소 짓는 얼굴은 이내 머리 위로 올라가는 드레스에 사라졌다가 가슴과 목을 드러낸 다음 다시 나타났다. 윤기 흐르는 폭포 같은 검은 머리가 펄럭이는 깃털처럼 흔들렸다. 드레스를 바닥에 떨어뜨리고 내 앞에 선 그녀가 몸에 두른 것은 가터벨트와 스타킹과 구두뿐이었다. 나는 바닥에 주저앉아 그녀가 내 앞에서 천천히 몸을 돌리는 모습을 고통스러울 만큼 흥분한 상태로 바라보았다. 음모, 꼿꼿하게 선 유두, 늘씬한 등, 완벽하게 대칭을 이루는 엉덩이가 눈앞을 스쳐 갔고, 이내 다시 완만한 하복부와 흥분으로 허공을 찌를 듯한 검은 삼각형과 부드럽게 떨리는 정강이가 눈에 들어왔다.

나는 그녀를 안아 올려 침대로 갔고, 우리는 서로의 육체를 애무하고 탐험하며 남은 오후를 더없이 행복하게 보냈다.

그날 오후는 선잠과 달콤한 말과 함께 게으르게 저녁을 향해 흘러갔다. 그리고 우리의 성욕을 충족시켜 준 침대에서 일어났을 때 우리는 식욕이 시급하다는 것을 깨달았다.

펠처 그릴로 그녀를 데려가 저녁을 먹은 다음 하르덴베르크 가 가까이에 있는 게르마니아 루프에서 춤을 추었다. 루프는 베를린에서 가장 말쑥한 사람들로 붐볐는데 그들 대부분이 제복 차림이었다.

잉게가 푸른빛을 띤 유리벽과 광택이 나는 구릿빛 기둥이 떠받치고 있는, 작고 푸른 별들로 반짝이는 천장과 수련이 떠 있는 장식용 연못을 둘러보고 흥분된 미소를 지었다.

"멋지다고밖에 할 말이 없군요."

"당신이 좋아할 만한 곳은 아닌 것 같은데." 내가 자신 없게 말했다. 하지만 잉게는 내 말을 듣고 있지 않았다. 그녀가 두 군데의 댄스 플로어 중 사람이 덜 붐비는 곳으로 나를 잡아끌었다.

밴드는 훌륭했고, 나는 그녀를 강하게 당겨 안은 채 그녀의 머리칼에 코를 묻고 숨을 쉬었다. '조니스'나 '황금 편자' 같은, 내가 잘 아는 클럽 대신 그녀를 이곳에 데리고 와서 기뻤다. 이내 게르마니아 루프가 레드 디터의 단골 클럽이라고 한 노이만의 말이 생각났다. 그래서 잉게가 화장실에 갔을 때 테이블로 웨이터를 불러 오 마르크를 건넸다.

"간단한 질문 몇 가지에 간단하게 대답하면 돼. 알겠나?" 그가 어깨를 으쓱하고 돈을 주머니에 넣었다. "오늘 밤 디터 헬퍼리히가 여기에 오나?"

"레드 디터 말씀이신가요?"

"다른 색 디터도 있나?" 그가 이해하지 못해서 농담은 그만두었다. 그는 '독일의 힘'의 우두머리를 이런 식으로 발설해도 되는지 잠시 고민하는 것처럼 보였다. 이내 옳은 결정을 내렸다.

"네, 지금 여기 계십니다." 내 다음 질문을 예측한 듯 그는 머리를 돌려 어깨 너머 바 쪽을 향해 고개를 주억거렸다. "밴드에서 가장 먼 부스에 앉아 계십니다." 그가 테이블 위의 빈 그릇들을 모으기 시작하며 낮은 목소리로 덧붙였다. "레드 디터에 관해서 너무 많이 물으시지 않는 게 좋을 겁니다. 이건 공짜로 가르쳐 드리는 거예요."

"한 가지만 더 묻지. 그가 주로 마시는 맥주가 뭐지?" 레몬을 씹은 표정을 한 웨이터가 그런 건 물을 것까지도 없다는 듯 나를 측은한 얼굴로 보았다.

"레드는 샴페인만 마십니다."

"밑바닥 삶일수록 고급술을 마신다는 건가, 응? 내 존경의 표시로 그의 테이블에 샴페인을 한 병 보내게." 내가 그의 손에 내 명함과 돈을 쥐어 주었다. "잔돈은 넣어 둬." 웨이터는 여자 화장실에서 나오는 잉게를 훑어보았다. 나는 그를 탓하지 않았다. 그녀를 쳐다보는 남자는 그뿐이 아니었다. 바에 앉아 있는 한 사내 또한 그녀를 주목할 만한 가치가 있다고 생각한 것 같았다.

우리는 다시 춤을 추었고, 나는 웨이터가 레드 디터의 테이블에 샴페인 한 병을 전해 주는 모습을 보았다. 레드 디터는 시야에 들어오지 않았지만 웨이터가 내 명함을 건네고 나를 향해 고개를 끄덕이는 모습이 보였다.

"이봐요," 잉게에게 말했다. "저기서 해야 할 일이 있어요. 오래 걸리지 않겠지만 잠시 당신 혼자 있어야 합니다. 원하는 게 있으면 웨이터에게 말만 해요." 잉게를 데리고 테이블로 돌아갈 때 그녀가 걱정스러운 눈빛으로 나를 보았다.

"그런데 어디 가는 거예요?"

"만날 사람이 있어요. 저기에. 몇 분이면 될 겁니다."

잉게가 나에게 미소를 지으며 말했다. "제발 조심해요."

나는 허리를 숙여 그녀의 볼에 키스했다. "줄을 타듯 조심하죠."

끝 부스에서 혼자 자리를 차지하고 있는 레드 디터는 뚱보 아버클[58]의 분위기를 풍겼다. 도넛 두 개를 이은 듯한 그의 살진 목이 이브닝 셔츠 깃을 꽉 조였다. 얼굴이 삶은 햄처럼 빨개서 그런 별명이 붙은 것인지 궁금했다. 레드 디터 헬퍼리히의 입은 큼직한 시가라도 물은 것처럼 이상한 각도로 일그러져 있었다. 그가 입을 열자 깊지 않은 동굴에서 중간 몸집의 불곰이 으르렁거리는 듯한 소리가 나왔다. 언제라도 불같이 화를 낼 준비가 되어 있는 목소리였다. 그가 씩 웃자 입

---

58. 로스코 '패티(fatty)' 아버클. 미국 무성영화 배우, 코미디언, 감독, 극작가 찰리 채플린의 스승이었으며 버스터 키튼을 발굴했다.

이 초기 마야 양식과 고딕 양식을 교배한 것 같은 모양으로 일그러졌다.

"탐정이시라고? 탐정은 처음 만나 보는군."

"우리 직종의 사람이 많지 않지. 합석해도 되겠나?"

그가 술병의 라벨을 힐끗 보았다. "좋은 샴페인이야. 이야기를 들어 주지 않을 수 없군. 앉아……," 그가 손을 들어 올리더니 연극을 하듯 내 명함을 다시 보았다. "……귄터 씨라." 레드 디터는 두 글라스에 술을 따르더니 건배하듯 자신의 잔을 들었다. 에펠탑을 누인 듯한 눈썹 아래 고깔 같은 두 눈을 거북할 만큼 크게 떠서 부러진 연필처럼 홍채가 드러나 있었다.

"여기에 없는 친구들을 위하여." 그가 말했다.

나는 끄덕이고 내 샴페인을 마셨다. "쿠르트 무트슈만 같은 친구 말이군."

"여기엔 없지만 잊을 수 없는 친구지." 그가 자신만만하게 말하며 흡족한 미소를 짓고 술을 홀짝였다. "우리 둘 다 그가 어디 있는지 알고 싶어 하는 것 같군. 물론 별 걱정은 안 하지만. 그에 대한 걱정은 안 하는 게 어떻겠나, 응?"

"우리가 걱정할 이유가 있나?"

"쿠르트 같은 직업을 가진 남자에게는 여러 가지로 위험이 따르지. 뭐, 당신한테는 그 이유를 말할 필요도 없을 것 같지만. 내용을 다 알고 있지 않나? 벼룩 양반. 전직 형사였으니까." 그가 다 안다는 듯 고개를 끄덕였다. "당신 의뢰인에게는 경의를 표하지, 벼룩 양반. 당신의 옛 동료가 아니라 당신을 끌어들인 건 머리가 좋다는 증거니까. 그가 원하는 건 목걸이를 되찾는 것뿐이야. 무조건. 당신이라면 진상에 다가갈 수 있고, 상대방과 협상도 가능하지. 아마 그가 작은 사례도 하지 않을까?"

"상당히 잘 아는군."

"당신 의뢰인이 원하는 게 그것뿐이라면 그 정도까진 당신을 도울 수도 있지." 그의 얼굴이 어두워졌다. "하지만 무트슈만, 그자는 내 거야. 만약 당신 친구가 복수라는 잘못된 생각을 하고 있다면 그만두라고 전해. 그건 내 영역이니까. 그게 좋은 비즈니스의 관례지."

"원하는 게 그것뿐인가? 집안을 정리하는 것? 폰 그라이스의 서류라는 작은 문제를 잊고 있는 건 아니고? 당신 똘마니들이 그 서류에 대한 이야기를 그와 나누고 싶어 안달 났었다는 걸 잊은 것 같군. 그 서류를 어디에 숨겼는지 누구에게 줬는지 같은 이야기 말이야. 그 서류를 찾으면 그걸로 뭘 할지 생각해 둔 계획이 있나? 거물급을 상대로 협박이라도? 내 의뢰인 같은? 아니면 궂은 날을 대비해 당신 주머니 속에 정치가 몇 명을 꼬불쳐 두길 원하는 건가?"

"많은 정보를 갖고 있군그래, 벼룩 양반. 아까 말했듯이 당신 의뢰인은 영리한 사람이야. 그가 경찰이 아닌 당신을 고용한 건 나한테 행운이군. 나한테도 그렇고, 당신한테도 말이야. 거기 앉아서 나한테 그런 말을 한 게 형사였다면 지금쯤 시체가 됐을걸."

나는 부스에서 몸을 내밀어 잉게가 무사한지 확인했다. 그녀의 윤기 흐르는 검은 머리가 금세 눈에 띄었다. 그녀는 멋진 대사를 낭비하고 있는 제복 차림의 남자에게 퇴짜를 놓는 중이었다.

"샴페인 고맙군, 벼룩 양반. 나와 얘기하러 온 건 꽤 큰 도박이었어.

얻은 건 별로 없었겠지만 적어도 잃은 건 없지." 그가 빙긋 웃었다.

"이번 판은 스릴을 느끼는 게 목적이었으니까."

깡패에게 그 말이 재미있게 들린 모양이었다. "또 만날 일은 없을 거야. 믿어도 돼."

자리를 뜨려고 하는데 그가 내 팔을 잡았다. 나에게 주먹을 날릴 거라 예상했는데 말뿐이었다.

"내 말 잘 듣게. 내가 사기 치는 거라고 생각하지 말고. 당신한테 호의를 베풀 생각이야. 이유는 묻지 마. 아마 당신의 용기가 내 마음에 들었나 봐. 갈색 슈트에 성게처럼 머리털이 삐죽삐죽한 덩치 큰 녀석이 바에 앉아 있지. 돌아보지 말고. 테이블로 돌아갈 때 그 녀석을 잘 봐 둬. 그는 살인 청부업자야. 여기까지 당신과 여자를 따라왔지. 누군가의 티눈이라도 밟은 모양이로군. 이번 주 집세를 밀렸거나. 나를 봐서 여기서는 문제를 일으키지 않겠지만 밖으로 나가면……. 난 싸구려 총잡이가 여기 오는 걸 좋아하지 않아. 다른 손님에게 폐가 되거든."

"조언, 고맙군." 나는 담배에 불을 붙였다. "여기 뒷문이 있나? 여자를 다치게 하고 싶지는 않으니까."

그가 끄덕였다. "주방을 통해 비상계단으로 내려갈 수 있지. 내려가면 뒷골목으로 나가는 문이 있네. 조용한 골목이지. 차가 몇 대 주차돼 있을 뿐이야. 그중 연회색 스포츠카가 내 차야." 그가 내게 열쇠를 내밀었다. "필요하다면 글러브 박스 안에 총이 있어. 다 쓰고 나면 배기관 안에 열쇠를 넣어 둬. 차에 흠집 내지 말고."

나는 열쇠를 주머니에 넣고 자리에서 일어났다. "얘기를 나누게 돼서 기쁘군, 레드. 벼룩이란 게 참 웃기지 않나. 처음 물렸을 땐 모르지만 잠시 후엔 그만큼 짜증 나는 것도 없으니까."

레드 디터가 얼굴을 찌푸렸다. "꺼지시지, 귄터. 마음이 바뀌기 전에."

잉게에게로 돌아가는 길에 나는 바를 힐끗 쳐다보았다. 갈색 옷을 입은 남자는 쉽게 눈에 띄었고, 나는 그가 조금 전에 잉게를 주시하고 있던 남자라는 것을 알았다. 테이블에서는 잉게가 용모는 단정하지만 아쉽게도 키가 작은 나치스 친위대 장교의 하잘것없는 매력을 별달리 즐기는 기색 없이 거부하고 있는 중이었다. 나는 서둘러 잉게를 일으켜 세우고 테이블에서 잡아끌었다. 장교가 내 팔을 잡았다. 나는 팔을 잡은 그의 손을 본 다음 얼굴을 보았다.

"진정하라고, 꼬마 친구." 낚싯배 옆에 떠오르는 구축함처럼 내가 그의 왜소한 체구에 다가서며 말했다. "그렇지 않으면 그 주둥이를 장식해 줄 테니까. 그 장식은 철십자 훈장도 떡갈나무 잎사귀도 아닐 거야." 나는 주머니에서 꾸깃꾸깃한 오 마르크 지폐를 꺼내 테이블 위에 놓았다.

"질투심이 많은 타입이라고는 생각 못 했는데요." 잉게를 데리고 문으로 향할 때 그녀가 말했다.

"승강기를 타고 곧장 아래로 내려가요." 내가 그녀에게 말했다. "바깥으로 나가면 차로 가서 날 기다려요. 좌석 밑에 총이 있습니다. 만약을 대비해서 곁에 둬요." 나는 바에서 술값을 내고 있는 남자를 힐끗 보았다. "이봐요, 지금은 설명할 시간이 없지만 뒤에 있는 우리의 늠름한 꼬마 친구와는 상관없는 일이에요."

"당신은요?" 나는 잉게에게 내 차 키를 주었다.

"난 다른 데로 나갈 겁니다. 날 죽이러 온 갈색 옷을 입은 덩치 큰 남자가 있습니다. 당신이 탄 차로 그가 다가오면 얼른 집으로 가서 알렉스에 있는 슈탈레커 경위에게 전화해요. 알겠습니까?" 그녀가 끄덕였다.

나는 잠시 그녀를 따라가는 척하다가 갑자기 방향을 바꿔 주방 쪽으로 잽싸게 걸어가 방화문으로 나갔다. 칠흑같이 어두운 계단을 세 계단 내려가자 뒤에서 나를 쫓는 발소리가 들렸다. 캄캄한 곳을 맹목적으로 달려 내려가면서 내가 그를 제압할 수 있을지 생각해 보았다. 하지만 나에게는 총이 없었고, 그에게는 있었다. 무엇보다 그는 프로였다. 발을 헛디뎌 층계참에 넘어졌지만 난간을 잡고 벌떡 일어나 다시 날듯이 계단을 내려갔다. 팔꿈치와 팔뚝에 고통이 밀려왔지만 무시했다. 마지막 층계참에서 문 밑으로 새어 나오는 불빛을 보고 계단을 무시하고 껑충 뛰어내렸다. 생각보다 낙차가 크지 않아 두 손과 두 발로 무사히 착지했다. 나는 문의 빗장을 걷어차고 골목으로 뛰쳐나갔다.

차가 몇 대 나란히 주차되어 있었는데 레드 디터의 회색 부가티 로열을 찾기는 어렵지 않았다. 나는 열쇠로 차 문을 열고 글러브 박스를 열었다. 안에는 흰 가루가 든 작은 종이봉투 몇 개와 팔 센티미터 두께의 마호가니 문에 간단히 바람구멍을 낼 것 같은, 총신이 긴 커다란 리볼버가 있었다. 장전이 되어 있는지 확인할 새가 없었지만 레드는 카우보이와 인디언 놀이를 좋아해서 총을 갖고 다니는 사람이 아니었다.

3월의 제비꽃
—

나는 차에서 내려 부가티 옆에 주차된 메르세데스 컨버터블의 발판 밑으로 기어들었다. 그 순간 나를 쫓는 자가 방화문에서 나와 그림자가 진 벽에 몸을 숨겼다. 나는 쥐 죽은 듯 조용히 엎드려 그가 골목의 달빛 한가운데로 걸어 나오길 기다렸다. 그는 아무 소리도 내지 않고, 아무런 움직임도 없이 그림자 속에서 몇 분을 보냈다. 나는 그가 그림자에 몸을 숨기고 벽을 따라 조금씩 움직여 주차된 차들에서 충분히 떨어진 다음 안전하게 골목을 가로질러 다시 돌아가려는 게 아닐까 하는 생각이 들었다. 내 뒤쪽에서 자갈이 깔린 바닥을 밟는 소리가 들렸고, 나는 숨을 참았다. 움직이는 것이라고는 거의 소리를 내지 않고 천천히 리볼버의 공이치기를 당기는 내 엄지손가락뿐이었고, 이윽고 안전장치를 풀었다. 천천히 머리를 돌려 내 발쪽을 보았다. 두 개의 뒷바퀴 사이에 잘 닦인 구두가 보였다. 그 남자의 구두가 그를 나의 왼쪽, 부가티 뒤편으로 데려갔다. 나는 그가 부가티의 문을 반쯤 열었다는 것을 알아차리고, 반대편인 왼쪽으로 몸을 굴려 메르세데스 밑에서 기어 나왔다. 차창 높이 아래로 몸을 숙인 채 차의 뒤쪽으로 간 다음 거대한 트렁크 뒤에 숨어 앞을 살폈다. 갈색 옷의 형체가 나와 거의 같은 자세로 부가티 뒷바퀴 옆에서 몸을 숙이고 있었지만 내가 있는 곳과 반대쪽을 향하고 있었다. 녀석과 채 이 미터도 떨어져 있지 않았다. 나는 소리를 죽이고 앞으로 나가 팔을 뻗으면 닿을 정도의 거리를 두고 거대한 리볼버로 그의 모자 뒤를 겨냥했다.

"총 버려." 내가 말했다. "안 버렸다간 네놈 머리에 터널이 뚫릴 거야." 남자는 얼어붙은 듯 꿈쩍하지 않았지만 여전히 손에서 총을 놓지 않았다.

"버리고말고, 친구." 그가 그렇게 말하며 자동 권총 마우저의 개머리에서 손을 뗸 다음 방아쇠울에 가운뎃손가락을 걸어 총이 손가락에 걸려 흔들리게 했다. "안전장치를 걸어도 되겠나? 이 귀여운 꼬마가 예민해서 말이야." 느긋하고 냉정한 목소리였다.

"먼저 모자챙이 얼굴을 덮도록 내려." 내가 말했다. "그런 다음 천천히 안전장치를 걸어. 이 거리에서 총알이 빗나가기 어렵다는 걸 상기하라고. 네놈의 뇌수로 멋진 차를 더럽히는 건 레드에게 안된 일이잖아." 그는 마우저의 안전장치를 걸고 모자를 잡아당겨 눈 위를 덮은 다음 총을 바닥에 떨어뜨렸다. 총은 아무런 사고 없이 덜컥 소리를 내며 자갈 바닥 위에 떨어졌다.

"내가 널 따라왔다고 레드가 그러던가?"

"입 닥치고 돌아서." 내가 그에게 말했다. "그리고 손들어." 갈색 옷이 돌아서더니 모자챙 아래로 시야를 확보하기 위해 고개를 어깨 뒤로 젖혔다.

"날 죽일 셈인가?"

"네놈이 어떻게 하느냐에 달렸지."

"어떻게 해야 하지?"

"네놈 보수를 지급하는 사람이 누군지 말하느냐 마느냐에 따라."

"흥정을 할 수 있을 것 같은데."

"네놈이 흥정할 처지는 아닌 것 같은데. 말하든가 얼굴에 콧구멍이 하나 더 생기든가. 간단하지."

그가 빙긋 웃었다. "넌 태연하게 방아쇠를 당길 인간이 아니야."

"오, 그래?" 나는 그의 턱을 총으로 세게 찌른 다음 얼굴을 따라 총열을 움직여 광대뼈 밑에서 비틀었다. "너무 확신하진 마. 이걸 사용할 기분이 들게 하면 네놈은 당장 혀를 찾는 게 좋을 거야. 그렇지 않으면 다시는 못 찾을 테니까."

"내가 불면? 날 가게 해 줄 건가?"

"그럼 다시 내 뒤를 쫓게? 날 바보로 아는 모양이군."

"내가 안 쫓는다면 믿을 건가?"

나는 그에게서 떨어져 잠시 생각했다. "네놈 어미의 목숨을 걸고 맹세해."

"내 어머니의 목숨을 걸고 맹세하지." 그가 선뜻 그렇게 말했다.

"좋아. 누가 시켰지?"

"말하면 보내 줄 건가?"

"그래."

"네놈 어미의 목숨을 걸고 맹세해."

"내 어머니의 목숨을 걸고 맹세하지."

"좋아 그럼," 그가 말했다. "하우프트핸들러라는 자야."

"얼마를 받기로 했지?"

"선금으로 삼백에다……," 그가 얼버무렸다. 나는 그에게 다가가 리볼버의 개머리로 후려쳐 그를 실신시켰다. 오랫동안 정신을 잃을 만큼 충분한 힘이 실린 무자비한 타격이었다.

"우리 어머니는 돌아가셨어." 나는 그의 총을 주워 내가 가진 총과 함께 주머니에 넣고 급히 내 차로 갔다. 내 옷에 묻은 먼지와 기름을 보고 잉게의 눈이 휘둥그레졌다. 내 제일 좋은 옷이건만.

"승강기가 고장이었나요? 뭘 한 거죠, 뛰어내리기라도 했어요?"

"그 비슷한 거죠." 나는 운전석 아래를 더듬어 총 옆에 둔 수갑을 찾았다. 그러고는 칠십 미터쯤 운전해 골목으로 돌아갔다.

갈색 옷의 사내는 내가 쓰러뜨린 곳에 의식을 잃고 누워 있었다. 나는 차에서 내린 다음 그를 앞쪽 벽으로 끌고 가 그와 창의 쇠 격자에 수갑을 채웠다. 끌고 갈 때 그가 신음을 냈기 때문에 내가 그를 죽이지 않았다는 것을 알았다. 부가티로 가서 레드의 총을 글러브 박스에 넣고, 작은 종이봉투에 든 흰 가루를 맛보았다. 레드 디터가 글러브 박스 안에 요리용 소금을 넣어 다닐 거라고는 생각하지 않았지만, 어쨌든 소량을 집어 냄새를 맡아 보았다. 코카인이 분명했다. 양이 많진 않았다. 값으로 따지면 백 마르크 이상은 아니었다. 판매용이 아닌 레드 자신의 개인 용도인 듯했다.

나는 차 문을 잠그고 그가 말한 대로 배기관 안에 열쇠를 넣었다. 그런 다음 갈색 옷의 사내에게 다가가 그의 상의 주머니에 흰 가루가 든 종이봉투 두 개를 넣었다.

"이걸로 알렉스가 이 녀석에게 관심을 갖겠군." 그를 냉정하게 죽이지 않는 한 그가 시작한 일을 그만둘 거라는 보장이 없었다.

거래란 손에 슈납스 한 잔 이상의 불온한 물건을 든 사람과는 할 수 없는 법이다.

3월의 제비꽃
—
255

14

다음 날 아침에는 정원 스프링클러의 비말 같은 따스한 보슬비가 내렸다. 나는 개운한 기분으로 일어나 창밖을 내다보았다. 썰매를 끄는 한 무리 개처럼 원기가 왕성했다.

우리는 아침으로 멕시칸 커피를 마시고 담배를 두 개비 피웠다. 면도할 때는 휘파람까지 불었다. 잉게가 욕실 안으로 들어와 나를 바라보고 섰다. 우리가 오랜 시간을 함께 보낸 것 같은 기분이었다.

"어젯밤 누군가가 당신을 죽이려고 했던 것을 감안하면, 오늘 아침은 매우 상쾌해 보이는군요."

"살아 있다는 기분을 느끼기엔 죽음의 신만 한 존재가 없다는 게 내 신조죠." 내가 그녀를 보고 미소 지으며 덧붙였다. "그리고 멋진 여자."

"당신은 그 남자가 왜 그랬는지 아직도 말을 안 했어요."

"돈을 받고 살인 청부를 맡은 겁니다."

"누구의 사주를 받고요? 클럽의 그 남자?" 나는 얼굴의 물기를 닦고 놓친 수염이 있는지 보았다. 없어서 면도기를 내려놓았다.

"내가 어제 아침 직스의 저택에 전화를 걸어 집사에게, 고용주와 하우프트핸들러 모두에게 메시지를 전해 달라고 한 것 기억납니까?"

잉게가 끄덕였다. "네. 당신이 거의 다 왔다고 그들에게 전해 달라고 했죠."

"나는 그 말이 하우프트핸들러 귀에 들어가 그가 겁먹길 바랐죠. 뭐, 그렇게 된 겁니다. 그 반응이 내 예상보다 더 빨랐던 것뿐이죠."

"그럼 하우프트핸들러가 당신을 죽이라고 그 남자에게 돈을 줬다고요?"

"그가 그랬죠." 셔츠를 입고 있는 침실로 따라 들어온 잉게가 자신이 붕대를 둘러 준 다친 팔 쪽의 소매에 커프스 단추를 채우는 나를 바라보았다. "당신도 알다시피," 내가 말했다. "어젯밤에는 얻은 답만큼 많은 의문이 제기됐습니다. 어떤 건 논리적이지 않습니다. 전혀. 하나가 아닌 두 세트의 조각들로 하나의 지그소 퍼즐을 완성하려고 애쓰는 것과 같죠. 파르의 금고에서 도난당한 물건 두 가지가 있습니다. 보석과 서류 들. 하지만 그 조각들은 서로 어울리지 않습니다. 게다가 살인을 의미하는 그림 조각들이 있는데, 그 조각들은 절도를 의미하는 그림에는 맞지 않죠."

잉게가 영리한 고양이처럼 천천히 눈을 깜빡이고 예의 남자를 미치게 하는 표정으로 나를 보았다. 그 눈빛을 보고 있자니 아무것도 생각할 수 없었다. 그 눈빛이 거슬렸지만 그녀가 입을 열었을 때 내가 얼마나 바보 같았는지 깨달았다.

"아마 지그소 퍼즐은 하나뿐이 아닐 거예요. 퍼즐은 내내 두 개가 있었는데, 당신은 한 개에 꿰어 맞추려고 애쓴 거예요." 그 의미를 이해하는 데 일이 분의 시간이 흘렀고, 결국 손바닥으로 이마를 쳐야 했다.

"젠장. 그렇군." 잉게의 지적이 강력한 깨달음을 주었다. 비로소 이해할 수 있었다. 범죄는 한 건이 아니었다. 두 건이었다.

우리는 도시 고속 전철 고가의 그림자 아래 있는 놀렌도르프 광장에 주차했다. 머리 위로 고가를 가로지르는 전철이 광장 전체에 울리는 천둥 같은 소음을 냈다. 그 큰 소음도 템펠호프와 노이쾰른의 거대한 공장 굴뚝에서 흘러나오는 그을음이, 광장을 둘러싸고 좋은 시절을 보냈던 건물들의 벽에 두껍게 달라붙는 것을 막지 못했다. 우리는 중하층 계급이 사는 쇠네베르크를 향해 서쪽으로 걷다가 마를레네 잠이 사는 놀렌도르프 가의 오 층짜리 아파트를 발견하고 사층으로 올라갔다.

우리에게 문을 열어 준 젊은 남자는 내가 모르는 나치스 돌격대 제복을 입고 있었다. 그에게 잠 양이 이곳에 사는지 묻자 그는 자신이 그녀의 오빠이며, 여기에 산다고 대답했다.

"누구십니까?" 나는 명함을 건네며 동생과 이야기를 나눌 수 있는지 물었다. 그가 적잖이 꺼리는 표정이어서 그녀를 자신의 동생이라고 한 말이 거짓말이었는지 궁금했다. 그는 어깨 너머로 실내를 힐끗거리고 담황색 머리를 긁적이더니 한쪽으로 비켜섰다.

"동생은 지금 침대에서 잠깐 쉬고 있습니다. 하지만 당신과 이야기를 나누고 싶은지 물어보죠, 귄터 씨." 그는 문을 닫고 더 큰 환영의 표정을 지으려고 애썼다. 넓고 두꺼운 입술은 거의 흑인에 가까웠다. 탁구공의 궤적을 좇듯 나와 잉게를 번갈아 힐끗거리는 차갑고 푸른 두 눈과 별개로 그 입이 지금 활짝 미소 짓고 있었다.

"여기서 잠시 기다리십시오."

그가 현관에 우리만 남겨 놓고 가자 잉게가 작은 탁자 위를 가리켰다. 거기에는 총통의 사진 액자가 하나만이 아니라 세 개나 걸려 있었다. 그녀가 미소 지었다.

"충성심이 넘치는 모양이에요."

"몰랐습니까? 저 액자는 울워스에서 특가 판매중이죠. 독재자 두 개를 사면 하나가 공짜예요."

남자가 풍성한 금발의 누이 마를레네를 데리고 돌아왔다. 우울해 보이는 코에 하관이 넓은 턱이 그녀의 용모에 조신함을 더했다. 하지만 목은 거의 뻣뻣해 보일 만큼 근육이 잘 발달되어 있었고, 윤곽이 뚜렷했다. 그리고 궁수 혹은 열정적인 테니스 선수처럼 이마는 구릿빛이었다. 그녀가 거실로 성큼성큼 걸어올 때 백열전구 같은 모양의, 근육이 잘 발달된 장딴지가 눈에 들어왔다. 그녀는 로코코 양식의 벽난로처럼 생겼다.

그들이 우리를 작고 단정한 거실로 안내했다. 거실 입구 벽에 기대어 의혹이 담긴 눈으로 나와 잉게를 주시하는 오빠를 제외하고 우리는 싸구려 갈색 소파에 앉았다. 키가 큰 호두나무 캐비닛의 유리 문 안에는 학교 시상식을 치르고도 남을 만큼 많은 트로피들이 있었다.

"저 안의 수집품들이 아주 인상적이군요." 내가 누구에게랄 것 없이 건성으로 말했다. 가끔 내 사교성 발언은 2퍼센트쯤 부족하다는 생각이 든다.

"네, 그렇죠." 마를레네가 겸손으로도 통할 수 있는 의뭉스러운 표

정을 띠고 말했다. 그 표정이 어떻든 오빠는 이렇다 할 표정조차 없었
다.

"동생은 육상 선수입니다. 불운한 부상만 아니었다면 올림픽에서
독일 대표로도 뛰었을 겁니다." 잉게와 내가 동정의 소리를 냈다. 이
내 마를레네가 내 명함을 다시 보았다.

"뭘 도와 드릴까요, 귄터 씨?"

나는 떠들기에 앞서 소파에 편히 기대고 다리를 꼬았다. "게르마니
아 생명보험회사가 파울 파르와 그의 아내의 죽음과 관련해 어떤 조
사를 하도록 저를 고용했습니다. 두 사람을 알았던 사람이라면 어떤
일이 있었는지 알아내는 데 도움이 될지도 모르고 내 의뢰인이 빠르
게 정상적인 삶을 되찾는 데 도움이 될지도 모릅니다."

"네." 마를레네가 긴 한숨을 쉬며 말했다. "네, 물론이죠."

나는 그녀가 무언가 말하길 기다렸다. 결국 내가 그녀의 말을 유도
했다. "내무성에서 근무한 파르 씨의 비서였다고 알고 있습니다."

"네, 맞아요. 그랬어요." 마를레네는 전문 도박꾼만큼 속을 드러내
지 않았다.

"아직도 거기서 일하십니까?"

"네." 그녀가 어깨를 으쓱하는 정도의 무관심한 태도로 말했다.

어찌해야 좋을지 몰라 잉게를 슬쩍 보니 완벽하게 그린 눈썹을 추
켜세울 뿐이었다. "파르 씨 부서는 제국 정부와 독일 노동 전선에 여
전히 존재하는 부패를 조사중이었습니까?"

그녀는 자신의 신발 끝을 잠깐 보더니 대면한 이래 처음으로 나를
똑바로 쳐다보았다. "누가 그러던가요?" 어조는 차분했지만 난 그녀

가 놀랐다고 장담할 수 있었다.

의표를 찌르기 위해 나는 그녀의 질문을 무시했다. "사람들을 염탐하고 밀고했기 때문에 그를 탐탁지 않게 여긴 누군가가 그를 살해했다고 생각하십니까?"

"저, 저는 그가 왜 살해됐는지 몰라요. 이봐요, 저기, 귄터 씨, 저는……,"

"게르하르트 폰 그라이스라는 이름의 남자에 대해 들어 보신 적 있습니까? 그는 수상의 친구이자 동시에 공갈범입니다. 당신도 알겠지만 그가 당신 상사에게 뭔가를 전했고, 그 때문에 목숨 값을 치렀습니다."

"저는 그 말을 믿을 수 없……," 그녀가 말을 끊고 자제했다. "당신의 어떤 질문에도 대답할 수 없어요."

하지만 나는 계속했다. "파울의 정부, 에바 혹은 베라 혹은 이름이 뭐든지 간에 그녀에 대해 아십니까? 그녀가 왜 몸을 숨기고 있는지 아시는 거라도 있습니까? 그녀도 죽었는지 모릅니다."

마를레네의 눈이 고속으로 운행하는 식당차에 실린 컵과 접시처럼 흔들렸다. 내 질문에 말이 막힌 듯 벌떡 일어나더니 양손으로 옆구리를 틀어잡았다. "제발요." 그렇게 말하는 그녀의 눈에 눈물이 차오르기 시작했다. 마를레네의 오빠가 어깨를 튕기며 벽에서 몸을 떼고 권투 시합을 중단시키는 심판처럼 내 앞에 섰다.

"됐습니다, 귄터 씨. 당신이 이런 식으로 동생을 심문하게 내버려 둘 수가 없군요."

"왜 안 됩니까?" 내가 일어서며 물었다. "심문하는 모습이라면, 동생분은 게슈타포에 있는 내내 봤을 겁니다. 게다가 이것보다는 훨씬 심하겠죠."

"어쨌거나, 동생이 당신 질문에 대답하고 싶어 하지 않는다는 게 아주 명확해 보이네요."

"그거 참 이상하군요. 나도 같은 결론을 내린 참이거든요." 나는 잉게의 팔을 잡고 문으로 향했다. 문밖으로 나가기 전에 몸을 돌리고 덧붙였다. "난 누구의 편도 아닙니다. 오직 진실을 알고 싶을 뿐입니다. 마음이 바뀌면 주저 말고 연락 주십시오. 누군가를 늑대 소굴에 던지려고 이 일을 시작한 게 아니니까요."

"당신이 여자에게 정중한 타입이라고 생각해 본 적 없었는데요." 밖으로 나오자 잉게가 말했다.

"내가? 잠깐, 이래 봬도 돈키호테 탐정 학교를 다녔습니다. '기사도' 과목에서 B플러스를 받았죠."

"'심문' 과목 성적은 나빴나 봐요. 눈치챘겠지만 당신이 파르의 정부가 죽었는지도 모른다고 했을 때 마를레네는 정말 겁먹은 눈치였어요."

"어떻게 했으면 좋았겠습니까? 그녀에게 총이라도 휘둘러요?"

"그녀가 말할 준비가 안 돼서 유감이라는 것뿐이에요. 아마 곧 마음을 바꾸겠죠."

"장담할 수 없습니다. 마를레네가 게슈타포를 위해 일한다면 성경 구절에 밑줄을 칠 부류가 아니라는 게 이치에 맞을 겁니다. 그리고 그 근육 봤습니까? 그녀는 채찍이나 고무 곤봉을 가진 그들의 들러리가 틀림없어요."

우리는 차에 올라 동쪽에 있는 빌로브 가로 향했다. 나는 빅토리아 공원 밖에 차를 세웠다.

"내려요." 내가 말했다. "잠시 걸읍시다. 신선한 공기가 좀 필요하군요."

잉게가 수상쩍다는 듯 공기 냄새를 킁킁거렸다. 근처 슐타이스 맥주 양조장에서 풍기는 냄새가 강하게 났다. "나한테 어떤 향수도 사줄 생각은 마세요." 그녀가 말했다.

우리는 그림 시장이 열리는 언덕을 올랐다. 베를린의 젊은 화가들이 자신들의 전원풍 그림을 늘어놓고 파는 곳이었다. 잉게는 예상대로 경멸의 눈초리를 보냈다.

"이렇게 완벽하게 똥 같은 것들을 본 적 있어요?" 그녀가 콧방귀를 뀌었다. "근육이 울퉁불퉁한 소작농들이 옥수숫대를 묶거나 밭을 일구는 모습만 보면 사람들은 우리가 그림 형제가 지은 동화 속에 살고 있다고 생각할 테죠."

나는 천천히 고개를 끄덕였다. 어떤 주제에 관해 열을 띠고 말할 때 잉게는 매력적이었다. 비록 목소리가 너무 컸고, 우리 둘 모두를 강제 수용소로 보낼 수 있는 의견이었을지라도.

약간의 시간과 심적 여유가 있었다면 그녀가 내 변변찮은 예술관을 돌아보게 했을지도 모를 일이다. 하지만 지금 내 마음은 다른 데가 있었다. 나는 그녀의 팔을 잡고 전형적인 아리안 혈통처럼은 보이지 않는 화가가 강철 턱의 돌격대원들을 묘사한 그림들을 진열해 놓은 곳으로 갔다. 내가 조용히 말했다.

3월의 제비꽃
—

"잠 남매의 아파트에서 나온 이래 쭉 미행당하고 있는 것 같군요."
그녀가 주의 깊게 주위를 둘러보았다. 몇몇 사람이 서성거리고 있었
지만 특별히 우리에게 관심을 보이는 사람은 없었다.

"그를 찾아내는 건 무립니다." 내가 말했다. "뒤는 자가 아닌 이상
은."

"게슈타포라고 생각해요?"

"이 도시에 사냥개 흉내를 내는 놈들이 많긴 하지만," 내가 말했다.
"게슈타포가 유력합니다. 그들은 이 사건에서의 내 관심사를 알고 있
고, 자신들의 탐문 수사를 능히 나한테 떠넘길 수도 있습니다."

"그럼, 우린 뭘 해야 하죠?" 그녀는 불안한 표정을 보였지만 나는 빙
긋 웃어 주었다.

"늘 생각하는 거지만 미행을 따돌리는 것만큼 재미있는 건 없죠. 특
히 그게 게슈타포라면."

15

오전 우편물은 두 개뿐으로 모두 인편으로 전해졌다. 그루버의 호기심 많고 배고픈 고양이 같은 시선을 피해 둘 중의 더 작은 봉투를 개봉하자 네모난 판지 모양의 오늘 자 올림픽 육상 경기 티켓이 나왔다. 티켓을 뒤집어 보니 뒷면에 이니셜 'M. S.'와 '두시'라고 적혀 있었다. 항공성 인장이 있는 더 큰 봉투에는 하우프트핸들러와 예쇼넥의 일요일 수신 통화 기록이 들어 있었는데, 하우프트핸들러의 기록은 아파트에서 내가 건 한 통화를 빼면 아무것도 없었다. 나는 봉투와 그 안에 든 내용물을 쓰레기통에 버린 다음 자리에 앉아 예쇼넥이 이미 그 목걸이를 구매했는지, 그리고 오늘 밤 템펠호프 공항으로 하우프트핸들러를 쫓아가야 할지 생각했다. 한편, 하우프트핸들러가 이미 그 목걸이를 처분했다면 그가 별다른 이유 없이 월요일 밤까지 기다려 런던행 비행기를 탈 것 같지 않았다. 지불에는 외화 포함 조건이 있었고, 예쇼넥이 자금을 모으는 데 시간이 필요했을 확률이 높았다. 나는 커피를 끓이고 잉게가 오길 기다렸다.

창밖을 힐끗 보니 날씨가 우중충해서 총통의 올림픽이 또 비로 얼룩질 것 같다. 잉게가 고소해할 모습이 그려져 웃음이 나왔다. 이제

나 역시 비에 젖어야겠지만.

잉게가 올림픽을 가리켜 뭐라고 했더라? '근래 들어 가장 충격적인 신용 사기'. 그녀가 사무실 문을 들어섰을 때 나는 옷장에서 고무를 댄 낡은 레인코트를 찾는 중이었다.

"아, 담배가 간절해요." 잉게가 핸드백을 의자에 던지고 내 책상 위 담배 상자에서 담배를 꺼냈다. 그러더니 내 낡은 코트에 관심을 보이며 말했다. "그걸 입을 생각이에요?"

"결국 미스 근육이 연락해 왔습니다. 편지 봉투에 오늘 하는 게임 입장권이 들어 있었죠. 두시에 경기장에서 만나자는군요."

잉게가 창밖을 내다보았다. "그래요." 그녀가 웃음을 터뜨렸다. "코트가 필요하겠어요. 양동이로 퍼부을 듯한 비가 오겠어요." 잉게는 의자에 앉아 내 책상에 발을 올렸다. "그렇다면 난 여기서 혼자 가게를 보고 있죠."

"늦어도 네시에는 돌아올 겁니다. 그런 다음 같이 공항으로 갑시다."

잉게가 눈살을 찌푸렸다. "오, 그렇군요. 잊고 있었어요. 하우프트 핸들러가 오늘 밤 런던으로 뜰 예정이었죠. 얼빠진 소리처럼 들린다면 미안하지만 거기 가서 정확히 무슨 일을 해야 하죠? 그에게 걸어가 당신과 함께 가는 사람이 누구며 목걸이를 얼마에 팔았는지 물어보자고요? 그럼 그들은 아마 템펠호프 공항 한가운데에서 여행 가방을 열고 자신들이 가진 현금을 보여 주겠죠."

"현실은 그렇게 간단하지 않습니다. 사기꾼을 체포할 수 있는 사소한 단서들은 행동하지 않고는 절대 생기지 않아요."

"슬프게까지 들리네요."

"내 감춰 둔 무기가 일을 좀 더 쉽게 만들어 줄 거라고 생각했는데."

"그게 아주 감춰졌나요?"

"그 비슷한 거죠."

내 사무실 밖에서 들린 발걸음 소리에 대화를 멈췄다. 노크 소리가 들리고 국가사회주의 항공대복을 입은 하사관이 내가 조금 전에 쓰레기통에 던진 것과 같은 종류의 커다란 담황색 봉투를 들고 들어왔다. 하사관이 뒷굽을 울리며 내가 베른하르트 귄터인지 물었다. 내가 그렇다고 하며 긴 장갑을 낀 하사관의 손에서 봉투를 받은 다음 수취 확인서에 사인을 하자 그가 히틀러식 경례를 하고 다시 절도 있게 걸어 나갔다.

나는 항공성 봉투를 뜯었다. 봉투에는 예쇼넥과 하우프트핸들러의 그 전날 통화 기록을 타이프로 친 종이 몇 장이 들어 있었다. 둘 중 더 바빴던 사람은 다이아몬드 중개상인 예쇼넥이었다. 그는 거액의 미국 달러화와 영국 파운드화로 거래한, 불법 구매자로 보이는 많은 사람과 통화를 했다.

"바로 이거야." 예쇼넥의 마지막 통화 기록을 읽으며 내가 말했다. 상대는 하우프트핸들러로 당연히 그의 기록에도 남아 있었다. 내가 원했던 증거의 퍼즐 조각이었다. 추리를 사실로 입증하는 증거로 직스의 개인 비서와 다이아몬드 중개상의 확실한 연결 고리를 증명했다. 그뿐 아니라 그들은 만날 시간과 장소까지 모의했다.

"뭐예요?" 더 이상 호기심을 참지 못한 잉게가 말했다.

나는 그녀를 보고 빙긋 웃었다. "감춰 둔 내 무깁니다. 누군가 그것을 찾아냈군요. 오늘 저녁 다섯시 그뤼네발트에 있는 어느 집에서 하우프트핸들러와 예쇼넥이 만날 약속을 잡았습니다. 예쇼넥이 외화를 잔뜩 담은 가방을 가져갈 겁니다."

"엄청난 끄나풀을 심어 뒀나 보군요." 그녀가 얼굴을 찌푸리며 말했다. "누군데요? 천리안을 가진 하누센[59]?"

"내 끄나풀은 흥행주에 더 가깝죠. 그가 공연을 예약해 주었으니 어쨌든 그 쇼를 보러 가야죠."

"그리고 그의 직원으로 있는 상냥한 돌격대원이 자리까지 안내해 주는 거겠죠?"

"마음에 들지 않나 보군요."

"내가 얼굴을 찌푸리고 있다면 그건 속이 쓰리다는 뜻이에요, 알겠어요?"

나는 담배에 불을 붙였다. 머릿속으로 앞이 나오길 바라며 동전을 던졌는데 뒤가 나왔다. 그녀에게 사실대로 말했어야 했다. "요리용 승강기에 죽어 있던 남자 기억합니까?"

"내가 문둥병에 걸렸다는 걸 지금 막 안 것처럼요." 그녀가 확연하게 몸서리를 치며 말했다.

"헤르만 괴링이 그 남자를 찾아내라고 날 고용했죠." 나는 말을 멈추고 그녀의 반응을 기다렸다가 그녀의 어리벙벙한 눈빛을 보고 어깨를 으쓱했다. "그래요, 그가 전화기 두 대에 도청을 허락했습니다. 예쇼넥과 하우프트핸들러의 전화기에." 내가 통화 기록을 들어 그녀

---

59. 에릭 얀 하누센. 히틀러의 당선을 예언한 예언가이자 쇼 공연가.

의 얼굴 앞에 흔들었다. "그리고 이게 그 결과입니다. 무엇보다 이제 폰 그라이스를 발견한 곳을 괴링의 부하들에게 말할 수 있다는 뜻이죠."

잉게는 말이 없었다. 나는 화가 나서 담배를 오래 빨고는 독서대를 주먹으로 내려치듯 담배를 비벼 껐다. "뭐 하나 말해 주죠. 그의 부탁을 거절할 수 있는 사람은 아무도 없습니다. 담배를 끝까지 입에 물고 있겠다면."

"네, 그렇겠죠."

"내 말 믿어요. 그는 내가 선택하고 말고 할 의뢰인이 아닙니다. 그의 부하들은 자동 권총을 가진 폭력배나 다름없어요."

"왜 그런 이야기를 하지 않았죠, 베르니?"

"괴링이 나 같은 사람에게 속내를 털어놓을 땐 내기에 거는 돈이 커지는 법입니다. 당신이 모르는 편이 당신에게 더 나을 거라고 생각했습니다. 하지만 지금은 그 위험을 잘 피해 갈 수 있을 것 같군요." 나는 다시 한 번 통화 기록을 그녀에게 흔들었다. 잉게가 머리를 저었다.

"당연히 당신은 그의 말을 거부할 수 없었을 거예요. 난 그걸 책망하는 게 아니라 그냥 좀 놀란 것뿐이에요. 그리고 나를 지켜 줘서 고마워요, 베르니. 난 그 불쌍한 남자에 관해 당신이 누군가에게 말할 수 있어서 기쁠 따름이에요."

"지금 당장 말해야죠."

내가 전화를 걸었을 때 리에나커는 피곤한 데다 짜증이 나 있는 것 같았다.

"뭔가 건졌길 바라네, 탐정 양반." 그가 말했다. "뚱보 헤르만의 참을성이 유대인 제빵사의 스펀지케이크에 발린 잼보다 엷어졌거든. 그래서 이게 만약 안부 전화일 뿐이라면 내가 똥 밟은 신을 신고 당신을 찾아갈 확률이 높아."

"무슨 문제라도 있나, 리에나커? 시체 안치소의 부검대를 누구랑 나눠 쓰게라도 된 건가?"

"쓸데없는 소리 말고 빨리 용건이나 말해, 귄터."

"좋아. 귀를 바짝 기울이게. 당신네 사람을 찾았는데, 단물이 다 빠져나간 상태더군."

"죽었다는 뜻인가?"

"아틀란티스처럼 이 세상에서 사라졌지. 샤미소 광장에 있는 망한 호텔에서 요리용 승강기를 운전중이야. 냄새를 따라가면 바로 찾을 수 있을 거야."

"서류는?"

"난로 안에 타 버린 재가 많더군. 그게 다야."

"누가 그를 죽인 것 같나?"

"미안하지만, 그걸 알아내는 건 당신 몫이야. 내가 할 일은 우리의 귀족 양반을 찾아내는 것뿐이고, 난 내 일을 했다고 볼 수 있지. 보스에게 청구서를 보내겠다고 전해 주게."

"고맙군, 귄터." 리에나커는 그다지 기쁜 투가 아니었다. "당신은……," 나는 퉁명스러운 인사로 그의 말을 자르고 전화를 끊었다.

잉게에게 차 키를 건네며 오늘 오후 네시 반에 하우프트핸들러의 반제 호숫가 집 앞 도로에서 만나자고 했다. 나는 동물원 역에서 제국 스포츠 경기장까지 특별 도시 고속 전철을 탈 생각을 했다가 미행이 따라붙을 가능성을 고려해서 복잡하게 빙 돌아가는 길을 택했다. 빠른 걸음으로 쾨니히 가를 걷다 2번 전차를 잡아타고 슈피텔 시장에서 내린 다음 슈핀들러 브루넨 분수 주위를 천천히 두 바퀴 돈 후 지하철을 탔다. 한 정거장 뒤인 프리드리히 가에서 내려 재차 지상으로 나왔다. 프리드리히 가는 업무 시간 동안만큼은 베를린에서 가장 교통이 붐비는 곳이었다. 공기 중에서는 연필을 깎을 때 나오는 부스러기 같은 냄새가 났다. 수많은 우산과 여행 안내서를 펴 들고 모여 서 있는 미국인들을 비껴 루데스도르퍼 박하 회사 밴을 간신히 피한 다음 타우버 가와 예거 가를 가로질러 카이저 호텔과 직스 철강 회사를 지나쳤다. 그러고는 운터 덴 린덴 가 쪽으로 계속 올라가 프랑최지셰 가에 서 있는 차 사이를 요리조리 지나 베렌 가 모퉁이에 있는 카이저 소로小路로 들어갔다. 이곳은 여행객들이 많이 찾는 고급 상점들이 늘어서 있는 아케이드로, 여행객들 대부분이 묵고 있는 베스트민스터 호텔을 지나 운터 덴 린덴 가까지 통해 있었다. 걸어서 지난다면 미행을 따돌려 버리기엔 언제나 좋은 장소였다. 운터 덴 린덴 가로 나온 나는 길을 건너 택시를 잡아타고 동물원 역으로 가서 제국 스포츠 스타디움으로 가는 임시 편성 열차를 탔다.

이 층 건물 높이의 스타디움이 생각보다 작아 보여, 경기장 주변을 서성거리는 이 모든 사람을 전부 수용할 수 있을지 의심스러웠다. 안으로 들어오고 나서야 나는 경기장이 밖에서 보이는 것보다 훨씬 더 크다는 것을 알았다. 지면보다 몇 미터 더 낮게 조성된 덕분이었다.

나는 석탄재를 깔아 만든 트랙의 모퉁이 가까운 좌석에 자리를 잡았다. 통통한 아주머니의 옆자리에 앉자 그녀가 미소를 지으며 공손하게 고개를 끄덕였다. 마를레네 잠이 앉아 있으리라 생각한 내 오른쪽 좌석은 벌써 두시가 지났지만 비어 있었다. 손목시계를 막 들여다본 순간 하늘에서 오늘 치 장대비를 퍼붓기 시작했다. 옆 좌석 아주머니와 우산을 나눌 수 있어서 기쁠 따름이었다. 그녀의 오늘 치 선행이리라. 아주머니가 경기장 서쪽을 가리키며 작은 쌍안경을 건넸다.

"저기가 총통 각하가 앉으실 자리예요." 아주머니가 말했다. 나는 감사를 표하고 조금도 관심이 없었지만 연단을 훑어보았다. 그곳에는 프록코트를 입은 사내들 몇몇과 어디에서나 볼 수 있는 친위대 장교로 가득했는데, 그들 모두 나처럼 비에 젖어 있었다. 잉게가 좋아할 터였다. 총통의 모습은 보이지 않았다.

"어제는 거의 다섯시까지 나타나시지 않았어요." 아주머니가 설명했다. "이렇게 날씨가 끔찍하니 오시지 못한다 해도 이해해야죠." 그녀가 내 빈 무릎을 턱으로 가리켰다. "프로그램 표를 안 갖고 계시네요. 경기 일정을 알고 싶으세요?" 알고 싶다고 말했지만 그녀가 자신의 프로그램 표를 빌려 줄 의향이 없다는 걸 알고 당황했다. 대신 그녀는 그것을 큰 목소리로 읽었다.

"오늘 오후 첫 번째 경기는 사백 미터 허들 예선이에요. 그리고 백 미터 준결승과 결승이 있고요. 이렇게 말해도 될지 모르겠지만 독일이 미국의 깜둥이 오언스를 이길 가망은 없다고 봐요. 어제 그가 뛰는 걸 봤는데 가젤 같더라니까요." 내가 소위 지배자 민족이라는 것에 대해 비애국적인 말을 막 꺼내려는 참에, 마를레네 잠이 내 옆자리에 앉으며 구설에 오를 뻔한 나를 구해 주었다.

"와 주셔서 고마워요, 귄터 씨. 그리고 어제는 죄송했어요. 제가 무례했죠. 도와주시려고 한 것뿐인데. 그렇죠?"

"그렇습니다."

"어젯밤 잠을 설쳤어요. 당신이 말한⋯⋯," 여기서 그녀는 잠깐 주저했다. "에바에 대해 생각하느라."

"파울 파르의 정부 말인가요?" 그녀가 끄덕였다. "당신 친굽니까?"

"가까운 친구는 아니지만, 이해해 주셔야 해요, 친구인 건 맞아요, 그래요. 그래서 오늘 아침 일찍 당신을 믿기로 결정했어요. 미행당하고 있는 게 분명해서 여기서 만나자고 한 거예요. 그게 제가 너무 늦은 이유고요. 그들을 확실히 따돌려야 했어요."

"게슈타포 말입니까?"

"글쎄요, 국제 올림픽 위원회가 아닌 건 분명하죠, 귄터 씨." 내가 그 말에 미소를 지었고, 그녀도 그랬다.

"네, 분명히 아니겠죠." 초조한 기색을 숨기며 아무렇지 않다는 듯이 말하는 태도가 그녀에게 매력을 더한다는 걸 인정하며 내가 말했다. 목까지 단추를 채우지 않은 적갈색 레인코트 안에 입은, 가슴이 파인 짙푸른 색 면 드레스 위로 햇볕에 잘 그은 젖무덤이 보였다. 그녀가 큼직한 갈색 가죽 핸드백을 더듬기 시작했다.

"그러니까," 그녀가 초조한 기색을 띠고 말했다. "파울 말이에요. 아시다시피 그가 죽은 뒤 저는 엄청나게 많은 질문에 답해야 했어요."

"무엇에 대해서?" 어리석은 물음이었지만 마를레네는 그렇게 말하지 않았다.

"전부 다요. 어느 순간 그들은 내가 그의 정부였을지도 모른다는 생각까지 한 거 같아요." 그녀가 백에서 진녹색 탁상용 메모장을 꺼내 내게 건넸다. "이건 챙겨 뒀어요. 파울의 탁상용 메모장이에요. 그러니까 정확히 말해서 그가 개인적으로 쓰던 거요. 공적인 게 아니라. 제가 갖고 있었죠. 게슈타포에게 준 건 공적인 거고요." 나는 메모장을 바로 펼치지 않고 만지작거렸다. 직스도 그렇고, 여기 있는 마를레네도 그렇고 경찰에게 협조하지 않는 사람들이 많다는 사실이 이상했다. 어쩌면 이상하지 않은 일인지도 몰랐다. 모든 게 경찰의 실태를 얼마나 파악하고 있는가에 달렸다.

"왜 그랬습니까?"

"에바를 보호하려고요."

"그럼 왜 이 메모장을 그냥 파기하지 않았습니까? 내 생각엔 그러는 편이 그녀에게나 당신에게 더 안전했을 텐데."

그녀는 눈썹을 찌푸리고 반밖에 확신이 서지 않는 것 같은 뭔가를 필사적으로 설명하려고 했다. "적절한 사람의 손에 넘겨야 한다고 생각했던 것 같아요. 그 안에 쓰인 것이 살인자를 찾을 단서가 될지도 모르니까요."

"당신 친구 에바가 사건과 관련이 있다면 어떡합니까?"

그녀의 눈이 분노로 불타올랐다. "난 조금도 그렇게 생각하지 않아요." 그녀가 말했다. "그녀는 누구에게도 해를 끼치는 사람이 아니었어요."

나는 입을 다물고 신중하게 고개를 끄덕였다. "그녀에 대해 말해 봐요."

"생각을 정리하고 말씀드리죠, 귄터 씨." 그녀는 그렇게 말하고 입을 다물었다. 나는 마를레네 잠이 자신의 열정이나 호불호에 따라 움직이는 타입이라고 생각하지 않았고, 게슈타포가 이런 부류의 여자를 선호하여 채용하는 건지, 단순히 게슈타포가 여자들에게 그런 영향을 끼치는 건지 궁금했다.

"일단, 당신에게 명확히 해 두고 싶어요."

"그러십시오."

"파울이 죽은 뒤 저는 에바의 소재를 조심스럽게 알아봤지만 소득이 없었어요. 하지만 그건 그대로 좋아요. 당신에게 말하기 전에, 만약 당신이 에바를 찾게 되면 그녀에게 자수하라고 설득하겠다고 약속해 주세요. 게슈타포에 체포되면 에바는 최악의 상황에 놓일 거예요. 이건 부탁이 아니에요. 당신 수사에 도움이 될 정보 제공에 대한 내 보수예요."

"약속하죠. 내가 도울 수 있는 한 돕겠습니다. 하지만 한마디만 해 두죠. 그녀는 지금 당장 곤란한 상황에 놓인 것 같습니다. 오늘 밤 외국으로 도망칠 계획인 게 분명하니 빨리 말해 주시는 게 좋을 겁니다. 시간이 없어요."

마를레네는 잠시 생각에 빠져 입술을 깨물고 출발선에 모인 허들 선수들을 멍하니 응시했다. 그녀는 심판이 출발 신호를 알리기 위해 총을 들었을 때 들뜬 관중들이 흥분을 억누르기 위해 웅성거리는 소리를 의식하지 못했다. 심판이 총을 쏨과 동시에 그녀가 자신이 아는 사실을 말하기 시작했다.

"음, 먼저 그녀의 이름은 에바가 아니에요. 그건 파울이 부르는 이름이에요. 그는 누구에게나 새 이름을 붙였어요. 지크프리트나 브륀 힐데 같은 아리안 이름을 좋아했죠. 에바의 진짜 이름은 한나, 한나 로에들이지만 파울은 한나가 유대인 이름이라며 늘 그녀를 에바로 불렀어요."

미국이 허들 첫 예선에서 우승하자 관중들이 야유를 보냈다.

"파울은 아내와 사이가 좋지 않았는데 저에게 그 이유를 말한 적은 없어요. 그와 저는 좋은 친구였고, 제게 많은 비밀을 털어놓았지만 아내에 대해 이야기하는 건 한 번도 들은 적 없었죠. 어느 날 밤 그가 저를 카지노에 데려갔고, 거기서 에바와 마주쳤어요. 에바는 딜러로 일하고 있더군요. 한 달 만에 처음 봤죠. 우리가 처음 만난 건 세무서에서 일할 때였어요. 그녀는 숫자에 밝았어요. 그래서 딜러가 됐을 거예요. 봉급이 두 배인 데다 재미있는 사람들을 만날 수도 있고요."

나는 그 말에 눈썹을 추켜세웠다. 카지노에서 도박을 하는 사람들 치고 따분하지 않은 사람들이 없다고 생각했지만 그녀의 말을 끊고 싶지 않아 아무 말도 하지 않았다.

"어쨌든 저는 파울에게 그녀를 소개했고, 두 사람은 서로에게 끌린 것 같았어요. 파울은 잘생긴 남자였고, 에바는 그야말로 정말 아름다웠으니까요. 한 달 후 에바를 다시 만났는데 자신과 파울이 그렇고 그런 사이라고 하더군요. 처음에는 충격을 받았어요. 하지만 나와는 아무 상관없는 일이라고 생각했죠. 한동안, 아마 육 개월쯤요. 두 사람은 거의 매일 만나는 것 같았어요. 그러다 파울이 살해됐죠. 메모장에 밀회 날짜나 장소 같은 게 적혀 있을 거예요."

나는 메모장을 펼쳐 파울이 살해된 날을 찾았다. 그 페이지에 기재

된 내용을 읽었다.

"여길 보면 그가 죽은 날 밤 그녀와 약속을 잡았군요." 마를레네는 말이 없었다. 나는 페이지를 거슬러 올라갔다. "내가 아는 이름이 눈에 띄는데요." 나는 그 이름을 읽었다. "게르하르트 폰 그라이스. 그에 대해 아는 게 있습니까?" 나는 담배에 불을 붙이고 덧붙였다. "그럭저럭, 게슈타포 내 당신 부서에 관해 말해 줄 때라고 생각하는데요?"

"파울의 부서죠. 아시겠지만 파울은 자기가 그 부서에 있다는 걸 아주 자랑스러워했어요." 그녀가 깊은 한숨을 쉬었다. "정말 깨끗한 남자였죠."

"물론 그랬겠죠. 그가 정말 원한 건 퇴근해서 아내와 함께하는 거였지만 어쩔 수 없이 항상 다른 여자와 있었죠."

"이상한 이야기지만 그건 분명한 사실이에요, 귄터 씨. 그가 정말 원한 건 그것이었어요. 난 파울이 그레테를 사랑하지 않은 적이 없다고 생각해요. 그런데 무슨 이유에선지 파울은 그녀를 미워하기 시작했어요."

나는 어깨를 으쓱했다. "뭐, 이유야 얼마든지 있습니다. 단순히 꼬리를 흔드는 걸 좋아했는지도 모르죠." 내 말을 끝으로 그녀는 몇 분간 말없이 앉아 있었고, 그 사이 다음 허들 예선이 치러졌다. 독일 선수 노트브루흐가 우승하자 관중들이 환호했다. 매우 흥분한 옆자리 아주머니가 자리에서 일어나 프로그램 표를 흔들었다.

마를레네가 다시 백을 뒤지더니 봉투 하나를 꺼냈다.

"당초 파울에게 부서를 설립할 권한을 준 편지의 복사본이에요." 그것을 나에게 건넸다. "당신이 보고 싶어 할 것 같았어요. 왜 파울이 그렇게 행동했는지 설명하는 데 도움이 될 거예요."

나는 그 편지를 읽었다.

SS 국가지도자 겸

제3제국 내무성

독일 경찰 장관

0-KdS g2(O/R V) No. 22 11/35

1935년 11월 6일

베를린 NW7

운터 덴 린덴 가 74번지

시내전화 120 034

시외전화 120 037

돌격대장 *파울 파르 박사* 앞 지급至急

매우 긴요한 용건으로 이 편지를 쓴다. 제3제국 관리의 부패에 관한 용건으로, 관리는 같은 피가 흐르는 국민에게 정직해야 하고 품위를 지켜야 하며 충성해야 한다는 것이 제일 원칙이다. 이 원칙에 어긋나는—일 마르크라도 착복한—관리는 자비 없이 처벌받아야 한다.

본인은 부패한 관리를 좌시하지 않을 것이다.

귀관이 아는 바대로 본인은 이미 친위대 내 계급을 막론하고 부패를 근절하는 조치를 단행했으며, 그에 따라 부정직한 인원을 제거하였다. 총통 각하의 의지에 따라 독일 노동당 내 만연한 부패를 조사하고, 근절할 권한을 귀관에게 부여한다. 이러한 목적을 달성하기 위해 귀관을 최고돌격지도자로 승격하는 바이며 본인의 직속 감독하에 두기로 한다.

부패가 있는 곳이라면 어디든 척결해야 한다. 잊지 말아야 할 점은 우리가 동포애라는 이름으로 이 임무를 수행해야 한다는 것이다.

하일 히틀러!

(서명)

하인리히 힘러

"파울은 아주 성실했어요." 마를레네가 말했다. "많은 사람이 체포되었고, 유죄가 된 사람은 처벌받았죠."

"제거됐죠." 내가 SS 국가지도자의 말을 인용했다.

마를레네의 목소리가 딱딱해졌다. "그들은 제3제국의 적이었어요."

"네, 물론이죠." 나는 그녀가 말을 잇기를 기다렸다가 내 태도를 약간 불신하는 모습을 보고 덧붙였다. "그들은 처벌받아 마땅합니다. 당신 말에 토를 다는 게 아닙니다. 자, 계속하세요."

마를레네가 끄덕였다. "마침내 그가 철강 노동조합으로 눈을 돌렸고, 그는 일찌감치 그의 장인 헤르만 직스에 관한 어떤 소문을 듣게 됐어요. 맨 처음 파울은 그 소문을 가볍게 생각했어요. 그러더니 거의 하룻밤 만에 그를 파멸시키기로 결정했어요. 얼마 후에는 강박적이 되다시피 했죠."

"그게 언제입니까?"

"날짜까지는 기억 못 해요. 하지만 야근을 시작하고 아내에게서 걸려 온 전화를 받지 않았을 때쯤이라는 건 기억해요. 그리고 오래지 않아 에바를 만나기 시작했죠."

"장인 직스가 정확히 어떤 잘못을 저질렀습니까?"

"독일 노동 전선의 부패한 관료가 철강 노동조합과 후생 기금의 예금 계좌를 직스의 은행에 만들어······."

"그러니까, 그가 은행도 소유하고 있다는 말입니까?"

"독일 상업은행의 대주주예요. 대신 직스는 그 관료들에게 낮은 이자의 개인 융자를 눈감아 주고 있죠."

"거기서 직스가 얻는 건 뭡니까?"

"노동자에게 현금으로 지불하는 이자를 낮게 책정해서 결과적으로 그들에게 손해를 끼치고 은행의 수지를 개선할 수 있었죠."

"깔끔하게 정리되는군요."

"그뿐이 아니에요." 그녀는 분노가 섞인 미소를 지으며 말했다. "파울은 또한 장인이 조합의 기금을 빼돌리고 있다고 의심했어요. 그리고 조합의 투자액을 멋대로 주무르고 있을 거라는 것도요."

"주무른다. 그게 무슨 뜻입니까?"

"반복적으로 주식과 채권을 매매하여 그때마다 법적 수익의 일부를 청구하는 거예요. 그러니까 수수료요. 그걸 은행과 조합 간부들이 나눠 먹는 거죠. 하지만 그걸 증명한다는 건 매우 어려운 이야기예요." 그녀는 계속 말했다. "파울이 직스의 전화를 도청하려고 애썼지만 누구인지는 몰라도 그걸 관리하는 사람에게 거부당했어요. 파울 말로는 누군가가 이미 그의 전화를 도청중이었고, 정보를 공유하려 하지 않았다는군요. 그래서 파울은 별도의 수단을 고려했어요. 그는 수상의 비밀 대리인이 직스를 위시하여 여러 사람을 궁지에 몰아넣을 확실한 정보를 갖고 있다는 사실을 알게 됐어요. 게르하르트 폰 그라이스라는 사람. 괴링은 이 정보를 이용해 직스에게서 경제적 원조를 이끌어 내고 있었어요. 어쨌든 파울은 폰 그라이스와 만나 상당한 돈을 주고 직스에 관한 정보를 사려고 했어요. 하지만 그가 거절했죠. 파울 말로는 그가 겁에 질려 있었대요."

마를레네는 곧 있을 백 미터 준결승을 기대하며 흥분을 더해 가는 관중을 둘러보았다. 트랙에서 허들이 치워지고 이제 단거리 주자들이 몸을 풀고 있었다. 관중이 그를 보기 위해서 왔다고 해도 과언이 아닐 한 남자를 포함하여. 제시 오언스. 잠시 마를레네의 관심이 온전히 그 흑인 선수에게 쏠렸다.

"정말 대단하지 않아요? 오언스 말이에요. 그는 정말 최고예요."

"하지만 파울은 결국 그 서류를 손에 넣었군요. 그렇죠?"

그녀가 끄덕였다. "파울은 의지가 대단한 사람이었어요." 주의가 산만해진 그녀가 말했다. "그런 때는 냉혹한 사람이 되죠."

"그런 것 같군요."

"프린츠 알브레히트 가에 있는 게슈타포 본부에 각종 협회와 조직 그리고 노동 전선을 담당하는 부서가 있어요. 파울은 그들을 설득해 폰 그라이스를 즉각 체포하도록 비상 영장을 발행하게 했어요. 그들은 특수 경찰 부대에 체포된 폰 그라이스를 게슈타포 본부로 데려갔죠."

"특수 경찰 부대라는 게 정확히 뭡니까?"

"살인마들이에요." 그녀가 머리를 흔들었다. "그들의 손아귀에 떨어지고 싶은 사람은 아무도 없어요. 그들의 임무는 폰 그라이스를 겁먹게 하는 거였죠. 힘러가 괴링보다 더 큰 힘이 있다는 것을, 수상을 두려워하기에 앞서 게슈타포를 더 두려워해야 한다는 것을 확신하도록 심하게 겁을 주는 거죠. 힘러는 먼저 괴링에게서 게슈타포의 지배권을 뺏은 다음 결국 경찰을 장악했잖아요. 게다가 괴링의 부하인 원래 게슈타포 장관 디엘스가 전 주인에게 버림받은 예도 있었죠. 그들은 이 모든 걸 폰 그라이스에게 말했어요. 같은 일이 당신에게도 일어날 거라고. 협조할 기회는 한 번뿐이라고. 그러지 않으면 SS 국가지도자의 비위를 건드릴 거라고. 그건 곧 강제수용소행을 뜻하죠. 당연히 폰 그라이스는 설득당했어요. 어떤 사람이 안 그럴 수 있겠어요? 그는 파울에게 자신이 가진 모든 걸 넘겼어요. 파울은 많은 서류를 손에 넣었고, 집에서 며칠 동안 그걸 검토했어요. 그러다가 살해당했죠."

"그리고 서류는 도둑맞고요."

"네."

"그게 어떤 서류들이었는지 아십니까?"

"자세히는 몰라요. 본 적도 없어요. 그가 말해 준 것만 알 뿐이에요. 딕스가 조직범죄에 가담한 사실이 분명하다고 파울이 말했어요."

총소리가 울리자 제시 오언스는 기세 좋게 뛰쳐나가 삼십 미터 지점이 되자 여유 있게 선두를 유지했다. 옆자리 아주머니가 또다시 자리에서 일어났다. 오언스를 가젤에 비유한 그녀의 묘사는 잘못됐다

베를린 누아르
—
282

는 생각이 들었다. 아리아인이 우성인자라는 터무니없는 이론을 비웃기라도 하듯 장신의 우아한 흑인이 트랙에서 속력을 내고 있는 모습을 보니, 같이 뛰는 다른 사람들이 그저 고통에 겨워 당혹스러워하는 인간이라면 오언스는 인간이 아니라는 생각이 들었다. 이런 식으로 달린다는 것은 그와 트랙이 하나라는 것을 의미했고, 지배자 민족이라는 게 존재한다면 제시 오언스 같은 인간을 배제하고 성립해서는 안 될 터였다. 그의 승리가 독일 관중에게서 엄청난 환호를 이끌어냈고, 흑인이 승리한 경기를 보고 사람들이 환호했다는 사실이 위안이 됐다. 결국 독일은 전쟁을 원치 않는 것이리라. 나는 히틀러와 당 간부들이 미국 흑인 선수를 향한 국민의 환호를 목격하고 있는지 보려고 그들의 좌석 쪽으로 눈을 돌렸다. 하지만 제3제국의 요인들은 여전히 모습을 보이지 않았다.

나는 와 준 것에 대해 마를레네에게 감사를 표하고 경기장을 빠져나왔다. 호수 방면 남쪽으로 택시를 타고 가면서 불쌍한 폰 그라이스에 대해 생각했다. 그는 게슈타포에게 잡혀 겁에 질려 있다가 풀려나자마자 바로 레드 디터의 부하들에게 잡혀 고문 끝에 살해됐다. 운이 없었다고 할 수밖에.

택시는 반제 다리를 지나 호숫가를 따라 달렸다. 호숫가 저 앞쪽에 '유대인 출입 금지'라는 검은 간판이 보이자 택시 기사가 말했다. "웃기는 소리 아닙니까? '유대인 출입 금지'라니. 여긴 아무도 없어요. 이런 날씨에 누가 있을 턱이 없지." 그가 조롱하듯 말하며 혼자 흡족해했다.

스웨덴 파빌리온 레스토랑 건너편에 남아 있는 몇몇 끈질긴 사람들은 날씨가 좋아질 거라는 희망을 아직 품고 있는 듯했다. 택시 기사는 코블랑크 가로 방향을 바꿔 린덴 가로 내려가면서 그들과 독일 날씨에 대한 욕을 멈추지 않았다. 나는 휴고 포겔 가에서 차를 세워 달라고 했다.

질서정연하고 녹음이 짙은 조용한 교외였다. 말끔하게 정리된 앞뜰과 손질이 잘된 산울타리가 딸린 중간 크기에서 큰 집들이 주를 이루었다. 보도 위에 주차된 내 차가 눈에 띄었지만 잉게가 타고 있는 기색은 없었다. 나는 잔돈을 건네받는 동안 불안한 마음으로 그녀를 찾아 주위를 둘러보았다. 무언가 잘못됐다는 것을 느끼며 경황이 없는 와중에 택시 기사에게 두둑한 팁을 건네자, 그가 대기하길 바라는지 물었다. 내가 고개를 젓고 차에서 물러나자 기사는 굉음을 울리며 요란스럽게 차를 몰고 가 버렸다. 나는 하우프트핸들러의 주소지에서 삼십 미터가량 떨어진 곳에 주차된 내 차를 향해 걸었다. 차 문을 확인했다. 잠겨 있지 않아서 안으로 들어가 앉아 그녀가 돌아오길 바라며 잠시 기다렸다. 마를레네 잠이 준 메모장을 글러브 박스 안에 넣고 좌석 밑을 더듬어 총을 찾았다. 총을 코트 주머니에 넣고 차에서 내렸다.

해당 주소지는 다 허물어져 가는 이 층짜리 더러운 갈색 건물이었다. 닫힌 문에 칠해진 페인트가 떨어져 가고 있었고, 정원에는 '매물'이라는 표지가 있었다. 오랫동안 아무도 살지 않은 곳처럼 보였다. 숨어 있기에 딱 좋은 곳이었다. 듬성듬성하게 자란 잔디가 집을 둘러싸고 있었고, 야트막한 담이 비탈길을 향해 주차된 연청색 아들러가 있는 보도와 경계를 이루었다. 나는 담을 넘어 안으로 들어가 녹슨 잔디

깎는 기계가 숨어 있는 나무 밑으로 조심스럽게 발걸음을 떼었다. 집의 뒤쪽 모퉁이에서 발터를 꺼내 슬라이드를 당겨 약실에 총알을 장전한 다음 공이치기를 당겼다.

창 밑으로 허리를 깊숙이 숙이고 살짝 열린 뒷문으로 살금살금 걸었다. 집 안 어딘가에서 소리 죽여 말하는 목소리가 들렸다. 총구로 문을 밀어 열자 부엌 바닥에 난 핏자국이 눈에 띄었다. 나는 조용히 안으로 걸어 들어갔다. 잉게는 혼자서 안을 둘러보기로 마음먹은 게 틀림없었다. 그녀가 다쳤거나 더 나쁜 상황에 빠졌을지도 모른다고 생각하니 위장이 우물에 떨어진 동전처럼 밑으로 가라앉는 것 같았다. 나는 심호흡을 하고 차가운 강철 자동 권총을 뺨에 댔다. 얼굴 전체에 퍼진 총의 냉기가 목덜미를 타고 영혼을 잠식했다. 부엌 문 앞에서 몸을 숙이고 열쇠 구멍을 들여다보았다. 문 안쪽은 비어 있었다. 카펫이 깔리지 않은 복도와 몇몇 닫힌 문들. 나는 손잡이를 돌렸다.

집 앞쪽에 있는 방에서 목소리가 새어 나왔다. 그 목소리의 장본인이 하우프트핸들러와 예쇼넥이라는 것을 알 수 있을 만큼 명확하게 들렸다. 잠시 후에는 여자의 목소리도 들렸는데, 순간적으로 잉게의 목소리라고 생각했다. 그 여자가 웃음을 터뜨리기 전까지. 이제 직스의 도난당한 다이아몬드를 되찾아 보수를 받는 일보다 잉게의 일신에 어떤 일이 일어났는지 알고 싶어 조바심이 났고, 나는 그들 세 명 앞에 나서기로 마음먹었다. 그들의 목소리로 그들이 경계심을 풀고 있다는 것을 알았지만 만약을 대비해 나는 문을 열고 들어서면서 그들의 머리 위로 총을 한 방 쏘았다.

"한 발짝도 움직이지 마." 나는 그들에게 충분한 경고가 됐다고 느낀 한편, 이 순간 여간 멍청한 놈이 아니면 총을 빼들지 않을 거라 여기며 그렇게 말했다. 게르트 예쇼넥이 딱 그런 멍청이였다. 상황이 좋더라도 움직이는 표적을 맞히기는 어려운 법이고 하물며 응사는 더어려운 법이다. 내 첫 관심사는 그를 움직이지 못하게 하는 것이었고, 나는 어렵지 않게 그를 꼼짝 못하게 했다. 나는 그를 죽였다. 머리를 맞히는 건 피하고 싶었지만 상황이 허락하지 않았다. 한 사람을 죽이는 데 성공했지만 다른 한 명을 신경 써야 할 판이었다. 그 순간 하우프트핸들러가 달려들어 내 총을 덮쳤다. 우리가 바닥으로 나동그라졌을 때 그가 벽난로 옆에 엉거주춤하게 서 있는 여자에게 총을 주우라고 소리쳤다. 그는 예쇼넥의 손에서 떨어진 총을 주우라고 외친 것이었지만 한동안 여자는 하우프트핸들러가 말한 것이 내 총인지, 바닥 위에 떨어진 총인지 확신하지 못했다. 그녀는 애인이 그 말을 수차례 반복할 동안 머뭇거렸고, 나는 그의 손아귀에서 벗어나자마자 발터로 그의 얼굴을 후려갈겼다. 승패를 가르는 테니스 스트로크 같은 백핸드가 그를 의식을 잃고 사지를 벌린 채 벽으로 나가떨어지게 만들었다. 나는 예쇼넥의 총을 집어 드는 그녀에게로 몸을 돌렸다. 기사도 정신을 발휘할 때가 아니었지만 그렇다고 해서 그녀를 쏘고 싶지는 않았다. 대신 재빨리 앞으로 나가 그녀의 턱을 갈겼다.

안전하게 예쇼넥의 총을 코트 주머니에 넣은 나는 몸을 숙여 예쇼넥을 살폈다. 그가 죽었다는 사실을 확인하는 데 장의사가 될 필요까지도 없었다. 귀를 청소하는 데는 9밀리미터 총알보다 더 깔끔한 방식이 있었다. 나는 마른입을 더듬어 담배를 끼우고 하우프트핸들러와 여자가 정신이 들길 기다리며 테이블에 앉았다. 폐 속에 든 담배 연기를 다문 이 사이로 뿜어 보려 했지만 담배 연기는 거의 나오지 않았고 불안한 숨소리뿐이었다. 누군가가 배 속에서 기타를 치고 있는 느낌이었다.

방에는 올이 다 드러난 소파, 테이블 하나, 의자 두 개뿐으로 가구가 거의 없었다. 테이블 위 정사각형 펠트 위에 놓인 것은 직스의 목걸이였다. 나는 담배를 던지고 펠트 천을 끌어당겼다. 한 줌의 구슬처럼 손안에서 딸그락거리는 돌들이 차갑고 무겁게 느껴졌다. 이 목걸이를 하고 있는 여자를 상상하기가 어려웠다. 이 돌들은 집 안의 수저통에 든 날붙이들과 다를 게 없어 보였다. 테이블 옆에는 서류 가방이 있었다. 가방을 들어 올려 안을 살펴보았다. 가방 안에는 돈이 가득했다. 달러화와 예상했던 파운드화와 롤프 타이히뮐러 부부 명의의 가짜 여권 두 개. 하우프트핸들러의 아파트에 있던 비행기 표에서 본 이름들이었다. 가짜 여권은 흠잡을 데 없이 훌륭했다. 여권과에 아는 사람이 있고 큰돈을 치를 수만 있다면 만들기가 어렵지는 않다. 전에는 생각하지 못했지만, 독일을 탈출하는 데 필요한 자금을 마련하기 위해 예쇼넥을 찾아오는 모든 유대인에게는 가짜 여권이 필요했고, 가짜 여권 사업은 예쇼넥에게 사리에 맞고 고수익을 내는 부업이었을 것이다.

여자가 신음을 내더니 몸을 일으켰다. 그녀는 턱을 어루만지고 조용히 흐느끼며 몸을 뒤척이는 하우프트핸들러를 도우러 갔다. 그녀가 피투성이 코와 입을 닦고 있는 그의 어깨를 감쌌다. 나는 그녀의 새 여권을 펼쳤다. 그녀는 분명 괜찮은 외모에 좋은 교육을 받고 잘 자란 여자—결코 싸구려 파티에서나 어울리는 여자는 아니었다—이

긴 했지만 마를레네가 묘사했던 것만큼, 그녀가 카지노 딜러였다는 말을 듣고 내가 상상했던 것만큼 아름다운지는 확신이 가지 않았다.

"때려서 미안하군요, 타이히뮐러 부인," 내가 말했다. "아니면 한나 혹은 에바, 당신이 뭐든, 사람들이 현재 당신을 뭐라고 부르든 간에."

그녀가 눈물을 말려 버릴 만큼 뜨거운 증오를 담아 나를 노려보았다. 내 눈도 태워 버릴 만큼. "그다지 똑똑한 사람은 아니군요." 에바가 말했다. "나는 이 두 바보가 왜 당신을 없애 버리지 않았는지 모르겠어요."

"그랬어야 했다는 생각이 드는군요."

하우프트핸들러가 바닥에 침을 뱉으며 말했다. "그래서, 이제 어떻게 되는 거지?"

나는 어깨를 으쓱했다. "당신이 어떻게 하느냐에 달렸지. 아마 우린 이야기를 만들어 낼 수도 있을 거야. 치정에 얽힌 범행이라든가 그 비슷한 걸로. 알렉스에 친구들이 있지. 아마 수를 내 볼 수 있겠지만 우선 당신이 날 도와야 해. 나와 함께 일하는 여자가 있어. 큰 키, 갈색 머리, 균형 잡힌 몸매로 검은 코트를 입고 있지. 부엌 바닥에 핏자국이 있더군. 그래서 걱정이 되는데. 특히 그녀가 사라진 것처럼 보일 때는 말이야. 그에 관해서 아는 게 있나?"

에바가 콧방귀를 꿨다. "지옥에나 가." 하우프트핸들러가 말했다.

"이런 것도 있지." 약간 겁줄 셈으로 내가 말했다. "계획적인 살인. 그러니까, 그건 중죄야. 많은 돈이 걸렸을 때는 거의 확실하다고 할까. 전에 참수된 남자를 봤지. 레이크 플로에첸 형무소에서. 공인 사형집행인 고엘플은 그 일을 하는 데 흰 장갑을 끼고 연미복까지 입더군. 꽤 멋진 마무리라고 생각하지 않나?"

"괜찮다면 총을 내려놓는 게 어떤가, 귄터 씨." 문가에서 마치 버릇없는 아이를 훈계하듯 침착하지만 하대하는 듯한 목소리가 들렸다. 하지만 나는 그 말에 따랐다. 그편이 자동 권총과 싸우는 것보다 낫다는 것을 알았다. 그리고 나에게 말을 건넨 그의 복싱 글러브 같은 얼굴을 힐끗 보았다. 내가 허튼 농담만 해도 나를 죽이는 데 주저하지 않을 사람이었다. 그가 방 안으로 들어오자 총을 든 두 사내가 따라 들어왔다.

"자," 자동 권총을 든 남자가 말했다. "당신들 둘, 일어나라고." 에바가 일어서는 하우프트핸들러를 부축했다. "그리고 벽을 보고 서. 귄터, 당신도."

솜털 무늬 벽지는 싸구려였다. 내 취향에는 약간 너무 어둡고 칙칙했다. 몸수색을 기다리는 몇 분 동안 나는 벽지를 노려보고 있었다.

"내가 누군지 안다면 내가 탐정이라는 것도 알겠지. 이 둘은 살인 혐의로 수배된 사람들이야."

나는 공기를 가르며 내 머리를 향해 날아오는 고무 곤봉을 보기는커녕 소리조차 듣지 못했다. 바닥에 머리를 부딪쳐 의식을 잃기 바로 몇 초 전, 녹아웃되는 것도 지쳤다고 생각했다.

16

철금鐵琴과 큰 베이스 드럼. 저 곡이 뭐였더라? 〈내 사랑 타라우의
아나〉? 아니, 곡이 아니라 쉰하우저 알레 역으로 가는 51번 전차다.
종이 울리고 실러 가, 판코브, 브라이테 가를 통과할 때 차가 흔들렸
다. 게임의 시작과 끝을 알리는 큰 시계탑의 거대한 올림픽 종이 울리
고 있었다. 출발을 알리는 밀러 씨의 총소리와 조 루이스[60]가 나를 향
해 달려들 때 군중들의 함성이 들렸다. 그리고 나는 한 라운드에 두
번 다운됐다. 네 개의 엔진을 장착한 융커스 단엽기가 으르렁거리며,
스크램블드에그가 된 것 같은 내 머리 위를 지나 크로이던을 향해 밤
하늘을 날고 있다. 나는 내가 말하는 소리를 들었다.

"날 플로에첸 호수에 떨어뜨려 줘."

내 머리가 흥분한 도베르만처럼 욱신거렸다. 나는 차 바닥에서 욱
신거리는 머리를 들려고 애썼고, 내 손이 등 뒤로 수갑에 채워졌다는
사실을 알았다. 하지만 돌연 머리의 격렬한 통증 때문에 또다시 머리
를 움직일 엄두를 내지 못했다…….

---

60. 미국의 흑인 권투 선수. 1937년 세계 헤비급 타이틀을 획득했다.

……수천, 수만의 목이 긴 군화가 무릎을 굽히지 않는 걸음걸이로 운터 덴 린덴 가를 행진하고 있었고, 한 사내가 거대한 말이 내는 것 같은 위풍당당한 군대의 행진 소리를 잡아내기 위해 그 대열을 향해 마이크를 갖다 대고 있었다. 공습경보. 진격을 엄호하기 위해 적의 참호에 쏟아붓는 일제사격. 우리가 진격하는 바로 그때 우리의 머리 바로 위에서 큰 폭탄이 터져 우리 모두를 날려 버렸다. 우리는 타 버린 프랑스인들로 가득한 포탄 구멍 안에서 몸을 웅크렸다. 내 머리는 그랜드피아노 안에 처박혀, 망치가 현을 때릴 때마다 귀가 울렸다. 나는 전투의 소음이 멎길 기다렸다…….

정신이 혼미한 상태로 차에서 끌어 내려져, 어떤 건물로 질질 끌리다시피 들어가는 게 느껴졌다. 수갑은 풀려 있었다. 의자에 앉혀진 나는 떨어지지 않으려고 의자를 붙들었다. 제복을 입고 소독약 냄새를 풍기는 한 사내가 내 주머니들을 뒤졌다. 그가 내 주머니 안감을 일일이 뒤집을 때 목에 닿는 재킷 칼라가 끈적거려서 만져 보니 얻어맞은 데서 흐른 피였다. 누군가가 내 머리를 힐끗 보고 몇 가지 질문에 답하는 데는 지장이 없을 거라고 말했지만 그는 내가 포탄을 던지는 데도 지장이 없을 거라고 말했을 터였다. 그들이 커피와 담배를 갖다 주었다.

"여기가 어딘지 아나?" 나는 머리를 흔들다가 모른다고 웅얼거렸다.

"네가 있는 곳은 그뤼네발트 쾨니히 가에 있는 크리포 경찰서다."

나는 커피를 몇 모금 마시고 천천히 고개를 끄덕였다.

"나는 힝젠 형사수사관이다." 남자가 말했다. "그리고 이쪽은 바흐

마이스터 벤츠." 그가 옆에 서 있는 제복을 입은 남자를 향해 머릿짓을 했다. 소독약 냄새를 풍기던 사내였다. "우리에게 어떤 일이 있었는지 말하는 게 좋을 거야."

"당신 부하들이 날 그렇게 세게 때리지 않았더라면 더 쉽게 기억할 텐데 말이야." 내가 쉰 목소리로 말했다.

형사수사관이 멍한 표정으로 어깨를 으쓱하는 경사를 힐끗 보았다. "우린 널 때리지 않았어."

"뭐라고?"

"우린 널 때리지 않았다고."

나는 조심스럽게 뒤통수를 만지고 나서 손끝에 묻은 마른 피를 살펴보았다. "그렇다면 내가 머리를 빗다가 이렇게 한 거겠군. 안 그런가?"

"우리야 모르지." 형사수사관이 말했다. 나는 한숨을 쉬었다.

"이게 대체 무슨 일이지? 이해가 안 되는데. 내 신분증을 보지 않았나?"

"봤지. 이봐, 자초지종을 말해 보는 게 어때? 우리가 아무것도 모른다고 치고."

나는 삐딱하게 나가고 싶은 유혹을 뿌리치고 할 수 있는 한의 설명을 시작했다. "어떤 사건을 조사중이었지. 살인 혐의로 수배된 하우프트핸들러와 그 여자……,"

"잠깐." 그가 말했다. "하우프트핸들러가 누구지?"

나는 얼굴을 찌푸리고 더 집중하려고 애썼다. "아, 이제 기억이 나는군. 그들은 이제 자신들을 타이히뮐러 부부라고 하지. 하우프트핸들러와 에바는 예쇼넥이 준비한 새 여권을 손에 넣었어."

형사수사관이 그 순간 뒤꿈치를 굴렀다. "이제 좀 알겠군. 게르트 예쇼넥이라. 우리가 발견한 시체가 그놈인가?" 그가 종이 백에서 끈이 달린 발터 PPK를 꺼내는 경사를 돌아보았다.

"이게 당신 총입니까, 귄터 씨?" 경사가 물었다.

"그래, 내 총이야." 내가 지쳤다는 듯이 말했다. "맞아, 내가 그를 죽였어. 정당방위였지. 그가 총을 빼 들었거든. 그는 하우프트핸들러와 거래를 하러 왔어. 지금은 타이히뮐러라고 말하는 남자지." 나는 또다시 형사수사관과 경사가 눈빛을 주고받는 모습을 보았다. 슬슬 걱정이 되기 시작했다.

"그 타이히뮐러라는 자는 어떤 사람입니까?" 경사가 물었다.

"하우프트핸들러." 내가 거칠게 정정했다. "당신이 그를 잡지 않았나?" 형사수사관이 입을 꾹 다물고 머리를 흔들었다. "그 에바라는 여자는?" 그가 팔짱을 끼고 나를 똑바로 쳐다보았다.

"이봐, 귄터. 우리를 속이려 들지 마. 이웃 사람이 총성을 들었다며 신고해 왔어. 우리는 의식을 잃고 쓰러져 있는 너, 시체 그리고 발사된 흔적이 있는 총 두 정과 어마어마한 액수의 외화를 발견했어. 타이히뮐러 부부는 없었다고. 하우프트핸들러도 없었고, 에바도 없었어."

"다이아몬드도?" 그가 머리를 저었다.

기름기가 흐르고 비대하며 니코틴으로 물든 이에 피곤해 보이는 형사수사관이 내 맞은편에 앉아 나에게 담배를 내밀었다. 그는 자신의 담배와 내 담배에 말없이 불을 붙였다. 다시 입을 열었을 때 그의 목소리는 친근하다시피 들렸다.

"전직 형사 아니었나?" 내가 고통스럽게 머리를 끄덕였다. "이름이 낯익더군. 기억하기론 꽤 괜찮은 형사였지."

"고맙군."

"그러니까, 우리 측 조서로 보건대 당신의 입장이 어떻게 보이는지는 말할 필요도 없을 것 같은데."

"안 좋다는 건가?"

"안 좋은 정도가 아니지." 형사수사관이 입술 사이에서 담배를 굴리다가 연기가 눈을 찌르자 움찔했다. "변호사를 불러 주길 원하나?"

"고맙지만 됐네. 전직 형사의 부탁을 들어주겠다면 당신이 할 수 있는 게 한 가지가 있지. 나에게 잉게 로렌츠라는 조수가 있어. 그녀에게 전화해서 내가 잡혀 있다고 알려 주게." 그가 연필과 종이를 주어서 나는 전화번호 세 개를 적었다. 형사수사관은 괜찮은 친구처럼 보였고, 나는 그에게 잉게가 반제로 내 차를 몰고 간 후 사라졌다고 말하고 싶었다. 하지만 그들이 내 차를 찾아 그 메모장을 발견하면 의심할 여지없이 마를레네 잠이 추궁을 당할 터였다. 어쩌면 잉게는 기분이 나빠져서 내가 차를 가지러 올 것을 알고 어디론가 택시를 잡아타고 간 게 아닐까. 어쩌면.

"경찰 시절 친구들은 어떤가? 알렉스에 누군가가 있겠지."

"브루노 슈탈레커. 그라면 내가 아이들과 떠돌이 개에 친절한 사람이라는 걸 보증해 주겠지만 대충 그 정도가 다지."

"안됐군." 나는 잠시 생각했다. 내가 할 수 있는 유일한 것에 대해. 내 사무실을 뒤집어엎었던 두 게슈타포 깡패에게 전화를 걸어 내가 알아낸 것을 그들에게 던져 보는 것이다. 그들은 내게 악의를 품고 있을 공산이 컸고, 그럴 경우, 이 형사수사관에게 게르트 예쇼넥 살인 혐의로 체포되는 것만큼이나 그들을 끌어들이는 것은 강제수용소행 무료 기차표를 손에 넣는 것과 같다.

나는 도박사가 아니지만 그들이 내가 가진 유일한 카드였다.

요스트 경감은 생각에 잠겨 파이프를 빨았다.

"재밌는 이론이군." 요스트의 말에 디에츠가 경멸의 표시로 콧수염을 만지작거리던 것을 중단했다. 요스트가 잠시 자신의 부하를 보더니 이내 나를 보았다. "하지만 내 동료는 그게 신빙성이 없다고 느끼는 것 같은데."

"허튼소리입니다." 디에츠가 구시렁댔다. 내 비서를 겁먹게 하고 내 마지막 남은 좋은 술을 박살 낸 이래 그는 점점 추악해지는 것 같았다.

요스트는 장신에 수도자 같은 풍모의 사내로 항상 놀란 표정을 띤 수사슴 같은 얼굴을 하고 있었고, 맞지 않는 등딱지를 이고 있는 거북이처럼 비쩍 마른 목이 셔츠 깃에서 삐져나와 있었다. 면도날 같은 미소를 지은 요스트는 부하에게 자신의 생각을 막 말하려는 참이었다.

"이론은 형사수사관의 장기가 아니야. 그는 행동가지. 그렇지 않은가, 디에츠?" 디에츠가 벌레 씹은 표정을 지었고, 경감은 한쪽 입가에 미소를 띠었다. 그러고 나서 취조실에 있는 모두에게 자신의 지성이 단순한 육체적 행동보다 상위에 있다는 것을 알리듯 안경을 벗어 닦기 시작했다. 그러고 나서 다시 안경을 쓰고 입에서 파이프를 뺀 다음 나른하게 하품을 했다.

"행동가들이 지포에 존재하지 말라는 법은 없지. 하지만 결국 결정을 내려야 하는 사람은 사상가들이야. 게르마니아 생명보험회사가 우리에게 목걸이의 존재를 알리지 않은 걸 어떻게 생각하나?" 그게 심문이라고 알아차리게 하지 못할 만큼 그는 은근하게 질문했다.

"아무도 묻지 않았기 때문일 거요." 그가 내 말을 믿길 바라며 말했다. 긴 침묵이 흘렀다.

"하지만 집이 잿더미가 됐어." 디에츠가 안달하듯 말했다. "일반적인 경우라면 보험회사가 신고를 할 텐데."

"그들이 왜 그래야 하지?" 내가 말했다. "손해배상 청구 같은 건 없었어. 만일의 경우를 대비해서 보험회사가 나를 고용한 거지."

"금고 안에 값비싼 목걸이가 들어 있었다는 걸 보험회사가 알고 있었다는 말인가?" 요스트가 말했다. "목걸이에 대한 보험금을 지불하지 않을 작정이었던 데다 귀중한 증거를 알릴 생각도 없었다고?"

"보험회사에 물어볼 생각은 못 했습니까?" 내가 말했다. "자, 신사분들, 지금 겨울 자선 운동에 대해 말하고 있는 게 아닙니다. 그들은 장사꾼입니다. 왜 보험회사가 그렇게 급하게 보험금을 청구하라고 압박한 다음 자신들의 주머니에서 수십만 라이히스마르크를 날려야 합니까? 그리고 누구를 수취인으로 해야 합니까?"

"당연히 가장 가까운 친족이지." 요스트가 말했다.

"소유권이 누구에게 있는지도 모르고 말입니까? 그리고 그 물건이 뭔지도 모르는데? 애초에 그 금고 안에는 직스 가와 아무 관계 없는 중요한 무언가가 들어 있었습니다. 아닙니까?" 요스트가 무표정하게 나를 바라보았다. "그렇습니다, 경감님. 당신 부하는 폰 그라이스 씨 서류의 행방을 걱정하는 데 바빠서, 파르 씨의 금고에 그 밖에 뭐가 들어 있었는지 신경 쓸 겨를도 없었던 겁니다."

디에츠는 그 말이 마음에 들지 않은 것 같았다. "건방지게 굴지 마라, 노새 주둥이." 그가 입을 열었다. "네가 우리에게 무능을 말할 처지가 아니야. 우린 네놈을 가장 가까운 강제수용소에 처넣을 수도 있어."

요스트가 파이프로 나를 가리켰다. "적어도 그 말이 맞아, 귄터. 우리 결점이 뭐였든 목이 걸린 사람은 당신이야." 그는 파이프를 빨았지만 파이프는 비어 있었다. 요스트는 다시 파이프를 채우기 시작했다.

"당신 말을 확인해 보지." 그렇게 말한 요스트는, 디에츠에게 템펠호프 공항 내 루프트한자 항공 회사 접수대에 전화해서 타이히뮐러 명의로 런던행 밤 비행기가 예약되어 있는지 확인해 보라고 명령했다. 디에츠가 예약을 확인했을 때, 요스트는 파이프에 불을 붙였다. 뻐끔거리며 말했다. "그럼, 귄터, 가도 좋아."

예상한 대로 디에츠는 이성을 잃었다. 그뤼네발트 경찰서의 형사 수사관조차 경감의 결정에 꽤 당황한 듯 보였다. 나 역시 이 예기치 못한 사태 전환에 두 사람만큼이나 놀랐다. 나는 비틀거리며 자리에서 일어나 요스트가 디에츠에게 나를 다시 때려눕히라는 의미로 고개를 끄덕이길 기다렸다. 하지만 그는 자리에 앉아서 파이프를 뻐끔거리며 나를 무시할 뿐이었다. 나는 취조실을 가로질러 문으로 다가가 손잡이를 돌렸다. 밖으로 나가면서 디에츠를 보았다. 그는 상관 앞에서 자제력을 잃고 망신을 당할까 봐 나를 쳐다보지 않았다. 오늘 밤 내게 남은 즐거움이라면 디에츠의 분노가 극에 달하리라는 달콤한 예상이었다.

경찰서를 나설 때 당직 경사가 내가 준 전화번호로 전화를 걸었지만 아무도 받지 않았다고 알려 주었다. 거리로 나오자 풀려났다는 안도가 이내 잉게에 대한 걱정으로 바뀌었다. 피곤했고, 머리를 몇 바늘 꿰매야 할 것 같았지만, 택시를 잡아타고 잉게가 반제 호숫가에 주차해 놓은, 내 차가 있는 곳으로 가자고 말했다. 차 안에는 그녀의 소재를 알려 줄 어떤 단서도 없었고, 하우프트핸들러의 호숫가 집 앞에는 경찰차가 서 있었다. 나는 그녀가 집 안으로 들어갔으리라고 추측했지만 이제 그녀의 혼적을 찾을 희망도 사라졌다. 내가 할 수 있는 일이라고는 혹시나 그녀를 발견할지 모른다는 희망에 차를 몰고 반제 호수 주위를 도는 것뿐이었다.

내 아파트에는 라디오가 켜져 있고, 모든 불이 켜져 있었지만 더 공허하게 느껴졌다. 하를로텐부르크에 있는 잉게의 아파트에 전화했지만 아무도 받지 않았다. 사무실에 전화를 걸고,《모르겐포스트》의 뮐러에게까지 전화를 걸었지만 그는 잉게 로렌츠에 대해 거의 아는 게 없었다. 그녀의 친구들에 대해서도, 가족이 있는지에 대해서도, 있다면 어디에 사는지에 대해서도. 마치 나를 보는 것 같았다.

나는 브랜디를 한 잔 가득 따르고 지금 느끼고 있는 새로운 유형의 불안이 마취되길 바라며 그것을 한 번에 들이켰다. 그 새로운 유형의 불안은 위장 깊숙이 가라앉았다. 걱정이라는 이름으로. 목욕을 하기 위해 물을 데웠다. 목욕물이 준비되었을 즈음 가득 따른 브랜디를 한 잔 더 마셨고, 세 번째 잔을 따랐다. 욕조의 물은 이구아나를 데칠 수 있을 만큼 뜨거웠지만 잉게에게 일어났을 일이 걱정되어 전혀 의식하지 못했다.

요스트가 채 한 시간도 안 걸린 심문 끝에 나를 방면한 까닭은 헤아려 보려 애쓸수록 혼란스러울 뿐이었다. 그는 범죄학자라도 되는 양 거드름을 피웠지만 내 말을 모두 믿었다고는 생각할 수 없었다. 나는 요스트가 어떤 평판을 듣고 있는지 알고 있었다. 현대판 셜록 홈즈라는 평판은 아니다. 요스트의 상상력은 거세된 짐마차 말에 필적한다고 말하는 사람도 있었다. 고작 두서없이 템펠호프 공항의 루프트한자 항공사 접수대에 전화를 걸어 확인한 것만으로 나를 믿고 풀어 줬다는 것이 이해가 되지 않았다.

나는 몸을 닦고 침대로 갔다. 생각에 잠겨 누워 있다가 나에게 확신을 줄 무언가를 찾길 바라며 머리맡 낡은 캐비닛 안의 아귀가 맞지 않는 서랍들을 샅샅이 뒤졌다. 아무것도 찾지 못했고, 앞으로도 찾게 될 것 같지 않았다. 잉게가 옆에 누워 있다면 내 나름의 추리를 들려줬으리라. 요스트의 상관 중에 어떤 대가를 치르더라도, 살인 용의자의 힘을 빌려서라도 폰 그라이스의 서류를 손에 넣고 싶어 하는 자가 있기 때문에 내가 풀려난 것이라고.

당신에게 반하게 된 것 같다는 말도.

17

속이 빈 통나무보다 더한 공허함을 느끼면서 눈을 뜬 나는 하루를 망칠 정도의 끔찍한 숙취가 없다는 데 실망했다.

"어떻게 된 거지?" 나는 중얼거리며 침대에서 일어나 두통이 있을 걸 대비해 머리를 감싸 쥐었다. "들이붓듯이 마셨는데도 머릿속에서 얌전한 수고양이가 뛰노는 만큼의 두통도 없다니."

부엌으로 가서, 나이프와 포크로 먹어야 할 만큼 진한 커피 한 주전자를 탄 다음 씻으러 갔다. 면도를 하다가 베인 곳을 오드콜로뉴를 바른 손으로 두드리다가 거의 기절할 뻔했다.

잉게의 아파트에 전화를 걸었지만 여전히 응답이 없었다. 나는 소위 실종자 찾기 전문가라고 자처하는 나를 저주하며 알렉스의 브루노에게 전화를 걸어 게슈타포가 그녀를 체포했는지 알아봐 달라고 했다. 그게 가장 타당한 방법 같아 보였다. 이리 떼가 있는 산에서 양 한 마리가 무리에서 이탈했다고 호랑이 사냥을 나설 필요는 없다. 브루노는 알아보겠다고 약속했지만 뭔가를 알아내려면 며칠이 걸릴 것이라는 걸 알았다. 그럼에도 브루노나 잉게가 전화를 걸어올지도 모른다는 희망에 오전 내내 아파트에서 머물렀다. 벽과 천장을 오랫동안 노려보며 나는 파르 사건을 다시 검토했다. 점심때쯤에는 더 많은 의문이 들기 시작했다. 많은 답을 제공할 한 사람이 있다는 것을 깨닫는 데, 내 머리 위로 벽돌담을 무너뜨릴 필요까지는 없었다.

　직스의 사유지로 들어가는 거대한 연철 문은 닫혀 있었다. 가운데 빗장 주위에 감긴 쇠사슬에는 자물쇠가 걸려 있었고, '사유지'라는 작은 팻말이 '사유지 출입 금지'라는 팻말로 바뀌어 있었다. 마치 직스가 갑자기 보안에 대해 더욱 신경을 쓴 것처럼 보였다.

　나는 벽 가까이 차를 주차하고 서랍에서 꺼내 온 총을 주머니에 넣은 다음 차에서 내려 차 지붕 위로 올라갔다. 벽의 꼭대기가 쉬이 닿았고, 나는 몸을 끌어올려 벽 위에 두 다리를 벌리고 걸터앉았다. 벽 가까이 있는 느릅나무 덕에 건너편 땅으로 쉽게 내려올 수 있었다.

　으르렁거리던 개의 기억이 떠올랐지만 낙엽 위를 질주하는 개의 발소리는 들리지 않았다. 갑작스럽게 들린 낮게 으르렁거리는 소리에 뒷덜미의 털이 쭈뼛 섰다. 나는 개가 내 목을 향해 달려드는 순간 총을 쏘았다. 나무 밑에서 울린 총소리는 도베르만처럼 사나운 무언가를 죽였다고 하기에는 너무 작았다. 죽은 개가 내 발밑에 떨어지자마자 저택 쪽에서 불어온 바람이 이미 그 소음을 삼켜 버렸다. 총을 쏜 순간 참고 있던 숨을 나도 모르게 내뱉고 내 심장이 계란 흰자가 가득 담긴 사발에 꽂힌 포크처럼 고동치는 것을 느끼며 본능적으로 뒤를 돌아보았다. 개가 한 마리가 아닌 두 마리였던 것을 상기하며. 짧은 침묵이 흐른 다음, 머리 위에서 바스락거리는 나뭇잎 소리가 들려와 또 한 마리의 개가 낮게 으르렁대는 소리를 감춰 주었다. 개가 나와 나무들 사이의 공터에서 머뭇거리며 다가왔다. 죽은 형제를 향해 다가오는 개를 보며 나는 천천히 뒷걸음질을 했고, 그놈이 죽은 개의 벌어진 상처에 머리를 박고 킁킁거릴 때 다시 한 번 총을 들어 올렸다. 갑자기 바람이 몰아친 순간 나는 방아쇠를 당겼다. 총알에 맞은 개는 새된 비명을 지르고 꼼짝도 하지 않았다. 그리고 한동안 숨이 이어진 뒤 움직임을 멈췄다.

총을 주머니에 집어넣고 나무들 사이로 들어가 저택으로 향하는 긴 경사면을 내려갔다. 어디선가 공작새 울음소리가 들려왔고, 그놈이 운이 없어 이곳에서 나와 마주친다면 그놈 역시 쏴 버리는 건 어떨지 생각했다. 머릿속이 살생으로 가득했다. 살인범이 목표한 살인을 저지르기 전에 그 가족의 애완동물 같은 몇몇 무고한 희생자를 처리함으로써 마음을 다잡는 일은 매우 흔한 일이었다.

추리란 맺어진 관계를 잇는 것뿐이다. 파울 파르, 폰 그라이스, 보크, 무트슈만, 레드 디터 헬퍼리히, 그리고 직스로 이어지는 관계는 내가 체중을 실어도 끊어지지 않을 만큼 충분히 길고 강한 연결 고리다. 파울 파르, 에바, 하우프트핸들러와 예쇼넥의 연결 고리는 그보다 짧았고, 별개의 연결이다.

직스를 죽일 생각은 없다. 몇 가지 솔직한 대답을 듣지 못한다면 그럴 가능성도 있다는 것을 배제하지 않을 뿐이다. 이런 생각을 하는 와중에 거대한 전나무 밑에서 담배를 피우며 조용히 무언가를 흥얼거리고 있는 백만장자와 마주치자 당황스러웠다.

"오, 당신이군." 그가 총을 들고 자신의 사유지에 나타난 나를 보고도 아무런 동요 없이 말을 건넸다. "관리인인 줄 알았소. 돈을 받으러 온 모양이군."

잠시 나는 그에게 무슨 말을 해야 할지 몰랐다. 이윽고 내가 말했다. "개들을 쐈습니다." 나는 주머니에 도로 총을 넣었다.

"그랬다고? 그렇군, 총소리가 두 번 울린 것 같았지." 내 말에 공포를 느꼈는지 화가 났는지 표정만으로는 알 수 없었다.

"집으로 들어가는 게 좋겠소." 그는 그렇게 말하며 저택을 향해 천천히 발걸음을 떼었고, 나는 그의 뒤를 따랐다.

저택이 시야에 들어오자 집 앞에 주차된 일제 루델의 푸른색 BMW가 보였다. 나는 그녀를 볼 수 있을지 궁금했다. 그러나 직스와의 침묵을 깨뜨릴 계기가 된 것은 잔디 위에 설치된 큰 천막이었다.

"파티가 있습니까?"

"음, 그렇소, 파티가 있지. 아내의 생일이오. 몇몇 친구만 올 뿐이지만."

"장례식이 끝난 지 얼마 안 돼서 말입니까?" 내 말투에는 가시가 있었고, 직스도 그것을 알아챈 것 같았다. 그는 계속 걸으며 우선 하늘을 살핀 다음 땅을 내려다보고 해명할 말을 찾았다.

"그러니까, 나는……," 그가 운을 뗐다. 그런 다음 말을 이었다. "누군가를 잃었다고 해서 무한정 슬퍼할 순 없는 일 아니겠소. 산 사람은 계속 살아야지." 어느 정도 평정을 되찾은 그가 덧붙였다. "계획을 취소하는 건 아내에게 안 된 일이라고 생각했소. 게다가 우리 둘 다 사회적 지위라는 게 있으니까."

"그런 걸 잊으면 안 되는 겁니까?" 내가 말했다. 아무 말 없이 나를 데리고 현관문으로 향하는 그가 집사를 부를 것인지 궁금했다. 그는 문을 밀고 홀 안으로 들어갔다.

"집사는 없습니까?" 나는 주위를 둘러보았다.

"쉬는 날이오." 직스가 내 눈을 피하며 말했다. "마실 게 필요하다면 하녀가 있소. 약간의 흥분은 갈증을 부르는 법이지."

"어떤 흥분 말입니까? 덕분에 약간의 흥분을 몇 번 맛봤죠."

그가 희미하게 미소를 띠었다. "개들 말이오."

"오, 개. 확실히 갈증이 나는군요. 큰 개들이었죠. 내 입으로 말하기에는 좀 그렇지만 한 발로 족했습니다." 우리는 서재로 갔다.

"나는 사냥을 좋아하오. 하지만 스포츠로서일 뿐이지. 꿩보다 더 큰 건 쏴 본 적이 없는 것 같군."

"어제, 나는 어떤 남자를 쐈습니다. 요 몇 주 동안 두 번째죠. 당신에게 고용된 이래 말입니다, 직스 씨. 뭐랄까, 취미가 된 것 같군요." 어색하게 내 앞에 서서 그는 목덜미를 움켜잡았다. 그는 목청을 가다듬고 불이 없는 벽난로에 시가 꽁초를 던졌다. 마침내 입을 연 그는 마치 충직한 하인이 물건을 훔치는 모습을 목격하고 해고하겠다는 말을 하려는 것처럼 어색해 보였다.

"와 줘서 고맙소. 오늘 오후에 내 변호사 셈에게 말해서 당신에게 지불할 것을 정리하라고 할 참이었소. 하지만 당신이 온 이상 내가 수표를 써 주지." 그렇게 말하며 그는 민첩하게 책상으로 갔다. 그 책상 서랍 안에 총이 들어 있으리라는 데 생각이 미쳤다.

"괜찮으시다면 현금이 좋겠군요." 직스는 내 얼굴을 흘깃 보고 시선을 내려 자동 권총 개머리를 쥐고 있는 재킷 안의 내 손을 보았다.

"아, 물론 그렇겠지." 서랍은 열리지 않았다. 그가 의자에 앉아 양탄자 끄트머리를 개키자 마룻바닥에 설치된 작은 금고가 드러났다.

"작은 금고를 은닉하기에 편리한 장소군요. 요즘은 아무리 조심해도 지나치지 않은 세상이죠." 나는 아무런 눈치도 없다는 듯이 구는 내 자신을 즐기며 말했다. "은행도 믿을 수 없지 않습니까?" 나는 천진난만한 눈으로 책상을 너머를 바라보며 말했다. "불에 강한 거겠죠?" 직스의 눈이 가늘어졌다.

"미안하지만 최근 유머 감각을 잃어서 말이오." 그는 금고를 열고 지폐 몇 다발을 꺼냈다. "5퍼센트라고 했었지. 사만이면 되겠소?"

"좋습니다." 내가 대답하자 그가 책상 위에 지폐 여덟 다발을 올려놓았다. 그리고 금고를 잠그고 카펫을 제자리로 돌려놓은 다음 내게 돈 다발을 밀었다.

"미안하지만 모두 백 마르크짜리요."

나는 한 다발을 집어 들어 돈을 싸고 있는 종이를 찢었다. "지폐에 리비히[61]의 그림만 있다면야."

희미하게 미소 지으며 직스가 자리에서 일어났다. "다시 만날 일은 없을 것 같구려, 귄터 씨."

"뭔가 잊으신 거 없습니까?"

그는 초조한 빛을 띠기 시작했다. "없는 것 같소만." 그가 성급하게 말했다.

"오, 하지만 있으실 텐데요." 나는 담배를 물고 성냥을 그었다. 불을 향해 머리를 숙여 빠르게 몇 모금 빤 다음 재떨이에 성냥개비를 던

---

61. 독일의 화학자.

졌다. "목걸이 말입니다." 직스는 침묵을 지켰다. "하지만 벌써 되찾으시지 않았습니까? 아니면 적어도 그게 어디 있는지, 누가 갖고 있는지 아실 테죠."

이상한 냄새를 맡은 사람처럼 직스는 불쾌한 듯 코를 찡그렸다. "그 일로 성가시게 굴지 않으시겠지, 귄터 씨? 아니길 바라오."

"서류에 대한 건 어떻습니까? 당신이 조직범죄에 연루되었다는, 폰 그라이스가 당신 사위에게 준 증거 말입니다. 혹은 레드 디터와 그의 부하들이 그게 어디 있는지 털어놓도록 타이히뮐러 부부를 설득할 거라고 생각하시는 겁니까? 그런가요?"

"레드 디터든 누구든 나는 들어 본 적도……,"

"그러신가, 직스. 그는 사기꾼이지. 당신처럼. 철강 노동자들이 파업하는 동안 당신네 노동자들에게 겁을 주도록 당신이 돈을 주고 산 깡패."

직스가 웃음을 터뜨리고 담배에 불을 붙였다. "깡패라." 그가 말했다. "정말이지, 귄터 씨, 당신의 상상력은 대단하구려. 자, 괜찮으시다면 후한 보수도 받았으니 가 주시면 대단히 고맙겠소. 난 아주 바쁜 사람이오. 해야 할 일이 산더미지."

"도와줄 비서 없이는 힘들 텐데. 자신을 타이히뮐러라고 부르는 남자, 지금쯤 아마 레드의 부하들에게 얻어터지고 있을 그 남자가 실은 당신의 개인 비서인 할마 하우프트핸들러라고 한다면?"

"터무니없는 소리. 할마는 친구를 만나러 프랑크푸르트에 갔소."

나는 어깨를 으쓱했다. "레드의 부하들에게 타이히뮐러의 본명을 묻게 한다면 간단할 텐데. 아마 이미 그들에게 말했을지도 모르지. 그렇더라도 그의 새 여권에 기재된 이름은 타이히밀러니까 그들이 그의 말을 믿지 않는다고 해도 무리는 아닐걸. 그는 다이아몬드를 구매할 남자에게서 그 여권을 샀지. 하나는 자기 걸로, 하나는 그 여자 걸로."

직스가 비웃었다. "그리고 그 여자도 진짜 이름이 따로 있나?" 그가 말했다.

"오, 물론. 여자의 이름은 한나 로에들. 비록 당신 사위는 에바라고 부르는 걸 더 좋아하지만. 두 사람은 연인이었지. 적어도 그녀가 파울을 살해하기 전까진."

"거짓말. 파울은 절대 한눈을 팔지 않았어. 그는 내 딸 그레테에게 헌신적이었어."

"집어치워, 직스. 그가 당신 딸에게서 등을 돌릴 동안 무슨 짓을 했지? 당신이 한 짓 때문에 그가 철창 속에 가두고 싶어 할 만큼 당신을 싫어한 거야."

"다시 말하지만 두 사람은 서로에게 헌신적이었어."

"두 사람이 살해당하지 않았다면 머지않아 화해했을 가능성이 있었다는 걸 인정하지. 당신 딸이 임신한 걸 알게 됐으니까." 직스가 웃음을 터뜨렸다. "그래서 파울의 정부가 그에게 복수를 하기로 마음먹었지."

"정말 점점 터무니없는 소리를 지껄이는군." 직스가 말했다. "그러고도 탐정인가. 내 딸은 아이를 가질 수 없는 몸이야."

나는 턱이 벌어지는 걸 느꼈다. "확실해?"

"맙소사. 그게 내가 잊어버릴 수 있는 일이라고 생각하나? 확실하고말고."

나는 직스의 책상 주위를 걸으며 그 위에 놓인 사진들을 보았다. 그 중 하나를 집어 들어 미간을 모으고 사진 속 여자를 응시했다. 나는 그녀가 누군지 즉시 알아보았다. 반제의 호숫가 집에 있던 여자였다. 내가 때린 여자. 내가 에바라고 생각했던 여자이자 지금은 자신을 타이히뮐러 부인이라고 하는 여자. 십중팔구 자신의 남편과 남편의 정부를 죽였을 여자. 직스의 외동딸 그레테였다. 탐정이 실수하는 게 별난 일은 아니지만 자신이 어리석은 짓을 했다는 증거를 마주한다는 것은 굴욕이나 다름없다. 더구나 그 증거가 내내 내 면전에 있었다는 걸 알게 되면 더욱 더 짜증이 난다.

"직스 씨, 미친 소리처럼 들리겠지만 내가 알기로 당신 딸은 적어도 어제 오후까지 살아 있었고, 당신 비서와 함께 런던행 비행기를 탈 준비를 하고 있었습니다."

직스의 얼굴이 험악해졌고, 순간 그가 나를 칠 거라고 생각했다. "지금 뭐라고 횡설수설하는 건가?" 그가 으르렁거렸다. "'살아 있다'는 게 무슨 뜻이지? 내 딸은 죽어서 묻혔어."

"의도하지 않게 집으로 돌아온 그녀는 정부와 침대에서 뒹구는 파울을 발견했을 겁니다. 둘 다 취해 있었죠. 그레테는 두 사람을 쏘고 나서야 자신이 무슨 짓을 했는지 깨닫고 자신이 의지하는 유일한 사람, 하우프트핸들러에게 전화했습니다. 그는 그녀에게 빠져 있었습니다. 그는 그녀를 도울 수 있다면 뭐든지 할 사람이었습니다. 살인죄를 피하도록 돕는 걸 포함해서 말이죠."

직스가 털썩 주저앉았다. 창백해진 그는 떨고 있었다. "믿을 수 없군." 하지만 그는 내 추리가 그럴듯하다고 여기는 게 분명했다.

"침대에서 남편과 함께 죽은 여자를 태워 그 여자가 파울의 정부가 아닌 당신 딸로 보이게 하자는 아이디어는 그가 냈을 겁니다. 그는 그 레테의 손가락에서 결혼 반지를 빼 죽은 여자의 손가락에 끼웠습니다. 그런 다음 금고에서 다이아몬드를 가져가 도둑의 소행으로 보이게 한다는 명안을 냈죠. 그게 그가 금고 문을 열어 놓은 이유입니다. 다이아몬드는 어딘가에서 두 사람의 새 삶을 꾸리기 위해 필요한 자금으로 쓸 생각이었겠죠. 새 삶과 새 신분으로. 하지만 하우프트핸들러가 몰랐던 게 있습니다. 누군가가 그날 밤 이미 금고에서 당신에게 불리한 어떤 서류를 빼내 갔다는 사실을요. 그 누군가는 출소한 지 얼마 안 된 진짜 전문가였습니다. 일 처리 또한 깔끔한 사내죠. 폭약을 사용한다거나 금고 문을 열어 놓고 간다든가 하는 짓은 하지 않는 부류입니다. 취해 있었던 파울과 에바는 그가 작업하는 동안 어떤 소리도 듣지 못했을 게 분명합니다. 물론 그는 레드의 부하들 중 하나죠. 당신의 구린 일 모두를 레드가 처리해 오지 않았습니까? 그 구린 일과 관련된 서류가 괴링의 측근 폰 그라이스의 손에 있다면 성가실 따름이죠. 수상은 실용주의자입니다. 당신의 이전 범죄 행각의 증거를 쥐고 있는 한 당신은 그에게 쓸모 있는 사람이고, 당신을 당의 경제 노선에 따르게 할 수 있습니다. 당신은 파울과 검은 천사가 그 증거를 손에 넣자 아주 불편해졌습니다. 당신은 파울이 당신을 파멸시키길 원했던 걸 알았습니다. 궁지에 몰린 당신은 손을 써야 했습니다. 그래서 늘 하던 대로 레드 디터에게 일을 수습하도록 맡겼습니다.

하지만 결과적으로 파울과 그 여자가 죽었고, 급기야 다이아몬드까지 금고에서 사라졌습니다. 당신의 눈에는 레드의 부하가 욕심을 부려 원래 훔치기로 했던 것 이상의 것을 가져간 걸로 비쳤을 겁니다. 당신이 딸을 죽인 자가 레드의 부하라고 생각한 것도 무리는 아닙니다. 따라서 당신은 레드에게 일을 바로잡으라고 했습니다. 레드는 그럭저럭 두 절도범 중 차를 운전했던 사내는 죽일 수 있었지만 금고를 털었던 자는 놓쳤습니다. 따라서 그자가 아직도 그 서류들을 갖고 있고, 당신은 그가 다이아몬드까지 갖고 있다고 생각한 겁니다. 이 상황에서 내가 개입하게 되죠. 당신으로서는 레드 본인이 배반한 것인지 확신할 수 없었기 때문에 다이아몬드에 관해서는 경찰에게 말하지 않은 것처럼 아마 그에게도 숨겼을 겁니다."

직스는 입꼬리에서 다 타 버린 담배를 빼 재떨이에 놓았다. 그는 매우 늙어 보였다.

"당신에게 경의를 표합니다. 당신의 추리는 완벽했죠. 다이아몬드를 가진 남자를 찾으면 서류도 찾게 되니까요. 그리고 헬퍼리히가 당신을 골탕 먹인 게 아니라는 걸 알게 되자 그에게 날 미행하게 했죠. 난 그를 다이아몬드를 가진 남자에게로 이끌었습니다. 당신 생각엔 서류도 가졌어야 했죠. 바로 지금 이 순간, 당신의 '독일의 힘' 조직은 무트슈만의 소재를 대라고 타이히뮐러 부부를 다그치고 있을 겁니다. 정말로 서류를 갖고 있는 사람은 바로 무트슈만이겠죠. 그리고 당연히 타이히뮐러 부부는 레드가 도대체 무슨 말을 하는지 모를 겁니다. 레드는 그들의 그런 태도를 좋아하지 않을 테고 말입니다. 그는 참을성이 전혀 없는 사내고, 그게 뭘 뜻하는지 세상 사람이 다 모른다고 해도 당신은 알겠죠."

강철 왕은 마치 내가 한 말을 한마디도 못 들은 것처럼 허공을 응시했다. 나는 재킷 옷깃을 거머쥐고 그를 일으켜 세운 다음 세게 후려쳤다.

"내 말을 들었습니까? 이 살인자들, 이 고문자들이 당신 딸을 데리고 있단 말입니다." 그의 입이 빈 호스처럼 늘어졌다. 나는 그를 다시 후려쳤다.

"그들이 하는 짓을 멈추게 해야 해."

"그가 두 사람을 어디로 데려갔습니까?" 나는 그를 놓아주고 내게서 밀쳤다.

"강 위에." 그가 말했다. "슈뫼크비츠 근처에 있는 그로세 추크에."

나는 전화기를 들었다. "전화번호가 뭡니까?"

직스가 욕을 했다. "전화 따위가 있을 리 없지." 그가 숨을 몰아쉬었다. "오, 맙소사. 어떻게 해야 하지?"

"거기로 가야겠습니다. 차를 몰고 갈 수도 있겠지만 보트가 더 빠를 겁니다."

직스가 책상을 돌아 튀어나왔다. "가까운 곳에 정박해 놓은 모터보트가 있소. 거기까지 차로 오 분 안에 갈 수 있을 거야."

보트 열쇠와 휘발유 한 통을 챙긴 다음 우린 BMW를 타고 호숫가를 따라 달렸다. 어제보다 파도가 높았다. 바람이 거세게 부는 덕분에 많은 소형 요트들이 물 위에 나와 있었고, 호수를 덮은 흰 돛들은 수백 마리 나방의 날개 같았다.

보트 위에 덮인 녹색 방수포를 걷어 내는 직스를 도운 후 탱크에 휘발유를 붓는 동안, 그는 배터리를 연결하고 시동을 걸었다. 세 번째

시도 만에 보트가 으르렁거렸고, 광택이 나는 전장 오 미터의 나무 선체가 강으로 나갈 준비를 하며 계류용 밧줄을 잡아당겼다. 나는 직스에게 첫 번째 줄을 던지고 두 번째 줄을 푼 다음 재빨리 보트 안 그의 곁에 올라탔다. 이윽고 그가 핸들을 한쪽으로 꺾고, 조절판 레버를 당기자 보트가 앞으로 튕기듯 나갔다.

힘이 좋은 보트는 하천 경찰정만큼이나 빨랐다. 우리는 스판다우 쪽으로 하벨[62]을 거슬러 달렸고, 직스는 보트가 만들어 내는 거대한 물줄기가 다른 배들에게 미치는 영향을 의식하지 못한 채 흰색 핸들을 단단히 움켜쥐고 있었다. 작은 선착장과 나무 밑에 묶어 놓은 보트들의 선체에 물보라를 뿌리자 배의 성난 소유주들이 주먹을 흔들며 갑판으로 나왔지만 그들의 아우성은 보트의 큰 엔진 소음에 묻혀 버렸다. 우리는 슈프레 강 방면인 동쪽으로 향했다.

"너무 늦지 않았기를." 직스가 외쳤다. 그는 완전히 정신을 차렸고, 결연한 행동가처럼 전방을 주시했다. 살짝 찌푸린 얼굴만이 근심을 나타냈다.

"난 대개 사람들의 특성을 잘 파악해 왔소." 그가 설명하듯 말했다. "내 말이 당신에게 위안이 될지 모르겠지만, 귄터 씨, 난 당신을 너무 과소평가했소. 끈덕지게 파고들 거라고는 예상하지 못했지. 솔직히 말해 시키는 대로만 움직일 거라고 생각했소. 하지만 당신은 시키는 대로 하는 걸 싫어하는 부류인 것 같군. 아니오?"

"부엌에 있는 쥐들을 잡으려고 들인 고양이가, 지하 저장고에 있는

---

62. 엘베 강의 지류.

쥐들은 무시할 것 같습니까?"

"그도 그렇군."

우리는 티어가르텐 공원과 박물관 섬을 지나 계속 동쪽으로 강을 거슬러 올라갔다. 트렙토버 공원과 쾨페닉 방면을 향해 남쪽으로 돌았을 때 나는 직스에게 사위와 어떤 불화가 있었는지 물었다. 놀랍게도 그는 내 질문을 못마땅하게 여기지 않았다. 또한 산 사람이든 죽은 사람이든 가족에 관한 말을 할 때마다 보인, 분노로 얼굴을 붉힐 것 같은 태도도 보이지 않았다.

"내 개인사를 잘 아시다시피, 귄터 씨, 일제는 내 두 번째 아내요. 난 1910년에 첫 아내 리자와 결혼했고, 다음 해에 그녀는 임신했소. 불행히도 아내는 사산을 했지. 그뿐 아니라 아내는 또 다른 아이를 가질 가망성도 없게 되었소. 같은 병원, 같은 시간에 건강한 아이를 낳은 미혼모가 있었소. 그녀는 아이를 돌볼 방도가 없었고, 그래서 아내와 나는 그녀의 딸을 우리에게 입양시키라고 설득했소. 그 애가 그레테요. 아내가 죽기 전까지 우린 그 애에게 그 사실을 절대 말하지 않았소. 그런데 아내가 죽은 다음 그레테는 진실을 알게 되었고, 생모를 찾기 시작했소.

그때쯤 그레테는 파울과 결혼했고, 그에게 헌신적이었소. 파울로 말할 것 같으면 그 애의 사랑을 받을 만한 녀석이 아니었소. 나는 그가 내 딸보다 우리 가족의 명예와 돈에 더 관심이 많았다고 생각하오. 하지만 사람들이 보기에 둘은 그야말로 행복한 한 쌍처럼 보였나 보오.

음, 그레테가 마침내 생모를 찾아냈을 때, 하룻밤 새 모든 게 바뀌었소. 그 여자는 비엔나에서 온 집시였고, 포츠담 광장에 있는 맥주홀에서 일하고 있었소. 그게 그레테에게 충격이었다면, 건방진 파울 녀석에게는 세상이 끝장난 것 같았을 거요. 잡종이라고 하는 것 말이오. 그 수가 얼마가 됐든, 인기 없는 인종이라면 집시가 유대인의 뒤를 바짝 뒤쫓고 있지. 파울은 그레테에게 일찍 알리지 않은 나를 탓했소. 하지만 그 예쁘고 건강한 아기를 처음 봤을 땐 집시의 아이인 줄 몰랐고, 우리가 그 애를 입양해서 최고로 키우겠다는 말에 그 젊은 엄마는 리자와 나만큼 기꺼워했소. 그 애가 랍비의 딸이었다고 해도 문제가 되진 않았을 거요. 우리는 그래도 그 애를 입양했겠지. 뭐, 당신도 그 당시가 어땠는지 기억할 거요, 귄터 씨. 그때 사람들은 요즘처럼 사람을 차별하지 않았지. 우린 그저 모두 독일인일 뿐이었소. 물론 파울은 그렇게 생각하지 않았소. 그의 머릿속은 이제 그레테로 인해 친위대와 당에서 자신의 경력이 위협을 받을까 봐 두려운 마음뿐이었소." 그가 씁쓸히 웃었다.

베를린 보트 경기 클럽 본거지인 그뤼나우까지 왔다. 나무들을 사이에 둔 반대편 넓은 호수 위에 올림픽 조정 경기 이천 미터 코스가 마련되어 있었다. 보트의 엔진 소음에 관악대가 내는 소리가 겹쳐졌고, 장내 방송이 오후의 경기 일정을 안내중이었다.

"말이 통하는 놈이 아니오. 당연히 나는 그놈에게 화가 나서 그놈과 그놈의 경애하는 총통을 들먹이며 욕을 퍼부었소. 그 후 우리는 적이 되었지. 그레테를 위해 내가 할 수 있는 게 아무것도 없었소. 그놈의 증오가 그 애의 마음을 찢는 걸 보고만 있었지. 나는 그놈과 이혼하라고 했지만 듣지 않더군. 그놈이 다시 돌아올 거라는 걸 그 애는 믿고 있었소. 그래서 그놈을 떠나지 않았던 거요."

"하지만 그동안 그는 장인인 당신을 파멸시킬 준비를 하고 있었습니다."

"그렇소. 나를 파멸시킬 준비를 하는 내내 내가 사 준 집에서 편안하게 지내면서 말이오. 만약 당신 말대로 그레테가 그놈을 죽였다면 그놈은 당연한 응보를 받은 거요. 그 애가 그러지 않았다면 내가 그랬을지도 모르지."

"파울은 어떻게 당신을 끝장낼 작정이었습니까? 그토록 당신을 위협할 증거는 어떤 겁니까?"

보트가 랑거 호수와 제딘제 호수[63]가 만나는 지점에 닿았다. 직스는 속도를 낮추고 지대가 야트막한 반도인 슈뫼크비츠 방면 남쪽으로 보트를 몰았다.

"당신의 호기심은 끝이 없구려, 귄터 씨. 하지만 당신을 실망시켜 미안하오. 당신 도움은 고맙지만 내가 당신의 모든 질문에 대답해야 할 이유는 없소."

나는 어깨를 으쓱했다. "이제는 크게 상관없을 것 같군요."

그로세 추크는 쾨페닉과 슈뫼크비츠의 습지 사이 두 섬 중 한 곳에 위치한 여관이었다. 이백 미터가 채 안 되는 길이에 폭이 오십 미터를 넘지 않는 그 섬에는 키가 큰 소나무들이 밀집해 있었다. 물가로 다가가자 '사유지'라든가 '출입 금지'라는 팻말이 누드 댄서의 탈의실 문에 붙은 것보다 더 많았다.

63. 베를린 외곽 남동쪽에 위치한 호수들.

"여기는 어떤 곳입니까?"

"'독일의 힘' 링의 여름 본부요. 비밀 회합에 사용하지. 물론 이유를 알 거요. 쉽게 접근할 수 있는 장소가 아니오." 그는 정박할 곳을 찾기 위해 물가를 따라 보트를 몰기 시작했다. 뒤쪽에 몇 대의 보트가 묶여 있는 작은 선착장이 보였다. 풀이 우거진 짧은 경사로 위로 말끔하게 페인트칠이 된 보트 창고들이 모여 있었고, 그 너머에 그로세 추크 여관이 있었다. 나는 보트에서 밧줄을 모아 선착장으로 건너뛰었다. 직스가 시동을 껐다.

"접근할 땐 조심하는 게 최고요." 그가 보트에서 내려 선착장 위에 있는 나와 합류해, 보트 이물을 선착장 말뚝에 비끄러매며 말했다. "이 녀석들 중 몇몇은 일단 쏘고 나중에 묻는 놈들이니까."

"어떤 놈들인지 압니다."

우리는 선착장에서 경사면으로 걸음을 옮기며 보트 창고 쪽으로 향했다. 보트 몇 척을 빼면 이 작은 섬에 사람이 있다는 걸 알려 주는 것은 전혀 없었다. 보트 창고에 다가가자 무장한 남자 두 명이 뒤집어 놓은 보트 뒤에서 튀어나왔다. 냉혹한 표정을 하고 있는 두 사람은 내가 흑사병 보균자라고 말해도 눈 하나 꿈쩍하지 않을 것 같았다. 소총을 들이대지 않고서는 끄덕도 하지 않을 부류였다.

"거기 서." 둘 중 키가 더 큰 쪽이 말했다. "여기는 사유지야. 당신들은 누구고, 여기서 뭘 하는 거야?" 그의 총은 잠자는 아기처럼 팔뚝에 얹혀 있었지만 총을 쏘는 데는 하등의 불편함이 없어 보였다. 직스가 설명했다.

"아주 중요한 일로 레드를 보러 왔다." 그가 주먹으로 손바닥을 치며 말했다. 그 행동이 오히려 그를 과장스럽게 보이게 한다는 생각이 들었다. "내 이름은 헤르만 직스다. 이보게, 신사 양반들, 내 장담하지만 그는 날 만나고 싶어 할 거야. 하지만 제발 서둘러 주게."

그들은 그 자리에 서서 확신을 하지 못한 채 발을 이리저리 움직였다. "누군가가 올 예정이었다면 보스가 말했을 텐데. 당신들에 관한 얘기는 없었어."

"우리를 돌려보낸 걸 그가 나중에 알게 되면 큰 대가를 치러야 할 거야."

산탄총을 든 자가 그의 짝패를 보자 그가 고개를 끄덕이고 여관을 향해 걸어갔다. 걸음을 옮기던 남자가 말했다. "확인할 동안 여기서 기다려."

직스가 초조한 듯 손을 비비며 걸어가는 그의 뒤에서 소리쳤다. "제발 서둘러 주게. 생사가 달린 일이야."

산탄총을 든 사내가 그 말을 듣고 씩 웃었다. 그는 보스 밑에서 일하면서 생사가 달린 일을 많이 경험했을 터였다. 직스가 담배를 꺼내 초조하다는 듯이 입에 물었다. 그가 불을 붙이지도 않고 다시 담배를 입에서 뺐다.

"이봐," 그가 산탄총 사내에게 말했다. "이 섬에 남녀 한 쌍을 잡아 두지 않았나? 그러니까 타이……,"

"타이히뮐러 부부." 내가 말했다.

산탄총 사내의 얼굴에서 웃음이 사라졌다. "난 모르는 일이야." 그가 느릿느릿 말했다.

우리는 초조한 마음으로 그 여관을 지켜보았다. 여관은 높은 이중 지붕에 벽이 말끔하게 흰색으로 칠해진 이 층짜리 건물로 창의 덧문들은 검은색이었고, 창가 화단에는 제라늄이 만발해 있었다. 여관을 바라보고 있자니 굴뚝에서 연기가 흘러나오기 시작했고, 마침내 문이 열렸을 때 나는 생강 쿠키가 담긴 쟁반을 든 노부인이 걸어 나오지 않을까 반쯤 기대했다. 산탄총 사내의 짝패가 앞으로 나와 우리에게 손짓했다.

일렬로 문을 지나는 우리 뒤로 산탄총 사내가 따라왔다. 등 뒤에 따라오는 두 개의 뭉툭한 총구에 내 목덜미가 간질거렸다. 근거리에서 산탄총을 맞은 사람을 본 적이 있다면 그 이유를 알리라. 작은 복도에 모자걸이 두 개가 있었지만 모자를 받아 주는 사람은 아무도 없었다. 복도 저쪽 작은 방에서 손가락 두 개를 잃은 것 같은 누군가가 피아노를 치고 있었다. 방 끝에 있는 라운드 바 앞에 스툴이 몇 개 있었다. 바의 뒤편에는 스포츠 관련 트로피가 잔뜩 있었는데 누가 어떤 스포츠로 받은 것인지 호기심이 일었다. 연간 최다 살인 상이라든가 고무 곤봉 타격에 의한 가장 깔끔한 기절 상―이 부문이라면 나도 후보에 오를 터였다― 같은 게 아닐까. 아마 이자들은 전과자 복지 협회 본부에 걸맞게 보이기 위해 그것들을 가져다 놨으리라.

산탄총 사내의 짝패가 툴툴거렸다. "이쪽이야." 그가 그렇게 말하며 바 옆에 난 문으로 우리를 이끌었다. 문을 지나자 사무실처럼 보이는 방이 나왔다. 천장의 들보 중 하나에 청동 램프가 걸려 있었다. 창문 옆 구석에 호두나무로 만든 야외용 긴 의자가 놓여 있었고, 그 옆에는 모델이 전기톱으로 사고를 당했을 것 같다는 생각이 들게 하는 큰 청동 나부상裸婦像이 있었다. 패널 벽에는 몇몇 예술 작품들이 걸려 있었는데, 산파 교육서에서나 볼 수 있을 법한 종류의 것들이었다.

검은 셔츠의 소매를 걷어붙이고 칼라의 단추를 푼 레드 디터가 녹색 가죽 소파에서 일어나 담배를 벽난로 안으로 튀겼다. 먼저 직스를 힐끗 보고 나를 본 그는 반가운 표정을 지어야 할지 걱정스러운 표정을 지어야 할지 감을 잡지 못하는 것 같았다. 그는 결정할 시간을 놓쳤다. 그에게 다가간 직스가 그의 멱살을 잡았다.

"맙소사, 그 애를 어떻게 한 거야?" 방구석에 있던 남자가 직스를 말리는 나를 도우러 다가와, 둘이서 늙은이의 팔을 잡고 그를 레드에게서 떼어 냈다.

"됐어, 됐어." 레드가 소리쳤다. 그가 구겨진 재킷을 펴고 애써 분노를 억눌렀다. 이내 자신의 위엄이 여전한지 확인이라도 하려는 듯 부하를 힐끗 쳐다보았다.

직스의 고함은 계속됐다. "내 딸, 내 딸을 어떻게 한 거야?"

깡패는 눈썹을 찌푸리고 의아한 듯 나를 보았다. "이 양반이 지금 무슨 말을 하는 거지?"

"당신 부하들이 어제 호숫가 집에서 납치한 두 사람을 말하는 거야." 내가 서둘러 말했다. "그들을 어떻게 했지? 이봐, 지금은 설명할 시간이 없어. 어쨌든 그 여자는 이 양반 딸이야."

그는 못 믿겠다는 표정이었다. "그러니까, 그 여자가 살아 있었다고?" 그가 되물었다.

"어서 말해." 내가 재촉했다.

꺼져 가는 가스등처럼 어두워진 얼굴로 그가 욕설을 내뱉더니 깨진 유리라도 씹은 것처럼 입술을 떨었다. 네모난 이마에 가는 정맥이 벽돌담에 뻗친 한 줄기 담쟁이처럼 붉어져 나왔다. 그가 직스를 가리켰다.

"이 양반을 여기 잡아 둬." 그가 으르렁거렸다. 레드가 화난 레슬러처럼 사람들을 어깨로 밀치며 밖으로 나갔다. "만약 이게 너의 잔꾀 중 하나라면, 귄터, 내가 직접 네놈의 염병할 코를 발라내 주마."

"난 그렇게 어리석은 사람이 아니야. 하지만 공교롭게도 나를 혼란스럽게 하는 게 한 가지가 있지."

레드가 문 앞에서 멈춰 서더니 나를 노려보았다. 붉어진 얼굴이 분노로 거의 보랏빛이었다. "그래서, 그게 뭔데?"

"나와 함께 일하는 여자가 있지. 잉게 로렌츠라고. 당신 똘마니들이 내 머리를 두드리기 바로 전에 반제 호숫가 집 근처에서 실종됐어."

"그걸 왜 나한테 묻는 거지?"

"이미 두 사람을 납치했으니 한 사람 더 납치한다고 해서 그다지 양심에 걸리는 일은 없겠지."

레드가 내 얼굴에 침을 뱉으려고 했다. "염병할 양심이라는 건 또 뭐야?" 그가 그렇게 말하고 문밖으로 나갔다.

나는 여관 밖 보트 창고 중 하나로 향하는 그의 뒤를 서둘러 쫓았다. 한 사내가 바지 지퍼를 올리며 나왔다. 보스의 목적의식이 있는 듯한 발걸음을 잘못 해석한 그가 씩 웃었다.

"보스도 한판 하시러 온 겁니까?"

부하 앞에 다가선 레드가 잠시 그를 우두커니 바라보더니 그의 배에 강력한 펀치를 날렸다. "그 멍청한 아가리 닥쳐." 그가 을러대더니 보트 창고 문을 걸어찼다. 나는 쓰러져 헐떡이는 사내를 타 넘어 그를 따라 안으로 들어갔다.

　노 여덟 개짜리 보트 몇 대가 놓인 긴 선반이 보였고, 거기에 웃통이 벗겨진 남자가 묶여 있었다. 머리를 숙인 남자의 목과 어깨에는 수많은 화상 자국이 나 있었다. 하우프트핸들러일 것이라고 생각하며 가까이 다가가서 보았지만 하도 심하게 얻어맞아 얼굴을 알아볼 수 없을 정도였다. 두 사내가 납치해 온 남자에게는 별 관심도 두지 않고 그 옆에 할 일 없이 서 있었다. 담배를 피우고 있는 두 사내 중 하나는 브라스 너클[64]을 끼고 있었다.

　"빌어먹을 여자는 어디 있나?" 레드가 날카롭게 외쳤다. 하우프트핸들러를 고문했던 사내 중 하나가 엄지손가락으로 어깨 너머를 가리켰다.

　"옆 창고에 내 동생하고요."

　"저기, 보스." 또 다른 사내가 말했다. "이 자식이 아직도 입을 열지 않습니다. 좀 더 손을 볼까요?"

　"저 불쌍한 새끼는 내버려 둬." 그가 딱딱거렸다. "저놈은 아무것도 몰라."

　인접한 보트 창고 안은 어둠침침했고, 우리 눈이 그 어둠에 익숙해지기까지는 몇 초가 걸렸다.

　"프란츠, 대체 어디 있는 거냐?" 낮은 신음 소리와 살과 살이 맞닿는 소리가 들렸다. 이내 두 사람이 보였다. 바지가 발목에 걸린 엄청난

---

64. 격투할 때 손 관절에 끼우는 쇳조각.

3월의 제비꽃
—

덩치의 사내가 거꾸로 엎어 놓은 보트에 벌거벗은 채 엎드린 자세로 묶여 정신을 잃은 헤르만 직스의 딸에게 허리를 굽히고 있었다.

"그 여자에게서 떨어져, 이 추접한 돼지 새끼야." 레드가 고함을 질렀다.

수하물 로커만 한 그 사내는 명령에 복종할 낌새를 보이지 않았고, 가까이 다가가 더 큰 소리로 같은 말을 반복했을 때조차 꿈쩍도 하지 않았다. 눈을 감은 채 담장 같은 어깨 위에 놓인 구두 상자 같은 머리를 뒤로 젖히고 말에서 내린 기수처럼 무릎을 굽힌 그가 그레테 파르의 항문에 거대한 성기를 거의 발작적으로 움직이고 있었다.

레드가 그의 머리통을 후려갈겼다. 기관차에 주먹을 날리는 것 같았다. 다음 순간 레드는 총을 꺼내 그의 머리에 대고 주저 없이 방아쇠를 당겼다.

굴뚝이 무너지는 것처럼 책상다리를 한 채 바닥으로 쓰러지는 사내의 머리에서 진홍색 피가 뿜어져 나왔고, 여전히 발기한 성기는 암초에 부딪힌 배의 돛대처럼 한쪽으로 기울었다.

레드가 구두코로 시체를 한쪽을 밀치는 사이 나는 그레테의 결박을 풀기 시작했다. 그가 거북한 눈으로 그녀의 엉덩이와 허벅지에 깊은 자국을 남긴 채찍 자국을 힐끗거렸다. 차가워진 피부에서 정액 냄새가 강하게 풍겼다. 몇 차례나 범해졌는지는 알 수 없었다.

"빌어먹을, 꼴이 말이 아니군." 레드가 머리를 흔들며 신음을 냈다. "이 꼴이 된 여자를 어떻게 직스한테 보이지?"

"죽지나 않길 빌어." 나는 그렇게 말하고 코트를 벗어 바닥에 펼쳤다.

둘이서 그녀를 누인 다음 나는 그녀의 벌거벗은 가슴에 귀를 갖다 댔다. 심장은 뛰고 있었지만 쇼크 상태였다.

"괜찮을 것 같나?" 레드의 목소리는 자신의 애완용 토끼에 대해 묻는 순진한 초등학생의 목소리 같았다. 올려다보니 그는 여전히 총을 쥐고 있었다.

총소리에 몰려든 '독일의 힘' 일원 몇 명이 보트 창고 문가에 불편한 모습으로 서 있었다. 그들 중 한 명이 "프란츠를 죽였어"라고 하는 말이 들렸다. 이내 다른 한 명이 "죽일 것까진 없었잖아"라고 말했고, 나는 우리가 문제에 직면했다는 사실을 알았다. 레드도 알았다. 그가 몸을 돌려 그들을 마주했다.

"이 여자는 직스의 딸이야. 모두 직스가 누군지 알겠지. 그는 부자에다가 영향력 있는 사람이란 말이다. 여자한테서 떨어지라고 프란츠한테 말했지만 녀석은 말을 듣지 않았어. 여자는 죽기 일보 직전이었어. 그놈이 이 여자를 죽일 뻔했다고. 이 여자는 지금 간신히 숨만 붙어 있다."

"프란츠를 쏠 것까진 없었습니다." 한 목소리가 말했다.

"맞아." 또 다른 목소리가 말했다. "그놈을 패기만 해도 됐을 텐데."

"뭐라고?" 레드가 어이없다는 듯한 목소리로 말했다. "녀석의 머리통은 떡갈나무로 만든 수녀원 대문보다 더 두꺼웠단 말이다."

"이젠 아니죠."

레드가 내 옆에서 허리를 구부렸다. 한쪽 눈으로는 자신이 죽인 부하를 보면서 말했다. "총 갖고 있나?"

"그래." 내가 말했다. "여기선 승산이 없어. 그레테도 위험하고. 보트에 타야 해."

"직스는 어쩌고?"

나는 코트로 그레테의 벌거벗은 몸을 감싸고 단추를 잠근 다음 그녀를 감싸 안았다. "알아서 할 수 있을 거야."

헬퍼리히가 머리를 저었다. "안 돼. 난 그에게 돌아갈 거야. 가능한 한 선착장에서 기다려. 놈들이 총을 쏘기 시작하면 꽁지 빠지게 도망치라고. 가지 못할 수도 있으니까 미리 말해 두겠는데 당신 조수에 대해선 아무것도 몰라, 벼룩 양반." 앞장을 선 레드를 따라 천천히 문을 향해 걸었다. 레드의 부하들이 뚱한 표정으로 길을 터 주었고, 밖으로 나간 우리는 제 갈 길을 가기 시작했다. 나는 여관과 반대 방향인 선착장을 향해 걸어간 다음 풀이 우거진 경사면을 내려가 보트에 올랐다.

직스의 딸을 보트의 뒷자리에 눕혔다. 로커 안에 있는 담요를 꺼내 여전히 의식이 없는 그녀를 덮어 주었다. 의식이 돌아와 그녀에게 잉게에 대해 물을 기회가 있을지 의심스러웠다. 하우프트핸들러가 혹시 도움이 될까? 그를 데리러 갈지 막 생각하는 참에 여관 쪽에서 몇 발의 총소리가 들렸다. 나는 보트를 호수로 민 다음 시동을 걸고 주머니에서 총을 꺼냈다. 한 손으로는 보트가 떠내려가지 않도록 선착장을 잡았다. 잠시 후 또 다른 일제사격 소리가 들렸고, 보트 고물에서 리벳을 박는 기계가 내는 것 같은 소리가 들렸다. 조절 레버를 앞으로 끝까지 밀고 선착장과 뱃머리가 반대 방향이 되도록 보트를 돌렸다. 갑작스러운 손의 통증에 움찔하여 총에 맞은 것이리라 생각하고 손을 힐끗 보았더니 선착장의 지저깨비가 손바닥에 잔뜩 박혀 있었다.

지저깨비를 대충 빼낸 다음 몸을 돌려 막 건물 밖으로 모습을 드러낸 놈들을 향해 탄창에 남아 있는 총알을 모두 쏘았다. 놀랍게도 그들은 일제히 바닥에 엎드리더니 곧이어 내 머리 위로 권총보다 더 묵직한 무언가를 발포하기 시작했다. 단지 위협사격일 뿐이었지만 커다란 기관총에서 쏟아지는 빗발 같은 총알들이 나뭇잎을 가르고 가지를 꺾고 우거진 나무들과 선착장을 맞히며 지저깨비를 흩날렸다. 다시 정면을 향한 나는 황급히 조절 레버를 당겨 경찰정과의 충돌을 간신히 면했다. 그런 다음 시동을 끄고 본능적으로 총을 보트 바닥에 던지고 나서 머리 위로 손을 높이 쳐들었다.

그레테의 이마 한가운데에 난 붉은 점을 알아챈 것은 그때였다. 거기서 흘러내린 머리카락 같은 핏줄기가 그녀의 생사를 가르고 있었다.

18

인간 정신의 체계적인 파괴 과정에 귀를 기울이는 것은 예상대로 육체의 기능 저하에 영향을 미친다. 나는 어떻게 그렇게 되는지 상상했다. 게슈타포는 대단히 사려 깊다. 그들은 누군가의 극도로 고통스러운 고문 과정을 듣게 함으로써 듣는 사람의 심리적 고통을 조장한다. 그런 다음 육체적 고통에 착수하는 것이다. 병원에서 검사 결과를 기다리는 것이든 사형 집행인의 도끼를 기다리는 것이든 앞으로 무슨 일이 벌어질지 긴장한 상태로 기다리는 것보다 더 나쁜 것은 없다. 그것이 끝나기만을 바랄 뿐이다. 그것이 내가 알렉스에 있었을 때 용의자들이 모든 것을 털어놓을 상태가 되도록 만든 내 나름의 방법이었다. 뭔가를 기다리게 하는 단계는 기다리는 자로 하여금 상상력을 발전시켜 자신의 사적인 지옥을 창조하게 만든다.

하지만 그들이 나에게 원했던 게 무엇이었는지 궁금했다. 직스에 관해 알길 원했던 걸까? 폰 그라이스의 서류가 어디에 있는지 알길 바랐던 걸까? 고문했지만 털어놓길 바란 걸 내가 모른다면?

더러운 독방에서 사흘째인지 나흘째쯤인지 되자 나를 고통스럽게 하는 것만이 그들의 목적인가 하는 생각이 들기 시작했다. 사흘 전에는 나와 함께 체포된 직스와 레드 헬퍼리히가 어떻게 됐는지 생각했었다. 그리고 잉게 로렌츠도. 나는 대부분의 시간을 이전에 이곳에 있었던 불운한 자들이 낙서에 낙서를 거듭한 벽을 응시하며 보냈다. 꽤나 이상하게도 벽에는 나치에 대한 욕이 거의 없었다. 히틀러가 선출된 책임에 대해, 공산주의자들과 사회민주주의자들인 '두 매춘부' 간의 욕설이 대부분이었다. 사회민주주의자들은 공산주의자들을 탓했고, 공산주의자들은 사회민주주의자들을 탓했다.

잠을 자기가 쉽지 않았다. 감금된 첫째 날 밤은 악취가 나는 침상에 들지 않았지만, 날이 갈수록 변기통에서 나는 냄새가 더욱 악취를 풍겼기 때문에 깔끔을 떠는 일은 그만두었다. 닷새째에 친위대 간수 두 명이 와서 나를 독방에서 끌고 나갈 때, 나에게서 얼마나 지독한 냄새가 나는지 알았다. 하지만 그들이 풍기는 악취에 비하면 아무것도 아니었다. 그것은 죽음의 냄새였다.

그들이 내 양팔을 틀어잡고 나를 지린내가 진동하는 통로 끝에 있는 승강기에 태워 오층으로 데려갔다. 오층 복도에는 양탄자가 깔려 있었고, 떡갈나무 패널 벽에는 총통, 힘러, 카나리스, 힌덴부르크, 그리고 비스마르크의 음울한 초상화가 걸려 있었다. 이곳에는 남성 전용 클럽 같은 분위기가 감돌았다. 우리는 전차 높이만 한 이중 나무 문을 지나 속기사 몇 명이 업무중인 크고 밝은 사무실로 들어갔다. 그들은 죽음의 냄새를 풍기는 자들에게 눈길도 주지 않았다. 젊은 친위대 최고돌격지도자가 화려하게 장식된 책상을 돌아 나와 나를 무관심한 눈으로 보았다.

"이자는 누군지?" 친위대 간수 중 한 명이 뒤꿈치를 울리며 부동자세를 취하고 내가 누구인지 말했다.

"기다리게." 장교는 방 한쪽에 있는 윤이 나는 마호가니 문을 두드리고 기다렸다. 대답이 들리자 그가 문 안으로 머리를 들이밀고 무언가 말했다. 그러고 나서 몸을 돌려 간수들에게 머릿짓을 했다. 그들이 나를 앞으로 밀쳤다. 높은 천장에 비싼 가죽 소파가 놓인 크고 아늑한 사무실을 보고, 가죽을 씌운 철제 곤봉과 브라스 너클을 수반하는 게슈타포의 일반적 대화 방식이 진행되지는 않으리라는 걸 알았다. 어쨌든 지금은. 그들은 이런 양탄자에 무언가를 흘릴 위험을 감수하지 않을 터였다. 사무실 한쪽 면에는 프랑스식 창이 나 있었고, 그 옆에는 서가와 책상이 놓여 있었다. 책상 뒤 두 개의 안락한 팔걸이의자에는 친위대 장교 두 명이 앉아 있었다. 거만한 미소를 띤 담황색 틸지터 치즈 빛 머리칼의 이 미끈한 두 사내는 체격이 좋았고, 단정한 몸가짐에 목젖마저 세련되어 보였다. 둘 중 체격이 더 큰 사내가 친위대 간수들과 부관에게 나가라고 명령했다.

"귄터 씨, 앉으시오." 그가 책상 앞에 놓인 의자를 가리켰다. 나는 고개를 돌려 닫히는 문을 쳐다본 다음 주머니에 손을 넣고 어기적어기적 앞으로 나갔다. 그들이 내 구두끈과 멜빵을 압수한 이래, 바지가 흘러내리지 않게 할 유일한 방법이었다.

상급 장교를 만나 본 적이 없어서 나와 마주한 두 사람의 계급을 정확히 알 수 없었다. 하지만 추측건대 한 사람은 대령 같았고, 부하들과 나에게 말을 건넨 사람은 장군 같았다. 둘 다 서른다섯 이상은 되어 보이지 않았다.

"담배?" 장군이 말했다. 그가 담배 상자와 성냥을 건넸다. 나는 담배에 불을 붙이고 기껍게 한 모금을 빨았다. "또 필요한 게 있으면 얼마든지 말하시오."

"고맙군요."

"아마 술도 한잔 필요하시겠지?"

"비싼 샴페인이라면 마다하지 않겠습니다." 두 사람이 동시에 미소를 지었다. 대령이 슈납스 병을 꺼내 글라스 한가득 따랐다.

"유감스럽게도 여기엔 그렇게 좋은 술이 구비되어 있지 않소."

"그럼 뭐든." 대령이 자리에서 일어나 나에게 술을 따라 주었다. 나는 마시는 데 시간을 낭비하지 않았다. 잔을 기울여 술로 입을 헹군다음 목에 있는 근육을 총동원해 단숨에 삼켰다. 슈납스가 발의 티눈에까지 일시에 퍼지는 게 느껴졌다.

"한 잔 더 하는 게 좋을 것 같소." 장군이 말했다. "신경이 좀 날카로워 보이는군." 나는 잔을 내밀었다.

"내 신경은 괜찮습니다." 내가 잔을 감싸 쥐며 말했다. "목이 말랐을 뿐입니다."

"이미지를 관리하는 건가?"

"어떤 이미지 말입니까?"

"이런, 역시 탐정답군. 초라한 사무실의 보잘것없는 사나이, 술을 들이켜 기운을 차린 다음 신비스러운 검은 옷의 미녀를 구하러 가다."

"친위대 제복을 입은 누군가겠죠."

그가 미소를 지었다. "믿기지 않겠지만," 그가 말했다. "난 탐정소설 애독자요. 아주 재미있지." 그는 생김새가 범상치 않았다. 매부리코 때문에 얼굴의 중심이 돌출한 것처럼 보였고, 턱은 유약해 보였다. 가는 코 위에 자리 잡은 유리 같은 푸른 두 눈은 한가운데로 쏠려 있었고, 처진 눈꼬리 탓에 다소 세상일에 지쳐 냉소적이 된 것 같은 인상이었다.

"동화가 훨씬 더 흥미진진하죠."

"하지만 당신 경우는 다르지. 특히, 게르마니아 생명보험회사를 위해 일하고 있는 당신의 경우에는."

"아니면," 대령이 끼어들었다. "헤르만 직스로부터의 의뢰라고 해도 되겠군." 상관과 비슷하게 생긴 그는 덜 지성적으로 보였지만 생김새는 더 나았다. 장군이 책상 위에 펼쳐 놓은 파일을 대충 훑어보는 모습만 보아도 이들은 나와 내 일에 대해 훤히 알고 있는 게 틀림없었다.

"그러니까 정확히," 그가 웅얼거렸다. 그러더니 바로 고개를 들고 나를 보며 말했다. "왜 크리포를 그만뒀소?"

"총알." 내가 말했다.

그가 나를 멍하니 응시했다. "총알?"

"그래요. 쇠붙이, 배추잎…… 돈 말입니다. 얘기가 나왔으니 말인데, 이 호텔에 들어왔을 때 나한테 사만 마르크가 있었죠. 그게 어떻게 됐는지 알고 싶은데요. 그리고 나와 함께 일하는 여자가 어떻게 됐는지도. 잉게 로렌츠라고 하죠. 실종됐습니다."

장군이 머리를 흔드는 부하를 보았다. "유감이지만 우리는 여자에 대해서는 아무것도 모르오, 귄터 씨." 대령이 말했다. "베를린에서는 늘 사람들이 실종되지. 누구보다 당신이 더 잘 알 텐데. 어쨌든 당신 돈은 우리가 아주 안전하게 보관하고 있소."

"고맙군요. 배은망덕하게 말하고 싶진 않지만 난 그걸 얼른 내 매트리스 밑 양말 안에 넣어 두고 싶군요."

장군이 우리를 기도 모임으로 이끌려는 듯 가늘고 긴 바이올리니스트 같은 손가락을 맞대고 손가락 끝을 모아 묵상하듯 입술에 갖다 댔다. "혹시, 게슈타포에 들어갈 생각은 해 본 적 없소?" 그가 말했다.

이번엔 내가 작은 미소를 띨 차례라고 생각했다.

"부득이하게 일주일간 이 정장을 입고 잤지만 그전엔 이것도 좋은 정장이었죠. 약간 냄새는 나겠지만 그리 나쁜 옷은 아닙니다."

그가 재미있다는 듯이 콧소리를 냈다. "소설 속 탐정처럼 용감하게 말하는군, 귄터 씨." 그가 말했다. "실제 상황에서 그렇게 한다는 건 아주 다른 일인데 말이야. 당신이 방금 한 말은 지금 처한 상황의 심각성에 대해 놀랄 만큼 이해가 부족하거나 정말 용감하다는 뜻이오." 그가 얇은 금색 눈썹을 추켜세우고 왼쪽 가슴께 주머니에 달린 독일 기수騎手 배지를 만지작거렸다. "선천적으로 나는 냉소적인 사람이오. 내 생각엔 거의 모든 경찰이 그런 것 같지만. 따라서 보통이라면 당신의 그 허세에 일급 평가를 내리겠지. 하지만 이 특별한 경우에 있어서는 그게 당신의 용기라는 것을 믿고 싶소. 부디 정말 어리석은 발언으로 나를 실망시키지 마시오." 그가 잠시 말을 멈췄다. "난 당신을 강제 수용소로 보낼 거요."

내 몸이 정육점 쇼윈도처럼 차가워졌다. 남은 슈납스를 비운 다음 나는 내 입에서 내 멋대로 지껄이는 소리를 들었다. "이봐요, 돈 때문에 이러는 거라면……."

두 사람은 이제 나의 명백하게 드러난 불편함을 즐기면서 함박웃음을 짓기 시작했다.

"다하우." 대령이 말했다. 나는 담배를 비벼 끄고 새 담배에 불을 붙였다. 그들은 내가 성냥을 켤 때 내 손이 떨리는 모습을 보았다.

"걱정 마시오." 장군이 말했다. "당신은 날 위해 일하게 될 테니까." 그가 책상을 돌아 나와 내 앞 책상 모서리에 앉았다.

"당신은 누굽니까?"

"나는 하이드리히 친위대 대장이오." 그가 대령 쪽으로 손짓을 한다음 팔짱을 꼈다. "그리고 이쪽은 특수 경찰 부대의 조스트 연대지도자지."

"만나서 반갑군요, 정말로." 거짓말이었다. 특수 경찰 부대는 마를레네 잠이 말한 게슈타포의 살인마 집단이었다.

"난 당신을 주시해 왔소." 그가 말했다. "반제의 호숫가 집에서 불행한 작은 사건이 있은 후 당신이 우리를 진짜 서류가 있는 곳으로 이끌어 주길 바라며 계속 주시하고 있었지. 내가 말하는 게 뭔지 알 거라확신하오. 대신 당신은 우리에게 차선의 것을 주었소. 도둑질을 계획한 사내. 당신이 우리의 손님이었던 지난 며칠간 우리는 당신의 이야기를 확인해 봤소. 지금 그 서류를 갖고 있는끄 금고털이 쿠르트 무트슈만이라는 친구를 어디서 찾을 수 있을지 고속도로 노동자 보크가우리에게 얘기해 줬지."

"보크?" 나는 머리를 저었다. "믿을 수가 없군. 그는 친구를 밀고할부류가 아닌 것 같았는데."

"틀림없는 사실이오. 오, 정확히 어디서 찾을 수 있는지 말한 건 아니지만 올바른 방향을 지시해 주었지. 죽기 전에 말이오."

"그를 고문했습니까?"

"그렇소. 무트슈만이 전에 이렇게 말했다더군. 만약 절체절명의 위기에 놓이면 감옥이나 강제수용소에서 숨어 있을 생각이라고. 우리뿐 아니라 범죄 조직에서도 자신을 쫓고 있다고 했으니, 당연히 그는 틀림없이 절체절명의 위기에 놓인 것이오."

"낡은 수법이지." 조스트가 설명했다. "어떤 죄로 체포되는 걸 피하기 위해서 다른 죄로 체포되는 것 말이오."

"우린 파울 파르가 죽은 후 사흘째 되던 날 무트슈만이 체포되어 다하우로 보내졌다고 알고 있소." 하이드리히가 말했다. 그가 의기양양한 미소를 희미하게 띠며 덧붙였다. "정말로 그는 체포해 달라고 애원하다시피 했소. 노이퀼른의 크리포 경찰서 벽에 공산당 슬로건을 쓰다가 현행범으로 잡힌 것 같소."

"강제수용소에서 공산당원은 그리 나쁜 편이 아니지." 조스트가 빙그레 웃었다. "유대인과 동성애자들에 비하면. 그는 아마 이 년 내로 나오게 될 거요."

나는 머리를 저었다. "이해가 안 되는군." 내가 두 사람에게 말했다. "다하우 강제수용소장을 시켜서 무트슈만을 심문하면 간단하지 않습니까? 대체 나한테 원하는 게 뭡니까?"

팔짱을 낀 하이드리히가 목이 긴 군화를 신은 다리를 흔드는 탓에 그의 군화 끝이 내 무릎을 거의 걷어찰 것 같았다. "다하우 소장을 연루시킨다는 것은 힘러에게 그 정보가 간다는 걸 뜻하지. 나는 그걸 원치 않소. 당신도 알다시피 국가지도자 양반은 이상주의자요. 그는 분명 그 서류를 이용하여 반국가적인 죄를 범한 자를 처벌하는 것을 자신의 의무라고 간주할 거요."

나는 마를레네 잠이 올림픽 스타디움에서 나에게 보여 준, 힘러가 파울에게 보낸 편지를 떠올리고 고개를 끄덕였다.

"반면에 나는 실용주의자고, 그 서류를 좀 더 전략적인 방법으로 쓰는 게 낫다고 보오. 내가 필요한 곳에."

"다시 말해, 협박과 크게 다를 게 없군요. 아닙니까?"

하이드리히가 희미하게 미소 지었다. "쉽게 간파하는군, 귄터 씨. 하지만 당신은 이게 비밀공작이라는 걸 이해해야 하오. 엄밀한 보안상의 문제요. 무슨 일이 있어도 지금 우리의 대화를 누설하면 안 되지."

"하지만 다하우에 있는 친위대원 중에 당신이 믿을 수 있는 사람이 있지 않습니까?"

"물론 있소." 하이드리히가 말했다. "하지만 그에게 뭘 기대할 수 있겠소. 무트슈만에게 다가가 그 서류를 숨긴 장소를 묻는다고? 자, 귄터 씨, 제대로 된 추리를 해 보시오."

"그러니까 당신이 원하는 건 나더러 무트슈만을 찾아내서 그에게 접근하라는 거군요."

"바로 그거요. 그의 신뢰를 얻는 거요. 그가 서류를 숨긴 곳을 알아내는 거지. 알아낸 다음엔 수용소에게 당신이 내 측근이라는 사실을 밝히면 되는 거요."

"하지만 무트슈만을 어떻게 알아봅니까?"

"이게 그의 전과 기록에 남은 유일한 사진이오." 조스트가 나에게 사진을 건네며 말했다. 나는 사진을 주의 깊게 바라보았다. "삼 년 전

사진인데 지금은 물론 머리를 삭발했겠지. 따라서 큰 도움은 안 될 거요. 그뿐만 아니라 상당히 여위었을 공산이 크지. 강제수용소는 사람을 바뀌게 하는 경향이 있으니까. 하지만 그를 찾는 데 당신에게 도움이 되는 게 한 가지 있소. 그는 오른 손목에 눈에 띄는 혹이 하나 있지. 떼어 낼 수 없는 것이오."

나는 사진을 돌려주었다. "큰 도움은 안 되는군요. 내가 거절한다면?"

"거절할 수 없을 거요." 하이드리히가 밝게 웃으며 말했다. "거절하든 안 하든 당신은 다하우로 가게 돼 있소. 나를 위해 일한다면 틀림없이 다시 나오게 될 거라는 게 차이점이오. 말할 필요도 없이 돈도 돌려받게 되겠지."

"선택의 여지가 없어 보이는군요."

하이드리히가 빙긋 웃었다. "그게 요점이지. 당신에게는 선택의 여지가 없소. 여지가 있다면 거절하겠지. 누구라도 그럴 거요. 그게 내가 내 부하를 보낼 수 없는 이유지. 거기다 비밀 유지의 필요성도 있고. 무엇보다, 귄터 씨, 전직 경찰인 당신이 이 일에 딱 맞는다고 생각하오. 모든 걸 얻거나 모든 걸 잃거나지. 전적으로 당신에게 달렸소."

"더 나은 사건들을 맡는 중이었는데."

"당신이 처한 상황을 잊지 마시오." 조스트가 재빨리 말했다. "우린 당신의 새 신분을 마련해 뒀소. 당신은 이제 빌리 크라우제이고, 암거래상이오. 이게 당신의 새 신분증이오." 그가 새 신분증을 건넸다. 내 경찰 시절 사진이 붙어 있었다.

"한 가지 알아 두어야 할 게 더 있소." 하이드리히가 말했다. "체포

돼서 심문을 받았다는 것을 사람들이 알게 하기 위해서는 당신의 외모에 어느 정도 손을 대야 하오. 멍 자국 하나 없이 콜룸비아 하우스에 오는 사람은 드무니까. 아래층에서 내 부하들이 그 점을 손봐 줄 것이오. 물론 당신의 신변 보호를 위해서."

"매우 사려가 깊으시군요."

"당신은 콜룸비아에서 일주일 동안 있다가 다하우로 이송될 거요." 하이드리히가 자리에서 일어났다. "행운을 빌겠소." 나는 바지 허리춤을 잡고 자리에서 일어났다.

"이것이 게슈타포 작전이라는 걸 잊지 마시오. 누구에게도 이야기해서는 안 된다는 걸 명심하시오." 하이드리히가 몸을 돌려 간수를 호출하는 단추를 눌렀다.

"한 가지 알고 싶은 게 있습니다." 내가 말했다. "직스와 헬퍼리히는 어떻게 됐습니까? 다른 사람들은?"

"말해도 상관없겠지. 음, 직스는 자택 연금중이오. 그는 아직 어떤 혐의로도 기소되지 않았소. 여전히 어떤 질문에든 대답하기엔 충격이 너무 큰 상태요. 부활했던 딸이 다시 죽었으니까. 비극적인 사건이지. 하우프트핸들러 씨는 불행히도 의식을 회복하지 못한 채 그저께 병원에서 죽었소. 레드 디터 헬퍼리히로 알려진 범죄자로 말할 것 같으면, 그는 오늘 아침 여섯시 레이크 플로에첸에서 참수되었소. 그리고 그의 부하들은 모두 작센하우젠 강제수용소로 보내졌지." 그가 내게 슬픈 미소를 지어 보였다. "직스 씨에게는 어떤 해도 미치지 않을 거요. 이 사건의 후유증으로 고통을 받기엔 너무 중요한 사람이니까. 이 불행한 사건에 연루된 사람들 중에서 당신만이 유일하게 살아

남았지. 탐정으로서의 자존심뿐 아니라 개인적인 생존을 위해서라도 이 사건을 성공적으로 마무리 지을 수 있을지 지켜보겠소."

두 간수가 나를 승강기에 태운 다음 독방으로 데리고 갔다. 두들겨 패기 위해서였다. 발버둥 쳐 보았지만 음식을 제대로 못 먹은 데다 잠을 충분히 자지 못한 탓에 변변찮은 저항조차 할 수 없었다. 한 명씩 덤빈다면 그럭저럭 해 볼 만했겠지만 한꺼번에 덤비는 두 놈을 당할 수는 없었다. 그 후 나는 회의실 크기쯤 되는 친위대 대기소로 끌려갔다. 두꺼운 이중문 근처에 앉은 친위대 대원들은 카드를 하거나 맥주를 마시고 있었고, 한쪽 테이블 위에는 엄격한 교사가 압수한 장난감들처럼 그들의 권총과 곤봉이 잔뜩 쌓여 있었다. 한쪽 벽에는 스무 명쯤 되는 죄수들이 부동자세로 벽을 바라보고 일렬로 늘어서 있었는데 나도 그 대열에 합류하라는 명령을 받았다. 한 젊은 친위대 돌격대원이 죄수들 뒤에서 거들먹거리며 왔다 갔다 하면서 죄수들에게 소리를 지르고, 등이나 엉덩이를 계속해서 걷어차고 있었다. 늙은 남자가 돌바닥에 쓰러지자 그 돌격대원은 그가 의식을 잃을 때까지 걷어찼다. 그러는 동안 새로운 죄수들이 대열에 합류했다. 한 시간 후에는 적어도 백 명쯤 되는 죄수가 모여 있었다.

그들은 우리에게 긴 복도를 행진하게 한 다음 자갈이 깔린 마당으로 데리고 가 녹색 호송차에 태웠다. 호송차에는 친위대원이 탑승하지 않았지만 아무도 그리 말을 많이 하지 않았다. 조용히 자리에 앉아 앞으로 다시는 볼 수 없을 고향과 사랑하는 사람을 생각하고 있을 터였다.

콜룸비아 하우스에 도착해 호송차에서 뛰어내렸다. 인접한 템펠호프 공항 활주로에서 비행기가 이륙하는 소리가 들렸고, 비행기가 옛 군대 감옥의 회색 벽 위를 지나가자, 우리는 모두 자신이 그 비행기의 탑승자이길 바라는 간절한 마음에 동경의 눈으로 하늘을 힐끗 쳐다보았다.

"움직여, 이 꼴 보기 싫은 자식들아." 한 간수가 걷어차고 밀치고 주먹을 날리면서 그렇게 외쳤고, 우리는 일층으로 떼를 지어 몰려가 무거운 나무 문 앞에 다섯 줄로 정렬했다. 짐승 같은 간수들이 가학적인 흥미를 나타내며 우리를 주시했다.

"저 염병할 문이 보이나?" 간수장이 먹이를 앞둔 상어처럼 악의를 담아 얼굴 한쪽을 일그러뜨리며 외쳤다. "저 안이 사내로서 너희의 남은 생을 마칠 곳이다. 네놈들의 불알을 으스러뜨려 놓을 테니까. 알겠나? 집 생각 따윈 집어치워라. 가랑이에 달린 게 없는데 아내나 여자 친구를 보러 집에 가면 뭐 할 텐가?" 그가 웃음을 터뜨리며 을러대자 짐승 같은 간수들도 웃음을 터뜨렸다. 그들 중 누군가가 첫 번째 남자를 질질 끌고 가 방 안으로 처넣자 비명과 함께 문이 닫혔다.

나머지 죄수들이 공포로 떠는 것이 느껴졌다. 하지만 나는 이게 간수장의 악의적인 농담일 거라 여겼고, 마침내 그들이 나를 문으로 데려갈 차례가 오자 보란 듯이 평온한 태도를 취했다. 안으로 들어가자 그들이 내 이름과 주소를 확인하고 몇 분에 걸쳐 취조한 후, 이른바 암거래상으로 잡혀 온 것에 대한 욕설을 실컷 한 다음 다시 두들겨 팼다.

며칠 전 욱신거리는 몸으로 구치소에 끌려가 독방에 처넣어졌을 때, 끌려가는 도중 규모가 제법 큰 남성 합창단이 〈어머니가 아직 살아 계신다면〉이라는 노래를 부르는 소릴 듣고 깜짝 놀랐었다. 나는 나중에야 합창단이 존재하는 이유를 알게 되었다. 젖은 가죽 채찍으로 죄수들의 벌거벗은 엉덩이를 때리는 고문실에서의 비명이 들리지 않게 하기 위해 친위대의 명령에 따라 행해진 합창이었다.

전직 형사로서 나는 예전에 꽤 여러 번 교도소 안을 가 본 적 있었다. 테겔, 조넨부르크, 레이크 플로에첸, 브란덴부르크, 젤렌게팽니스, 브라우바일러 모두가 규율이 엄격한 혹독한 곳이었다. 하지만 그곳들 모두 콜룸비아 하우스처럼 잔악한 행위가 저질러진다거나 인간성을 말살할 만큼 불결한 곳은 아니었고, 머지않아 가게 될 다하우가 이곳보다 더 나쁠지 궁금했다.

콜룸비아에는 대략 천 명의 재소자들이 있었다. 이들 가운데 어떤 이들은 나처럼 강제수용소로 보내지기 전에 이곳에 잠시 머무는 단기 수감 죄수들이었고, 나머지는 강제수용소로 보내지기 전 이곳에 오랫동안 머물게 될 장기 수감 죄수들이었다. 소나무 상자에 넣어져 이곳을 나가게 되는 죄수들도 적지 않았다.

단기 수감 신참자로서 나는 독방에 넣어졌다. 하지만 밤이 되면 추웠고, 담요조차 넣어 주지 않기 때문에 주위에 사람이 한 명이라도 있길 바랐다. 아침은 딱딱한 통밀 빵에 커피 대용품이었다. 저녁은 빵과 감자 죽이었다. 변소는 도랑에 가로질러 놓은 널빤지로 언제 똥을 누더라도 어쩔 수 없이 아홉 사람과 얼굴을 마주해야 했다. 한 번은 어떤 간수가 널빤지에 톱질을 해 놓은 탓에 죄수 몇 명이 똥통에 빠져 버렸다. 콜룸비아 하우스에서도 간수들은 유머 감각을 간직했다.

거기서 엿새를 보내고 이레째 자정에 퓨틀라체슈트라세 역으로 가는 죄수 호송차로 집합하라는 명령을 받았다. 거기서 다하우로 향하는 기차를 타는 것이다.

다하우는 뮌헨에서 북서쪽으로 십오 킬로미터쯤 떨어진 곳에 있었다. 기차 안에서 누군가가 그곳이 제3제국에서 제일 처음 생긴 강제 수용소라고 알려 주었다. 뮌헨은 국가사회주의의 발생지로 더없이 적절해 보였다. 잔존하는 옛 폭약 공장 주위에 세워진 다하우는 이례적으로 한가로운 바이에른 전원 지대의 농장들 가까이에 있었다. 실제로 그 지역은 바이에른 주에서 상당히 쾌적하고 한가로운 곳이었지만 사람들의 성향은 조금도 그렇지 않았다. 다하우는 그런 점에서, 아니 어떤 점에서도 내 기대를 배반하지 않을 게 분명했다. 콜롬비아하우스에서 들은 얘기로 다하우는 나중에 생긴 모든 수용소의 모델이었다. 그곳에는 친위대원들에게 더욱 잔인한 성향을 길러 주는 특별한 교육 시설마저 있다고 했다. 거짓말이 아니었다.

우리는 군홧발과 소총 개머리의 힘을 빌려 화물칸에서 내려진 후 수용소 정문을 향해 동쪽으로 행진했다. 수용소는 큼지막한 경비 초소로 둘러 싸여 있었고, 강철로 된 격자문에는 '노동이 인간을 자유롭게 한다'는 슬로건이 붙어 있었다. 그 슬로건은 재소자들 사이에서 경멸의 대상이었지만 걷어차일 두려움에 아무도 감히 그런 말을 하지 않았다.

나는 인간을 자유롭게 하는 많은 것을 생각할 수 있었지만 그중에 노동은 없었다. 오 분 후면 가 있게 될 다하우에서는 죽음이 더 유망

해 보였다.

간수들이 뾰족한 지붕의 긴 건물 남쪽에 위치한, 연병장으로 사용되는 듯한 개방형 광장으로 우리를 행진시켰다. 북쪽으로는 끝없이 이어질 것 같은 재소자 막사들을 지나 키가 큰 미루나무가 줄지어 서 있는 넓고 곧은 도로가 나 있었다. 내 앞에 놓인 엄청난 과업을 인지하기 시작하자 심장이 내려앉았다. 다하우는 거대했다. 무트슈만이 서류를 숨긴 곳을 털어놓을 만큼 충분히 그와 친한 사이가 될 수 있기는커녕 그를 찾아내는 데만 수개월이 걸릴지도 몰랐다. 이 모든 게 단지 하이드리히가 자신의 가학적인 취미를 만족하기 위해 계획한 것이 아닐까 하는 의심이 들기 시작했다.

수용소장이 우리를 맞기 위해 긴 막사에서 나왔다. 대개의 바이에른 사람들처럼 그는 환대하는 법을 잘 알고 있었다. 그의 환영사는 주로 처벌에 관한 것이었다. 그는 이 주변에 우리 모두를 매달고도 남을 만큼 충분히 나무들이 많다고 했다. 그는 우리에게 지옥을 보여 주겠다는 말을 끝으로 환영사를 마쳤고, 나는 그의 말이 틀림없으리라는 것을 의심하지 않았다. 그러나 적어도 공기는 맑았다. 그게 바이에른에 관해 자신 있게 말할 수 있는 두 가지 중 한 가지다. 나머지 하나는 이곳 여자들의 가슴 사이즈에 관한 것이다.

다하우에는 매우 독특하고 예스러운 작은 양복점이 있었다. 그리고 이발소도. 나는 줄무늬가 들어간 멋진 기성복과 나막신을 꿰찬 다음 머리를 깎으러 갔다. 머리에 기름을 발라 달라고 하면 바닥에 그것을 쏟아부으리라. 담요 석 장을 배급받았을 때는 모든 게 우러러보이기 시작했다. 콜롬비아에서보다 개선된 처우였다. 나는 아리아인 막사를 배정받았다. 막사의 정원은 백오십 명이었다. 유대인 막사는 이 정원의 세 배를 수용했다.

자신보다 더 악조건에 놓인 사람이 있기 마련이라는 말은 사실이었다. 즉, 유대인만큼 최악은 아니라는 뜻이다. 다하우 내 유대인 비율은 결코 높지 않았지만, 모든 면에서 유대인이 최악이었다. 다른 의미에서 자유를 획득할 확률이 높다는 걸 빼면. 아리아인 막사에서의 하룻밤 사망률은 1퍼센트였다. 유대인 막사에서의 사망률은 7, 8퍼센트에 육박했다.

다하우는 유대인이 있을 만한 곳이 아니었다.

나치스가 적대시하는 인종은 말할 것도 없고, 대부분의 재소자들은 나치스가 싫어하는 다양한 부류의 사람들이었다. 공산당원과 사회민주당원, 노동조합원, 판사, 변호사, 의사, 교사, 군인. 스페인 내전의 공화국 측 군인, 여호와의 증인, 프리메이슨 단원, 가톨릭 성직자, 집시, 유대인, 강신론자, 동성애자, 부랑자, 도둑, 그리고 살인자. 일단의 러시아인과 소수의 오스트리아 초기 내각 일원을 제외하면 다하우 내의 모든 사람이 독일인이었다. 나는 유죄 판결을 받은 유대인을 만났다. 그는 동성애자이기도 했다. 그것으로도 충분치 않아 공산당원이기도 했다. 삼관왕의 위업을 이룬 셈이다. 그의 운은 그에게서 달아난 정도가 아니라 빌어먹을 오토바이에 올라타 버린 것이었다.

하루에 두 번 연병장에서 점호가 행해지고 그에 이어 태형이 공개된다. 태형을 당하기 위해 묶인 남자 혹은 여자는 드러낸 엉덩이에 보통 스물다섯 대의 채찍을 맞는다. 나는 맞는 동안 똥을 싸는 사람을 몇 번인가 보았다. 처음에는 그들의 굴욕감을 바라보기가 민망했다. 하지만 나중에 누군가가 똥을 싸는 것이 채찍질을 하는 사람의 집중력을 흩뜨리는 가장 효과적인 방법이라고 알려 주었다.

점호는 재소자들을 훑어볼 수 있는 가장 좋은 기회였다. 나는 머릿속으로 무트슈만이 아닌 사람들의 수를 기록하고 한 달 안에 삼백 명의 사람을 제외하는 데 성공했다.

나는 절대 한 번 본 얼굴을 잊지 않았다. 그것은 좋은 형사가 되는 데 필요한 많은 조건들 가운데 하나며, 애초에 내가 경찰에 들어갈 마음을 먹게끔 한 소질이었다. 이번만큼은 그 능력에 내 목숨이 달려 있었다. 하지만 늘 들어오는 새로운 재소자들이 내 방법에 혼란을 주었다. 내 자신이 아우게이아스 왕의 외양간에서 소똥을 치우는 헤라클레스처럼 느껴졌다.

말로 다 형언할 수 없다는 것을 어떻게 묘사할 것인가? 공포로 말을 잃게 하는 무언가를 어떻게 말로 표현할 수 있겠는가? 그저 할 말을 찾을 수 없다고밖에 말할 수 없다. 그것은 무고함조차 죄가 되는 부끄러움에서 기인한 침묵이다. 인권이 말살되면 인간은 동물과 다름없다. 배고픈 자가 배고픈 자의 것을 훔치고, 개인의 생존만이 유일한 고려 사항이며, 그간의 인간으로서의 경험은 삭제되고 무시된다. 인간의 정신을 말살하기에 충분할 만큼 과중한 노동이 다하우의 존재 이유이며, 죽음은 예상치 않은 부산물일 뿐이다. 생존하기 위해서는 타인을 죽음으로 떠밀어야 한다. 타인이 얻어터지고 린치를 당할 동안은 안전하다. 옆 침대 사람이 자다가 죽는다면 며칠간 그 사람의 배급 식량을 먹을 수 있을지도 모른다.

살아남기 위해서는 일단 조금은 죽을 필요가 있다.

다하우에 입소하고 나서 곧 나는 수용소의 북서쪽에서 진행되는 유대인 작업장의 건설 감독을 맡게 되었다. 작업에는 채석장에서 삼십 킬로그램 이상 나가는 돌멩이를 손수레에 채운 후 그것을 밀고 언덕을 올라 백 미터쯤 떨어진 건물 부지까지 나르는 일이 포함되어 있다. 다하우에 있는 친위대원이라고 해서 모두 개자식은 아니었다. 그들 중 일부는 비교적 온건한 편이었다. 그들은 강제수용소 내 기술이 있는 자와 값싼 노동력을 이용해서 부업으로 소소한 사업을 운영하여 그럭저럭 돈을 벌었기 때문에, 재소자들을 죽음으로 내몰 만큼 과중한 노동을 시키지 않았다. 하지만 공사 현장을 감독하는 친위대원들은 진짜 개새끼들이었다. 그들은 대부분 직업이 없던 바이에른의 소작농 출신으로, 그들의 가학성은 콜롬비아의 도회지 출신 간수들의 가학성만큼 세련되지 못했다. 하지만 효과는 다르지 않았다. 채석장 작업은 쉬운 일이었다. 감독자인 나는 돌무더기를 나르지 않아도 되었다. 하지만 내 작업반에서 일하는 유대인들에게 그 일은 하루 종일 해야 하는, 등골이 휘는 노동이었다. 친위대원들은 기초 공사나 벽공사 등의 일정을 항상 고의적으로 빡빡하게 잡았고, 그것은 충분한 음식과 물이 충족되지 않는 일정이라는 것을 뜻했다. 기력이 다해 쓰러지는 사람들은 그 자리에서 총살되었다.

처음 내가 작업을 도왔을 때 간수들은 그것을 상당히 재미있게 여겼다. 내가 돕는다고 해서 일이 줄어드는 것은 아니었다. 간수들 중 하나가 내게 말했다.

"뭐야, 유대인 애호가나 뭐 그런 거야? 이해할 수가 없군그래. 도울 이유도 없는데 왜 귀찮은 짓을 하는 거야?"

순간적으로 대답할 말이 궁했다. 이윽고 내가 말했다. "이해가 되시지 않겠지. 그래서 내가 귀찮게 하는 거요."

그가 꽤 혼란스러워하더니 이내 눈살을 찌푸렸다. 순간적으로 나는 그가 화를 낼 거라고 생각했지만 대신 그는 이렇게 말하며 웃을 뿐이었다. "뭐, 네놈 손해지."

잠시 후에 나는 그가 옳았다는 걸 깨달았다. 무거운 돌을 나르는 작업이 내 작업반에서 유대인들을 죽였던 것처럼 나를 죽이고 있었다. 그래서 나는 돕기를 그만두었다. 부끄러운 마음에 나는 쓰러진 사람을 도왔다. 그가 일을 계속할 수 있도록 충분히 회복할 때까지 두 개의 빈 수레 밑에 숨겨 주었다. 비록 태형을 당할 위험이 있다는 걸 알았지만 나는 계속 그들을 숨겨 주었다. 다하우에는 도처에 밀고자가 존재했다. 다른 재소자들이 그것을 경고해 주었지만 내 자신이 반쯤은 밀고자였기 때문에 내 행동은 아이러니해 보였다. 쓰러진 유대인을 숨겨 주다 현장에서 걸린 적도 없는데, 간수들이 갑자기 날 심문하는 걸 보면 경고받은 대로 누군가가 날 밀고한 모양이었다. 나는 태형 스물다섯 대를 선고받았다.

처벌이 끝나고 수용소 내 병원으로 보내질 두려움에 비하면 고통은 그리 두렵지 않았다. 그곳의 환자들 대부분은 이질이나 장티푸스에 걸린 사람들이었기 때문에 무슨 수를 써서라도 그곳은 피해야 했다. 친위대조차 그곳은 절대 가지 않았다. 지금 상태로는 병에 옮기

쉬울 터였다. 그러면 절대 무트슈만을 찾지 못하리라.

점호는 대부분 한 시간 이상은 끌지 않았지만 내 처벌이 예정된 아침에는 거의 세 시간이 걸렸다.

간수들이 나를 형틀에 묶고 바지를 내렸다. 나는 똥을 싸 보려고 했지만 고통이 너무 심해서 힘을 주는 데 충분히 집중을 할 수 없었다. 그뿐 아니라 나올 똥이 없었다. 처벌이 끝나고 간수들이 풀어 주었을 때, 형틀에서 자유로워진 나는 잠시 서 있다가 기절했다.

오랫동안 나는 내 위 침대 끝에 내밀어진 남자의 손을 응시했다. 손은 전혀 움직임이 없었다. 씰룩이지조차 않았기 때문에 나는 그가 죽었는지 궁금했다. 일어나서 그를 봐야겠다는 생각에 몸을 일으켰다가 고통의 비명을 질렀다. 내 비명에 어떤 남자가 침대 옆으로 다가왔다.

"빌어먹을," 나는 숨이 막히고 이마에서 땀이 솟는 것을 느꼈다. "맞을 때보다 지금이 더 아프군."

"약 때문일 거요." 토끼 이에 낡은 매트리스의 충전재 같은 머리털의 사십대 남자였다. 포르말린 병에 든 시체처럼 보일 만큼 끔찍하게 마른 그의 죄수복에는 노란 별이 꿰매져 있었다.

"약?" 내 큰 목소리에는 의심의 기색이 어렸다.

"그래요." 유대인이 느릿느릿 대답했다. "염화나트륨이오." 그러고 나서 보다 활기 찬 목소리로 말을 이었다. "당신에게 좋은 소금이지, 친구. 내가 당신 상처에 그걸 발랐소."

"맙소사, 난 빌어먹을 오믈렛이 아니란 말이오."

"아닐지도 모르지. 어쨌든 난 빌어먹을 의사라오. 쐐기풀처럼 따가울 거라는 걸 알지만 내가 처방할 수 있는 유일한 거요. 그게 감염을 막아 줄 거요." 그의 목소리는 희극배우의 목소리처럼 두루뭉술하고 낭랑했다.

"당신은 운이 좋은 거요. 내가 낫게 해 줄 수 있으니. 여기에 있는 다른 불쌍한 녀석들에게도 똑같이 말해 줄 수 있으면 좋겠소. 불행히도 약이라고 쓸 만한 걸 얻을 수 있는 곳이 식당뿐이라."

나는 내 위의 침대를 올려다보고 그 끝에 내밀어진 팔목을 보았다. 나는 신체 일부의 기형적인 부분을 그렇게 기쁜 마음으로 바라본 적이 없었다. 혹이 달린 오른 손목을. 내 시선을 따라간 의사가 그 침대의 주인을 체크하기 위해 내 침대를 밟고 올라섰다. 이내 다시 내려와 내 드러낸 엉덩이를 보았다.

"당신은 괜찮을 거요."

내가 머리를 치켜들었다. "그는 뭐가 문젭니까?"

"이런, 저 사람 때문에 불편한 게 있소?"

"아니, 그냥 궁금해서."

"음, 황달에 걸렸던 적 있소?"

"그래요."

"다행이군. 걱정 마시오, 당신에게 옮길 일은 없으니까. 저 사람과 키스를 하거나 그 짓만 안 하면 별일 없을 거요. 그래도 그를 다른 침대로 옮겨야 할지 두고 봅시다. 그가 당신에게 오줌을 쌀 경우를 대비해서 말이오. 감염은 배설을 통해서 이루어지지."

"감염?" 내가 물었다. "어떤?"

"간염. 당신을 위 침대로 올리고 저 사람을 아래로 옮겨서 상황을 지켜보겠소. 그가 목말라할 때 당신이 물을 좀 갖다 주구려."

"그러지. 저 사람 이름이 뭐요?"

의사가 지쳤다는 듯이 한숨을 쉬었다. "전혀 모르오."

이후 나는 병원 잡역부의 도움으로 상당한 불편함을 감수하며 위층 침대로 옮겼고, 위층 침대의 사내는 아래로 옮겨졌다. 나는 초라한 침상 끝 너머로 나를 다하우에서 벗어나게 해 줄 유일한 방법을 의미하는 사내를 내려다보았다. 희망적인 모습은 아니었다. 혹이 아니었더라면 하이드리히의 집무실에서 본 사진의 기억만으로는 무트슈만을 찾기가 불가능했을 터였다. 누렇게 뜬 얼굴에 몸은 상당히 쇠약해져 있었다. 열에 달뜬 채 담요 안에서 떨고 있는 그는 때때로 고문이라도 당하는 것처럼 고통으로 신음을 냈다. 잠시 바라보는 동안 다행스럽게도 의식을 되찾는가 싶었지만, 안타깝게도 토하기 위해 정신을 차리는 정도였다. 이내 그는 다시 의식을 잃었다. 무트슈만이 죽어가고 있다는 사실은 분명했다.

멘델스존이라는 이름의 의사 외에도 병원 잡역부가 서너 명이 있었는데, 그들 또한 각각의 질병으로 고생하고 있었다. 수용소 병원에는 예순 명의 남녀가 있었다. 병원이라고 해야 시체 안치소보다 나을 게 없었다. 이곳에 있는 환자는 두 종류뿐이었다. 곧 죽을 환자와 병에 걸린 부상자.

그날 저녁 어둠이 짙어지기 전 멘델스존이 내 상처를 살피러 왔다.

"아침에 상처를 소독하고 소금을 좀 더 뿌립시다." 그러고 나서 사무적인 표정으로 밑에 있는 무트슈만을 힐끗 내려다보았다.

"그는 어때요?" 내가 물었다. 멍청한 질문이었을 뿐 아니라 유대인 의사의 호기심을 불러일으켰을 뿐이었다. 그가 미간을 모으고 나를 보았다.

"물으니까 하는 말인데, 나는 이 사람에게 술과 자극적인 음식을 피하고 충분한 휴식을 취하라고 말해 줬소." 그가 건조하게 말했다.

"알겠군."

"난 냉담한 사람이 아니오, 친구. 하지만 여기에서 내가 그를 도울 수 있는 게 전혀 없소. 고단백 음식, 비타민, 포도당, 메티오닌이 있다면 살지도 모르지."

"얼마나 견딜 것 같소?"

"여전히 가끔씩 의식을 회복합디까?" 나는 끄덕였다. 멘델스존은 한숨을 쉬었다. "뭐라고 말하기 어렵소. 하지만 일단 혼수상태에 빠지면 기껏해야 하루 이틀이지. 여기엔 그에게 뇌 줄 모르핀조차 없소. 이 병원에서 죽음이란 환자들에게 허용된 치유라고 할 수 있소."

"명심하지."

"병에 걸리지 마시오, 친구. 이곳에 발진티푸스가 만연해 있으니까. 열이 나는 것 같으면 당신 소변을 두 스푼 정도 마시시오. 효과가 있는 것 같으니까."

"깨끗한 스푼을 찾을 수 있다면 그렇게 하지. 좋은 정보, 고맙소."

"기분이 좋은 것 같으니 하나 더 알려 드리지. 재소자 회의가 여기서 열리는데, 간수들이 이곳에 꼭 올 일이 아니면 오지 않기 때문이오. 생긴 것에 비해 친위대들은 멍청하지 않소. 미친놈만이 이곳에 필요 이상으로 머물 뿐이지. 고통이 줄어들어 걸어 다닐 만하면 곧바로 이곳에서 나가라는 게 내 충고요."

"당신은 왜 여기 있는 거요? 히포크라테스 선서 때문에?"

멘델스존이 어깨를 으쓱했다. "그런 건 들어 본 적도 없소."

나는 무트슈만이 다시 정신이 들 경우를 대비해 줄곧 깨어서 지켜볼 작정이었지만 잠깐 잠이 들었다. 그러면서 영화에서 종종 볼 수 있는, 죽어 가는 사람이 임종을 지키는 사람에게 자신의 흉금을 털어놓는, 약간 감동적인 상황을 바랐다.

잠에서 깨니 날이 어두워져 있었고, 병원에서 재소자들이 내는 기침 소리, 코 고는 소리와 겹쳐 아래 침대에서 들려오는, 놓칠 수 없는 소리가 들렸다. 무트슈만의 욕지기 소리를. 나는 몸을 기울여 달빛에 비친 그를 보고, 한쪽 팔꿈치로 몸을 지탱해 그의 가슴을 움켜쥐었다.

"괜찮나?"

"물론이지." 그가 색색거렸다. "염병할 갈라파고스 거북이처럼. 난 살아서 여길 나갈 거야." 그가 꽉 다문 잇새로 고통스러운 신음 소리를 내더니 입을 열었다. "이 빌어먹을 위경련."

"물을 좀 마시겠나?"

"물, 좋지. 혀가 말라서 마치……," 그가 다시 헛구역질을 했다. 나는 조심조심 침대에서 내려와 침대 옆에 있는 양동이에서 물을 한 국자 떠 왔다. 전신기 단추처럼 이를 딱딱 맞부딪치던 무트슈만이 요란하게 물을 마셨다. 물을 다 마신 그는 한숨을 쉬고 평정을 되찾았다.

"고맙네, 친구."

"천만에." 내가 말했다. "당신도 날 위해서 같은 일을 했을 거야."

나는 킥킥거리는 듯한 그의 기침 소리를 들었다. "아니, 당치 않은 소리." 그가 쉿소리를 냈다. "내가 무슨 병에 걸렸는지는 모르지만 그게 뭐든 옮을까 봐 무서워했을걸. 혹시 내가 무슨 병에 걸렸는지 아나?"

나는 잠시 생각했다. 이내 그에게 말했다. "간염."

그는 한동안 말이 없었고, 나는 내 자신이 부끄러웠다. 그런 말을 해서는 안 됐었다. "솔직하게 말해 줘서 고맙군." 그가 말했다. "여기 어떻게 왔지?"

"태형."

"왜?"

"내 작업반에서 유대인을 도왔지."

"어리석은 짓을 했군." 무트슈만이 말했다. "어차피 그들은 모두 죽게 되어 있어. 어느 정도 희망이 있는 사람에게라면 모르지만 유대인은 아니야. 그들의 운세는 이미 글렀어."

"글쎄, 당신도 복권에 당첨될 정도의 운세는 아닌 것 같군."

그가 웃었다. "분명히 그렇지. 나도 병에 걸릴 줄은 몰랐어. 이 염병할 구렁에서 나갈 수 있을 줄 알았다고. 이곳의 구두 수선 일도 마음에 들었는데 말이야."

"운이 나쁘군." 내가 수긍했다.

"나, 죽는 건가?" 그가 말했다.

"의사 말로는 아니야."

"날 위로할 필요는 없네. 그 정도는 감 잡을 수 있으니까. 어쨌든 고마워. 젠장, 나갈 수만 있다면 백만금이라도 내놓을 텐데."

"나 역시." 내가 말했다.

3월의 제비꽃
—

"담배나 피울 수 있다면 좋겠군." 그가 잠시 말을 끊었다. 그러고 나서 다시 말을 이었다. "당신한테 해 줄 말이 있는데."

나는 목이 조이는 듯한 급박함을 감추려고 애썼다. "그래? 무슨 말인데?"

"이 수용소에서 어떤 여자와도 그 짓은 하지 말게. 내가 그래서 병에 걸린 게 확실해."

"그러지. 얘기해 줘서 고맙군."

다음 날 나는 담배를 사기 위해 내 배급 식량을 팔았고, 무트슈만이 혹시나 잠결에 무슨 소리라도 할지 기다렸다. 하루의 대부분을 그렇게 보냈다. 마침내 의식이 돌아오자 그는 앞서 나눴던 우리의 대화가 단지 몇 분 전이었던 것 같다고 했다.

"어때? 상처는?"

"아파." 내가 침대에서 내려오며 말했다.

"그럴 거야. 채찍을 휘두른 그 개자식 간수 놈이 그 짓거리를 하는 것처럼 있는 힘을 다했을 테니까." 그가 수척한 얼굴을 내게 기울이더니 말했다. "당신, 어디에선가 본 것 같아."

"자, 그럼, 생각해 볼까." 내가 말했다. "로트 바이스 테니스 클럽? 신사 클럽? 혹시, 축구장?"

"날 놀리는군." 나는 담배 한 개비에 불을 붙여 그에게 물려주었다.

"오페라 극장일 게 분명해. 난 오페라 팬이니까. 아니면 괴링의 결혼식장이었던가?" 그의 누렇게 뜬 얇은 입술이 미소를 짓는 것처럼 옆으로 늘어났다. 그러더니 신선한 산소라도 들이마시듯 담배 연기를 들이마셨다.

"당신은 염병할 만담가군." 그가 담배를 음미하며 말했다. 나는 그의 입에서 담배를 빼냈다가 다시 물려주었다. "아니, 그런 데는 아니었어. 생각날 테지."

"분명히 그럴 거야." 생각나지 않길 간절히 바라며 내가 말했다. 순간적으로 테겔 교도소를 입 밖에 낼까 하다가 그만두었다. 아프든 아니든 그는 다른 기억을 하고 있을지도 몰랐고, 그렇다면 그와는 그것으로 끝이 될 터였다.

"정체가 뭔가? 공산당? 사회민주당?"

"암거래상. 당신은?"

미소를 짓는 것처럼 입술이 옆으로 늘어났고, 그것은 일그러진 미소처럼 보였다. "난 숨어 있는 거야."

"여기서? 누굴 피해서?"

"전부 다." 그가 말했다.

"그렇다면 분명 숨을 장소로 지옥을 골랐군. 대체 왜 그런 거지? 미쳤나?"

"여기선 아무도 날 찾을 수 없어." 그가 말했다. "하나 물어보지. 당신이라면 빗방울을 어디에 숨기겠나?" 나는 혼란스러운 표정을 짓고 그가 말하길 기다렸다. "폭포에 숨기지. 모를 것 같아 말해 주겠는데, 그 말은 중국 철학이야. 그러니까 내 말은 그걸 절대 찾을 수 없다는 거야. 알겠나?"

"그런 것 같군. 하지만 상황이 아주 안 좋아 보이는데."

"병에 걸린 건…… 운이 나빴을 뿐이야……. 하지만 여기서 일이 년

안에…… 나갈 수 없다면…… 그쯤 되면…… 그들은 날 찾는 걸 포기
하겠지."

"누가 찾는데?" 내가 말했다. "그들이 뭣 때문에 당신을 찾는 거지?"

그가 눈을 깜빡거렸고, 담배가 그의 의식 없는 입술에서 담요로 떨
어졌다. 나는 담요를 그의 턱까지 끌어당겨 덮어 준 다음 다시 정신이
들어 담배의 남은 반을 피우길 바라며 담배를 손끝으로 두드렸다.

밤 동안, 무트슈만의 숨은 더 얕아졌고, 다음 날 아침 멘델스존은
그가 혼수상태 일보 직전이라고 단정했다. 내가 할 수 있는 일이라고
는 엎드려서 내려다보며 기다리는 것뿐이었다. 나는 잉게에 대한 생
각을 많이 했지만 대개는 나에 대한 생각을 많이 했다. 다하우에서의
장례 절차는 간단했다. 화장터에서 시체를 태우는 게 전부였다. 그걸
로 끝. 어쨌든 쿠르트 무트슈만의 몸을 좀먹는 독소가 간과 비장을 파
괴한 다음 전신에 감염되어 가는 과정을 보면서 가장 많이 떠오른 생
각은 간담을 서늘하게 하는, 병에 좀먹어 가는 조국이었다. 나는 지금
의 다하우를 보면서 퇴화해 가고 있는 독일의 괴사 과정이 얼마나 많
이 진행되었는지 판단할 수 있었다. 갈수록 심해지는 고통에 모르핀
조차 투여할 수 없는 가엾은 무트슈만처럼.

다하우에는 이곳에 수용된 여자들에게서 태어난 아이들이 몇몇 있
었다. 그 아이들은 수용소 밖에 또 다른 삶이 있다는 것을 전혀 알지
못했다. 아이들은 간수들의 용인하에 수용소 내에서 자유롭게 놀았
고, 심지어 아이들을 좋아하는 간수도 있어서 아이들은 거의 어디든
갈 수 있었다. 하지만 병원 막사만큼은 예외였다. 그에 따른 불복종의

형벌은 가혹한 매질이었다.

멘델스존은 다리가 부러진 아이 하나를 침상 밑에 숨겨 두고 있었다. 채석장에서 놀다가 높은 곳에서 떨어진 소년으로, 다리에 부목을 댄 지 사흘째 되던 날 친위대원이 그 아이를 찾으러 나타났다. 아이는 너무 무서운 나머지 혀를 삼키고 질식사했다. 죽은 아이의 어머니가 아이를 보러 왔을 때 나쁜 소식을 전해야 했던 멘델스존은 실로 의사다운 냉정함으로 아이의 어머니에게 동정을 표했다. 하지만 아이의 어머니가 돌아간 후 나는 그가 숨죽여 우는 소리를 들었다.

"헤이, 거기." 밑에서 들리는 소리를 듣고 나는 깜짝 놀라 몸을 일으켰다. 나는 자고 있지 않았다. 응당 그래야 했던 것처럼 나는 무트슈만을 지켜보고 있지 않았을 뿐이다. 그가 언제부터 의식을 차리고 있었는지, 그 귀중한 시간이 얼마나 흘렀는지 알 수 없었다. 나는 침상에서 조심스럽게 내려와 그의 침상 옆에 무릎을 꿇었다. 엉덩이를 대고 앉기에는 여전히 너무 고통스러웠다. 그가 활짝 웃더니 내 팔을 잡았다.

"기억났어."

"오, 그래?" 내가 기대를 갖고 물었다. "뭐가 기억났다는 거지?"

"당신 얼굴을 본 곳." 심장이 쿵쾅거렸지만 평정을 가장하려고 애썼다. 내 형사 시절을 기억한다면 모든 것이 수포로 돌아간다. 전과자는 절대로 형사를 친구로 생각하지 않는다. 조난당해 우리 둘만 무인도에 남았다 하더라도 그는 여전히 내 얼굴에 침을 뱉을 것이었다.

"그래?" 내가 무관심하게 물었다. "그게 어디지?" 나는 그가 피우다 남긴 담배를 입에 물리고 불을 붙여 주었다.

"당신은 경비원이었어." 그가 꺽꺽거렸다. "아들론 호텔의. 전에 한 탕하러 거기에 간 적이 있지." 그가 쉰 목소리로 킥킥거렸다. "맞지?"

"기억력이 좋군." 담배에 불을 붙이며 내가 말했다. "아주 오래전 일인데."

그의 손아귀 힘이 더 세졌다. "걱정 마. 아무한테도 말 안 할 테니까. 어쨌든 형사였던 건 아니잖아. 그렇지?"

"그곳에서 한탕했단 말이군. 뭐가 전문이지?"

"금고털이였지."

"호텔 금고가 털린 적은 없었던 것 같은데. 적어도 내가 거기서 일했던 동안은."

"내가 아무것도 가져가지 않았기 때문이지." 그가 자랑스럽게 말했다. "오, 금고를 열었던 건 맞아. 하지만 가져갈 만한 게 아무것도 없었어. 진짜야."

"그랬단 말이지." 내가 말했다. "호텔에는 늘 부자들로 붐볐고, 그들은 늘 값비싼 물건들을 갖고 다녔는데. 그 금고에 가져갈 만한 게 없었다니 희한한 일이군."

"사실이야. 내가 운이 나빴나 봐. 내가 가져가서 팔아 치울 만한 게 정말 아무것도 없었다니까. 중요한 건 그거야. 팔 수도 없는 걸 가져가 봐야 소용없지."

"좋아, 믿어 주지." 내가 말했다.

"자랑이 아니라, 난 최고였다고. 내가 털 수 없는 금고는 없었어. 이봐, 당신은 내가 부자일 거라고 생각하지?"

나는 어깨를 으쓱했다. "아마. 언젠가 감옥에 갈 테지만. 지금 여기
에 있는 것처럼."

"내가 여기 숨어 있는 건 부자이기 때문이야. 내가 말하지 않았나?"

"뭔가 말한 것 같기도 한데, 그래." 나는 말을 잇기 전에 잠시 시간
을 들였다. "뭘 훔쳐서 부자가 되고 수배중인 거지? 돈? 보석?"

그가 짧게 꺽꺽거리며 웃었다. "그것보다 더 나은 거지." 그가 말했
다. "힘."

"그게 뭔데?"

"서류." 그가 말했다. "내가 훔친 걸 손에 넣으려고 큰돈을 지불할
사람들이 엄청 많다고. 정말이야."

"무슨 서류인데?"

그의 숨소리가 더 얕아졌다.

"정확히는 몰라." 그가 말했다. "이름, 주소, 정보. 하지만 당신은 영
리해 보이니 어떻게 사용해야 할지 알 것 같군."

"지금 그걸 갖고 있나?"

"어리석은 소리." 그가 쌕쌕거렸다. "그것들은 바깥에 있는 금고에
있어." 나는 그의 입에서 불이 꺼진 담배를 빼 바닥에 던졌다. 그런 다
음 내가 피우던 것을 그에게 주었다.

"써 보지도 못하고…… 아쉽군." 그가 헐떡이며 말했다. "당신은 나
에게…… 잘해 줬어. 그래서 당신에게 호의를 베풀 생각이야…….
그것들을 써 먹지 않겠나? 밖에 나가면…… 그건 트럭 한 대분의 돈
이…… 될 거야." 그의 말을 듣기 위해 몸을 수그렸다. "그걸 찾아
서…… 써 먹으라고." 그의 눈이 깜박거렸다. 나는 그의 어깨를 잡고

의식이 돌아오게 하려고 흔들었다.

정신을 차리도록.

나는 그 옆에 얼마간 무릎을 꿇고 있었다. 문득 모든 걸 포기해 버리고 싶은 마음이 들었다. 무트슈만은 나보다 더 어렸고, 또 강건하기까지 했다. 병에 굴복하는 내 자신을 상상하는 건 그다지 어렵지 않았다. 체중이 엄청나게 줄었고, 온몸에 피부병이 퍼진 데다 이도 흔들리고 있었다. 목공 작업실에 있는 하이드리히의 수하 뷔르거 상병에게 가서 다하우에서 내보내 달라는 암호를 대면 내 신상에 어떤 일이 일어날지 궁금했다. 폰 그라이스의 서류가 있는 곳을 내가 모른다는 사실을 알게 되면 하이드리히가 어떻게 할까? 다시 수용소로 돌려보낼까? 처형할까? 만약 내가 계속 잠자코 있는다면 공작이 실패로 끝난 것으로 판단하고 나를 내보내 줄까? 하이드리히와의 짧은 만남과 그에 관한 소문으로 판단하건대 그렇게는 되지 않을 것 같았다. 성공을 코앞에 두고 마지막에 실패한 것이 거의 참을 수 없을 만큼 분했다.

잠시 후 나는 앞으로 다가가 무트슈만의 누렇게 뜬 얼굴 위로 담요를 덮어 주었다. 몽당연필이 바닥에 떨어졌다. 그것을 바라보는 몇 초 동안 머릿속에 어떤 생각이 스쳐 가며 마음속에서 희망의 빛이 일렁였다. 나는 무트슈만에게서 담요를 벗겨 냈다. 그는 두 주먹을 꼭 쥐고 있었다. 나는 양 주먹의 손가락을 하나하나 폈다. 무트슈만의 왼손에 갈색 종이가 들어 있었다. 구두 수선 작업장에서 일하는 재소자들이 친위대원의 수선한 구두를 싸는 데 쓰곤 하는 종이였다. 거기에 아무것도 쓰여 있지 않을까 봐 그 종이를 즉각 펴 보기가 두려웠다. 마음을 가다듬고 종이를 펼치자 내용을 거의 알아볼 수 없을 정도의 악필로 무언가가 쓰여 있었고, 그것을 해독하는 데 거의 한 시간이 걸렸다. '베를린 운송국 자르란트 가 유실물 취급소. 귀하는 7월 중에 라이프치거 가에서 서류 가방을 분실하셨습니다. 무늬 없는 갈색 가죽, 놋쇠 자물쇠, 손잡이에 잉크 자국. 금색 이니셜 K. M. 내용물은 미국에서 온 우편엽서, 카를 마이가 지은 서부 소설 『노련한 총잡이』, 업무 서류. 감사합니다. K. M.'

    이것은 아마 누구도 가져 본 적 없는 가장 이상한 귀향 티켓일 터였다.

19

도처에 제복을 입은 사람들이 깔린 것 같았다. 신문팔이마저 나치 돌격대원의 모자와 외투를 입고 있었다. 군대 행진도 없었고, 운터 덴 린덴 가에는 이제 유대인 상점이나 그 밖의 유대인과 관련된 것은 아무것도 남아 있지 않았다. 다하우에 갔다 온 지금에야 나는 국가사회주의가 독일을 지배하고 있다는 사실을 온전히 깨달았다.

나는 사무실로 가는 중이었다. 그리스 대사관과 슐체의 화방 사이에 위치한, 힘러가 파울 파르에게 부패 근절에 관한 편지를 썼던 내무성을 지나쳤다. 내무성 앞에는 나치 돌격대원 둘이 보초를 서고 있었다. 차 한 대가 정문 앞에 멈춰 서더니 차 안에서 장교 두 명과 제복을 입은 여자가 내렸다. 여자는 마를레네 잠이었다. 나는 멈춰 서서 알은 척을 할까 하다가 그만두었다. 그녀는 본 척도 하지 않고 나를 스쳐 지나갔다. 그녀가 나를 알아봤다면 그것은 훌륭한 연기였다. 나는 몸을 돌려 그녀가 두 남자를 따라 건물 안으로 들어가는 모습을 지켜보았다. 이 분이 넘도록 서 있었는데, 챙이 낮은 모자를 쓴 뚱뚱한 남자에게 불심검문을 받을 만큼 오래 서 있었다는 생각은 들지 않았다.

"신분증." 그가 지포 신분증이나 배지조차 꺼내 들지 않고 퉁명스럽게 말했다.

"누구 맘대로?"

그 남자가 제대로 면도하지 않은 뚱뚱한 얼굴을 들이밀며 쇳소리를 냈다. "내 맘대로."

"이봐, 자신이 함부로 명령을 해도 되는 사람으로 알고 있다면 안됐지만 착각이야. 그러니까 그 따위 소리는 집어치우고 신분증이나 보여 주시지." 지포 신분증이 내 코앞에서 번득였다.

"경찰들도 점점 게을러지는군." 내가 신분증을 꺼내며 말했다. 그가 신분증을 낚아챘다.

"왜 이 주변을 배회하는 거지?"

"배회? 누가 배회를 한다는 거지?" 내가 말했다. "건물을 감상하려고 서 있었던 거야."

"왜 차에서 내리는 저 장교들을 보고 있었나?"

"장교들을 본 게 아니야." 내가 말했다. "여자를 보고 있었지. 나는 제복 입은 여자들을 좋아하거든."

"가던 길 가." 그가 내게 신분증을 던지며 말했다.

일반적으로 독일인들은 제복을 입은 사람이나 관료 계급장을 단 부류의 불쾌한 행동을 잘 견디는 것처럼 보인다. 천성적으로 권위에 저항하는 경향이 있다는 점을 빼면 나 역시 전형적인 독일인이다. 전직 경찰로서는 이상한 사고방식일는지도 모른다.

쾨니히 가에는 겨울 자선 운동이 한창이었고, 이제 막 11월에 들어섰을 뿐인데도 모금원들이 모든 이의 코앞에 빨간 모금함을 흔들고 있었다. 초기 겨울 자선 운동은 실업자와 경기 불황의 여파를 극복하는 데 도움이 되는 경향을 띠었지만 이제는 거의 모든 사람이 그것을 정당의 재정적, 심리적 협박이라고 생각했다. 자선 운동은 기금 조성 뿐 아니라 국가의 도움 없이도 국민들의 자생력을 기르는 풍조를 조성하는 데 중요한 목적이 있었다. 매주 각각의 조직이 모금을 담당하는데 이번 주는 철도원들의 차례였다.

내가 좋아하는 유일한 철도원은 내 예전 비서 다크마르의 아버지였다. 마지못해 모금원 중 한 명의 모금함에 이십 페니히를 넣고 걸음을 옮기기가 무섭게 또 다른 사람들이 몰려들었다. 기부를 했다는 표시로 주는 작은 유리 배지는 좋은 기부자라는 표식이 되어 모금원들의 괴롭힘으로부터 큰 도움이 되지 못했다. 한 사내에게 욕을 하고 밀친 것은 철도원이 하나같이 뚱뚱해서가 아니라, 시청 앞 기념비 그늘로 사라지는 다크마르의 모습이 눈에 띄었기 때문이다.

내 잰 발걸음 소리를 들은 그녀가 내가 미처 다가서기도 전에 고개를 돌려 나를 보았다. 우리는 거대한 흰 글씨로 쓰인 '겨울 자선 운동에 참여하자'라는 표어가 붙어 있는 주전자 모양의 기념비 앞에 어색하게 마주 섰다.

"베르니." 그녀가 말했다.

"어이." 내가 말했다. "막 당신 생각을 하던 참이었어." 더 어색해진 내가 그녀의 팔을 만졌다. "요하네스 소식 들었어. 유감이야." 그녀가 씩씩하게 미소 지으며 갈색 울 코트의 깃을 여몄다.

"살이 많이 빠졌군요, 베르니. 아팠어요?"

"얘기하자면 길어. 커피 마실 시간 있어?"

우리는 알렉산더 광장에 있는 알렉산더쿠엘레로 가 진짜 모카커피와 진짜 잼과 진짜 버터가 발린 진짜 스콘을 시켰다.

"들리는 말로는 괴링이 석탄에서 버터를 만드는 새 기술을 고안했다더군."

"그는 자기가 만드는 어떤 것도 먹을 것 같지 않아요." 그녀가 점잖게 웃었다. "그리고 베를린 어디에서도 당신은 양파를 살 수 없을 거예요. 아버지는 나치가 중국과 싸우는 일본군에 팔려고 양파를 독가스 재료로 쓰고 있다고 생각하세요."

잠시 후 나는 요하네스에 관한 일을 물어도 되는지 물었다. "유감이지만 할 말이 그리 많지 않아요." 그녀가 말했다.

"어떻게 된 거야?"

"내가 아는 건 마드리드 공습 때 전사했다는 것뿐이에요. 그의 전우가 와서 전해 줬어요. 제국 정부로부터 '부군은 독일의 영광을 위해 전사했다'는 한 줄짜리 전보를 받았죠. 웃기는 소리라고 생각해요." 그녀가 커피를 홀짝였다. "그런 다음 내무성의 누군가를 만나서 어떤 일이 있었는지 함구할 것과 상복을 입지 말 것에 관한 약속 증서를 써야 했어요. 상상이 가나요, 베르니? 나는 남편을 위해 상복조차 입을 수 없어요. 내가 할 수 있는 건 연금을 받는 것뿐이죠." 그녀가 씁쓸하게 웃으며 덧붙였다. "'국가가 개인보다 우선이다'. 뭐, 그게 그들의 본심이에요." 그녀가 손수건을 꺼내 코를 풀었다.

"국가사회주의자들이 더 힘이 세지면 절대 깔봐선 안 돼." 내가 말했다. "개인은 관심 밖이니까. 요즘은 자식이 사라져도 어머니들은 그러려니 할 정도야. 아무도 관심을 갖지 않지."

나를 제외하고는 아무도. 다하우에서 석방된 후 몇 주 동안 잉게 로렌즈의 실종 사건이 내 유일한 사건이었다. 하지만 가끔은 나, 베르니 귄터조차 허탕을 친다.

1936년 늦가을, 독일에서 누군가를 찾는다는 것은 바닥에 떨어진 엄청나게 큰 서랍 속 내용물을 찾으려고 애쓰는 것과 같다. 산산이 흩어졌던 내용물이 새로이 정리된 것처럼 찾고자 했던 것은 더 이상 내 손에 쉽사리 들어오지 않거나 아니면 아예 서랍 안에 들어 있지 않았던 것처럼 되었다. 내 절박함은 점차 사람들의 무관심 속에서 옅어져 갔다. 잉게의 예전 신문사 동료들은 어깨를 으쓱한 다음 그녀를 정말 잘 알지 못했다고 말했다. 이웃들은 머리를 흔들고 그런 일에 달관할 필요가 있다고 말했다. 그녀의 숭배자인 독일 노동 전선의 오토는 아마 그녀가 머지않아 나타나지 않겠느냐고 말했다. 나는 그들 중 어느 누구도 탓할 수 없었다. 이미 훤한 머리에서 머리털이 한 올이 더 빠진다는 건 단지 곤란한 일 정도에 지나지 않는다.

술병을 친구 삼아 외롭고 조용한 밤을 보내며 나는 종종 그녀에게 일어난 일을 상상해 보려고 애썼다. 자동차 사고. 어쩌면 기억상실. 우울증이나 신경쇠약. 즉시 그리고 영원히 사라져야 할 필요가 있었던 그녀가 저지른 범죄. 하지만 언제나 내 생각은 납치 및 살해로 귀결되었고, 무슨 일이 일어났든 그 생각은 내가 의뢰받은 사건과 관련이 있었다.

두 달이 경과했고, 만약 게슈타포가 관련되어 있다고 한다면, 최근 교외 슈프레발트의 작은 크리포 경찰서로 좌천된 브루노 슈탈레커가 정보를 찾았겠지만 잉게가 처형됐다거나 강제수용소로 보내졌다는 기록은 찾을 수 없었다. 무슨 일이 일어났었는지 단서가 될 만한 무언가를 찾을 수 있을지도 모른다는 희망에 반제에 있는 하우프트핸들러의 집을 몇 번이나 가 봤지만 아무것도 찾지 못했다.

잉게가 나와 공유하려고 하지 않았을지도 모를 무언가 비밀스러운 것이 있는지 찾기 위해 나는 종종 임대 기간이 끝나기 전까지 잉게의 아파트를 찾았다. 그러는 동안 잉게에 대한 기억은 점점 옅어 갔다. 사진이 없이는 그녀의 얼굴이 생각나지 않았고, 가장 기본적인 정보 이외에 그녀에 대해 아는 게 정말 거의 없다는 것을 깨달았다. 날이 갈수록 내 무지함이 드러날 뿐이었다.

수주가 수개월로 바뀌면서 나는 잉게를 찾을 확률이 산술적으로 따져 거의 반비례하듯 더 낮아진다는 걸 알았다. 그리고 그녀의 흔적이 희미해질수록 희망도 희미해졌다. 나는 그녀를 다시는 못 볼 거라고 느꼈다. 아니, 알았다.

다크마르가 커피를 더 시켰고, 우리는 각자 하는 일에 대해 이야기를 나누었다. 하지만 나는 잉게에 대해서도 다하우에서 보낸 시간에 대해서도 말하지 않았다. 모닝커피를 마시며 나누기에는 적합하지 않은 대화였다.

"일은 어때요?" 그녀가 물었다.

"새 차를 샀어. 오펠."

"그럼 일이 잘되나 보군요."

"당신은 어때? 어떻게 먹고살지?"

"부모님 집으로 돌아왔어요. 집에서 하루 종일 타이핑을 하죠. 학생들 논문, 뭐 그런 거요." 그녀가 억지 미소를 띠었다. "아버지는 내가 그 일을 하는 걸 걱정하세요. 아시다시피 나는 밤에 타이핑하길 좋아하고, 내 타이프라이터 소리에 지난 삼 주 동안 세 차례나 게슈타포가 찾아왔죠. 그들은 야당 기관지에 글을 기고하는 사람들을 경계하니까요. 다행히도 내가 쳐 대는 논문들은 국가사회주의를 찬양하는 글들이라 조사를 받아도 안심이에요. 하지만 아버지는 이웃들을 걱정하세요. 아버지 말로는 이웃들이 우리가 게슈타포에 감시를 당하고 있다고 믿기 시작할 거래요."

잠시 후 나는 영화를 보러 가자고 제안했다.

"그래요." 그녀가 말했다. "하지만 애국심을 고취하는 영화라면 못 참을 거예요."

카페 밖에서 우리는 신문을 샀다.

1면에 두 헤르만인 직스와 괴링이 악수하는 사진이 실려 있었다. 괴링은 활짝 웃고 있었고, 직스는 미소조차 짓고 있지 않았다. 결국 독일 강철 산업의 원자재 공급에 관한 수상의 안이 전면적으로 통과된 것 같았다. 나는 연예 면을 펼쳤다.

"타우엔치엔팔라스트에서 상영하는 〈진홍빛 여제〉는 어때?" 내가 말했다. 다크마르는 벌써 두 번이나 봤다고 말했다.

"이건 뭐죠?" 그녀가 말했다. "일제 루델 주연의 〈위대한 열정〉. 이게 그녀의 새 영화인가 보죠? 그 배우 좋아하죠? 거의 모든 남자들이 그런 것 같으니까요." 나는 일제 루델이 보낸 살인자였던 젊은 배우 발터 콜브가 떠올랐다. 그는 나에게 죽임을 당했다. 그녀가 입고 있는 얇은 모직 옷의 신문광고가 보였다. 개인적으로 그녀를 좀 안다고 하는 나도, 그녀가 어떤 여자인지는 알 수 없었다.

하지만 이제 나는 어떤 것에도 놀라지 않았다. 나는 엄청난 지진으로 인해 더 이상 길이 똑바르지 않고 빌딩이 제대로 서 있지 않은 것 같은 뒤죽박죽이 된 세상에서 사는 데 익숙했다.

"그래." 내가 말했다. "괜찮은 여자지."

우리는 극장을 향해 걸었다. 붉은색 《데어 슈튀르머》 게시대가 길 모퉁이 안쪽에 있었는데, 슈트라이허가 발행하는 신문이 전보다 더 광적으로 보였다.

역자
후기

하드보일드의 세계에 또 한 명의 새로운 영웅이 탄생했다.

전직 경찰로 아내와 16년 전에 사별하고 현재는 독신인 38세의 사립탐정 베른하르트 귄터. 줄담배를 피우고 말술을 마시며 거칠고 냉소적인 말투에 거친 유머를 남발하면서 냉철하게 옳고 그름을 판단하는 남자. 이쯤 되면 베를린판 필립 말로라고 해도 과언이 아니다. 작가는 실제로 필립 말로를 나치 치하의 베를린에 등장시키면 어떨까 하는 아이디어에서 시작해 이 작품을 구상했다고 한다.

미스터리 장르에는 역사 미스터리라는 하위 장르가 있다. 로마 공화정 말기를 배경으로 한 스티븐 세일러의 '고르디아누스 시리즈', 중국 당나라 시대가 배경인 로베르트 반 훌릭의 '디 런지에 시리즈', 중세 유럽이 배경인 엘리스 피터스의 '캐드펠 수사 시리즈', 미야베 미유키의 '에도 시리즈', 빅토리아 시대를 배경으로 한 세라 워터스의 『핑거스미스』 등, 언급한 작품들은 기원전에서 19세기를 아우른다. 필립 커의 『3월의 제비꽃』은 1차 대전 이후 혼돈에 빠진 독일을 집권한 나치당이 전 세계를 혼돈으로 몰고 갈 2차 대전이라는 도화선에 불을 당길 준비를 하던, 암울한 땅거미가 스멀스멀 내리기 시작한 20세기 초가 시대적 배경이다.

　작품의 제목이기도 한 '3월의 제비꽃'은 1933년 3월 23일 히틀러가 나치 독일 정권에 입법권을 위임한 전권 위임법을 통과시킴으로써 독재자의 자리에 오르게 된 후에야 뒤늦게 나치당에 입당한 기회주의자를 뜻하는 말로, 이 작품의 배경이 되는 1936년의 어수선한 독일 사회 분위기를 암시한다. 1936년은 바이마르 공화국이 붕괴되고 히틀러가 정권을 획득한 후 나치스가 한창 독재 체제를 구축하던 시기였다. 1935년에는 뉘른베르크법이 통과되어 유대인이 2급 시민으로 격하되었고, 1936년 11월에는 독일과 일본의 방공협정防共協定이 체결되어 이듬해에는 이탈리아와 헝가리, 스페인이 가담하는 등, 1930년 중반의 유럽은 깎아지른 듯한 비탈길을 핸들이 날아가 버린 자전거를 타고 질주하는 듯한 형국이었다. 작품에서 묘사되듯 1936년은 베를린 올림픽이 열린 해이기도 하다. 작품 속 이제 막 개막한 올림픽의 주경기장에서 귄터가 마를레네 잠을 만나 정보를 캐는 대목에 미국의 위대한 육상 선수였던 제시 오언스가 등장한다. (귄터가 폐막식 쯤 마를레네 잠을 만났더라면 제시 오언스 대신 손기정 선수가 등장하지 않았을까?) 이처럼 철저한 조사와 연구를 바탕으로 당시 시대를 치밀하게 고증한 이 작품 속에는 스치듯 언급되는 제시 오언스뿐 아니라 익히 알려진 전범인 헤르만 괴링, 하인리히 힘러, 라인하르트 하이드리히가 등장한다. 조금은 덜 알려진 크리포 국장 아르투르 네베와 발터 푼크 역시 실존했던 인물이었다. 귄터가 괴링을 대면하는 대목, 특히 히틀러 이상으로 악몽 같은 인물 하이드리히를 대면하는 대목은 짜릿하기조차 하다.

2차 대전 당시 연합국 측이 독일에 대해 느꼈을 감정은 책이나 영화 등의 매체를 통해 우리는 어느 정도나마 알고 있지만 정작 나치 치하의 삶을 살았던, 유대인이 아닌 독일인들이 느꼈을 감정에 대해서는 알 기회가 드문 편이었다. 『3월의 제비꽃』은 나치 치하의 독일 내 좌파 지식인이라고 할 수 있는 일반 시민 귄터의 시각을 통해 당시 독일 시민이 느꼈을 공포와 타성과 무지에서 기인한 나치에의 묵종을 체감할 수 있다는 점에서 큰 의미가 있다.

이 작품은 프랑스 미스터리 비평가 상과 프랑스 모험소설 대상을 받았고, 영국 대거 상 처녀작 부문 후보에 올랐다. 연합국 측에서는 호평과 함께 좋은 성적을 거뒀지만 정작 독일에서의 반응은 어땠을까. 영국인인 필립 커는 『철학적 탐구』(1992)와 『Grid』(1995)로 독일 추리 문학 대상을 2회 수상했지만 정작 작가의 명성을 알린 귄터 시리즈는 단 한 편도 후보에 오른 적이 없었다. 이것이 독일 내 귄터 시리즈의 평판을 말해 주는 것은 아닐 테지만 독일인들의 반응이 어땠을지 궁금해지는 것은 사실이다.

베를린 누아르 3부작이 출간된 뒤 무려 15년 뒤에야 베른하르트 귄터 시리즈 4편이 출간되었을 때 독자들의 반응은 열광적이었다. 현재 베른하르트 귄터 시리즈는 열한 편이 출간되어 있다. 7편까지는 나치 치하가 배경이고 그 이후는 냉전 시대가 배경이라고 한다. 작가의 말을 빌리면 '잃을 게 없기 때문에 용감한 베르니 귄터'의 시니컬한 활약을 마음껏 즐겨 주시길 바란다.

역자 후기
–

국내 독자들 사이에서 베를린 누아르 3부작이 출간될 것이라는, 기대를 잔뜩 머금은 풍문이 이미 10년 이상 전부터 떠돌았었다. 독자들은 도대체 언제, 어느 출판사에서 출간될 것인지 궁금해하며 기다리다 욕하고 포기한 지 오래다.

작은 출판사에 다니고 있는 내게도 이 작품의 출간 제의가 들어온 적이 있었다. 내가 다니는 출판사는 아쉽게도 고심 끝에 고사했지만 나 역시 이 작품이 출간되기만을 목 빠지게 기다리고 있던 독자 중 한 명이었다. 실제로 출간이 된다는 희소식을 넘어서 내가 직접 이 작품을 번역하게 될 줄 십 년 전에 알았더라면. 어쨌든 대단한 영광으로 생각한다. 부디 날개 돋친 듯 팔려 좋은 작품을 알아보고 출간을 결심한 북스피어 출판사 사장님의 혜안이 빛을 발하길 바란다.

박진세

옮긴이 박진세

추리소설 애호가로 현재 출판 기획 일을 하고 있다. 옮긴 책으로 에드 맥베인의 『살의의 쐐기』, 『노상강도』, 『마약 밀매인』, 아카이 미히로의 『저물어 가는 여름』, 엘러리 퀸의 『탐정, 범죄, 미스터리의 간략한 역사』가 있다.

* 이 도서의 국립중앙도서관 출판시도서목록(CIP)은 서지정보유통지원시스템 홈페이지(http://seoji.nl.go.kr)와 국가자료공동목록시스템(http://www.nl.go.kr/kolisnet)에서 이용하실 수 있습니다.(CIP제어번호: CIP2017007995)

March Violets

베를린 누아르
—
3월의 제비꽃

초판 1쇄 발행 2017년 4월 25일

지은이   필립 커
옮긴이   박진세

            발행편집인   김홍민 · 최내현
            책임편집   안현아
            편집   유온누리
            마케팅   홍용준
            표지디자인   이혜경디자인
            용지   한승
            출력 인쇄 제본   현문자현

펴낸곳   도서출판 북스피어
출판등록   2005년 6월 18일 제105-90-91700호
주소   (121-826) 서울특별시 마포구 방울내로 11길 43 101-902
전화   02) 518-0427
팩스   02) 701-0428
홈페이지   www.booksfear.com
전자우편   editor@booksfear.com

            ISBN 978-89-98791-66-7 (04840)
                 978-89-98791-65-0 (SET)